Née en 1941 à La No
mence à écrire au m
qu'elle pense être « une courte nouvelle sur le thème du vampirisme ». *Entretien avec un vampire* deviendra un livre culte, le premier volume des *Chroniques des vampires*, bientôt suivi de *Lestat, le vampire*, best-seller dans le monde entier.

Reine du fantastique moderne qu'elle a révolutionné en lui apportant sensualité et démesure, elle passe au roman historique avec *La voix des anges*, superbe histoire de castrats à Venise, et à l'érotisme avec *Les mésaventures de la Belle au bois dormant*.

Revenue à ses chers vampires avec *La reine des damnés* et *Le Voleur de corps*, elle se consacre bientôt à *La saga des sorcières de Mayfair*, amorcée avec *Le lien maléfique* et poursuivie dans *L'heure des sorcières*, en attendant, ce qui ne saurait tarder, que les personnages de ses deux séries ne finissent par se rencontrer.

ANNE RICE

Née en 1941 à La Nouvelle-Orléans, Anne Rice commence à écrire au milieu des années soixante-dix ce qu'elle présente comme « une courte nouvelle sur le thème du vampirisme » : *Entretien avec un vampire* devient un livre culte, le premier volume des *Chroniques des vampires*, bientôt suivi de *Lestat le vampire*, best-seller dans le monde entier.

Reine du fantastique moderne qu'elle a révolutionné en lui apportant sensualité et élégance, elle s'essaie au roman historique avec *La Voix des anges*, sur l'histoire des castrats à Venise, et à l'érotisme avec *Les mésaventures de la Belle au bois dormant*.

Revenue à ses chers vampires avec *La Reine des damnés* et *Le Voleur de corps*, elle se consacre bientôt à *La saga des sorcières de Mayfair*, amorcée avec *Le Lien maléfique* et poursuivie dans *L'Heure* [illegible] en attendant, ce qui ne saurait tarder, que les protagonistes de ses deux séries de [illegible] ne se rencontrent.

LA MOMIE

DU MÊME AUTEUR
CHEZ POCKET

Chroniques des vampires

1. ENTRETIEN AVEC UN VAMPIRE
2. LESTAT LE VAMPIRE
3. LA REINE DES DAMNÉS
4. LE VOLEUR DE CORPS
5. MEMNOCH LE DÉMON

La saga des sorcières

1. LE LIEN MALÉFIQUE
2. L'HEURE DES SORCIÈRES
3. TALTOS

Les infortunes de la belle au bois dormant

1. L'INITIATION
2. LA PUNITION
3. LA LIBÉRATION

LA MOMIE
LE VIOLON
LA VOIX DES ANGES
LE SORTILÈGE DE BABYLONE
VITTORIO LE VAMPIRE

ANNE RICE

LA MOMIE

Titre original :
The Mummy
or Ramses the Damned

Roman traduit de l'américain
par Jacques Guiod

Si vous souhaitez recevoir régulièrement
notre zine « **Rendez-vous ailleurs** », écrivez-nous à :

« Rendez-vous ailleurs »
Service promo Pocket
12, avenue d'Italie
75627 PARIS Cedex 13

ISBN : 2-266-12773-X
ISSN : 1144-7214

Ce roman est affectueusement dédié
A Stan Rice et Christopher Rice
A Gita Mehta, pour sa riche inspiration
A Sir Arthur Conan Doyle, pour ses nouvelles « Le lot n° 249 » et « L'anneau de Thoth »
A H. Rider Haggard, qui créa l'immortelle Elle-qui-doit-être-obéie
A tous ceux qui ont redonné vie aux momies, par le livre ou par le film
Et enfin, à mon père, Howard O'Brien, souvent venu me réconforter dans mon enfance quand « la momie » me terrorisait

Je remercie tout particulièrement Frank Konisberg et Larry Sanitsky pour leurs encouragements enthousiastes et leur contribution au développement du récit de la Momie

PREMIÈRE PARTIE

CHAPITRE PREMIER

Les flashes des appareils photo l'éblouirent un instant. Si au moins il pouvait se débarrasser des photographes.

Mais cela faisait maintenant des mois qu'ils l'accompagnaient – depuis le jour où les premiers objets avaient été retrouvés dans ces collines désolées, au sud du Caire. On eût dit qu'ils savaient que quelque chose allait se produire. Après bien des années, Lawrence Stratford était sur le point d'effectuer une découverte majeure.

C'est pourquoi ils étaient là, avec leurs appareils et leurs flashes qui fumaient. Ils le bousculèrent au moment où il s'engagea dans le passage grossièrement taillé qui menait à la porte de marbre.

Le crépuscule se fit soudain plus intense. Il voyait les lettres, mais ne les distinguait pas vraiment.

« Samir, éclairez-moi, s'écria-t-il.

– Oui, Lawrence. »

La torche s'embrasa derrière lui et la dalle de pierre apparut dans un flot de lumière jaune. C'étaient des hiéroglyphes, oui, gravés et dorés dans du marbre d'Italie. Il n'avait jamais vu cela auparavant.

Il sentit la main chaude et soyeuse de Samir se poser sur la sienne quand il commença à lire tout haut :

« *Détrousseurs des morts, éloignez-vous de cette tombe si vous ne voulez pas en réveiller l'occupant, car sa colère ne pourra être contenue. Ramsès le Damné est mon nom.* »

Il se tourna vers Samir. Qu'est-ce que cela signifiait ?

« Continuez, Lawrence, traduisez, vous êtes infiniment plus rapide que moi, dit Samir.

– *Ramsès le Damné est mon nom. Jadis Ramsès le Grand*

de la Haute et de la Basse-Egypte; vainqueur des Hittites, bâtisseur des temples; bien-aimé du peuple; et gardien immortel des rois et reines d'Egypte à travers les siècles. En cette année de la mort de la erande reine Cléopâtre, alors que l'Egypte devient province romaine, je m'abandonne aux ténèbres éternelles; prenez garde, vous qui permettrez aux rayons du soleil de franchir cette porte...

– Cela n'a aucun sens, murmura Samir. Ramsès le Grand a régné mille ans avant Cléopâtre.

– Ce sont pourtant des hiéroglyphes de la dix-neuvième dynastie, il n'y a aucun doute là-dessus, répliqua Lawrence en dégageant les gravats. Regardez, l'inscription se répète... en latin et en grec. »

Il fit une pause avant de lire rapidement les dernières lignes en latin :

« *Prenez garde : je dors, comme la terre dort sous le ciel nocturne ou la neige de l'hiver, mais une fois éveillé, je ne suis le serviteur de personne.* »

Lawrence resta un moment silencieux, comme hypnotisé par les mots qu'il venait de lire. Il entendit vaguement Samir dire :

« Je n'aime pas ça. On dirait une malédiction. »

Lawrence se retourna et constata que les doutes de Samir avaient cédé la place à la terreur.

« Le corps de Ramsès le Grand repose au musée du Caire, dit Samir avec impatience.

– Non, répondit Lawrence, conscient du frisson qui lui courait dans le dos. Il y a *un* corps au musée du Caire, mais ce n'est pas celui de Ramsès ! Regardez les cartouches, le sceau ! A l'époque de Cléopâtre, nul n'était capable d'écrire les anciens hiéroglyphes. Et ceux-ci sont parfaits – gravés avec le plus grand soin, comme les lettres grecques et latines. »

Ah, si seulement Julie était là, pensa Lawrence avec amertume. Sa fille, Julie, n'avait peur de rien. Elle comprendrait mieux que quiconque toute la portée de l'instant présent.

Il sortit en titubant du couloir étroit et fit signe aux photographes de s'éloigner, mais une fois de plus, les flashes crépitèrent. Les reporters accouraient vers la porte de marbre.

« Que les ouvriers reprennent le travail, cria Lawrence. Je

veux que ce passage soit dégagé jusqu'au seuil. Je pénétrerai ce soir dans la tombe.

– Lawrence, ne vous précipitez pas, dit Samir. Il y a ici quelque chose qui ne doit pas être pris à la légère.

– Samir, vous m'étonnez, répondit Lawrence. Depuis dix ans, nous fouillons ces collines dans l'espoir de faire une telle découverte. Personne n'a touché cette porte depuis le jour où elle fut scellée, il y a deux mille ans. »

Assez furieux, il repoussa les reporters qui s'agglutinaient et s'efforça de leur barrer le passage. Il avait besoin de retrouver le calme de sa tente jusqu'à ce que la porte fût libérée; il avait également besoin de son Journal, seul confident digne des émotions qu'il éprouvait. La chaleur de cette longue journée lui tournait un peu la tête.

« Pas de questions maintenant, mesdames et messieurs », dit poliment Samir.

Comme toujours, Samir s'interposait entre Lawrence et le monde réel.

Lawrence parcourut à la hâte le chemin mal dessiné, il se tordit la cheville et fit la grimace, mais poursuivit tout de même, le regard posé, par-delà les torches allumées, sur la sombre beauté des tentes éclairées sous le violet du ciel du soir.

Une seule chose fut capable d'attirer son attention avant qu'il ne retrouvât le calme de son fauteuil et de son bureau : la vision de son neveu, Henry, qui le guettait nonchalamment. Henry, si mal à l'aise dans ce pays; Henry, l'air misérable dans son impeccable costume de lin blanc; Henry, son éternel verre de whisky à la main et son inévitable cigarillo aux lèvres.

Sans aucun doute, la danseuse du ventre l'accompagnait – Malenka, cette femme du Caire, qui offrait au gentleman britannique tout l'argent qu'elle pouvait gagner.

Lawrence ne pouvait jamais totalement faire abstraction de Henry, mais l'avoir à ses côtés était plus qu'il n'en pouvait supporter.

Dans une vie bien remplie, Henry représentait la seule vraie déception de Lawrence. Ce neveu qui ne s'intéressait à rien ni à personne en dehors de l'alcool et des tables de jeu était le seul héritier mâle des millions des Stratford – lui à qui l'on n'aurait même pas confié un billet d'une livre.

Il regrettait vivement l'absence de Julie – sa fille bien-aimée, qui aurait dû être ici, avec lui, si son jeune fiancé ne l'avait persuadée de rester au pays.

Henry n'était venu en Egypte que pour y chercher de l'argent. Il était porteur de papiers de la compagnie que Lawrence devait parapher. Et le père de Henry, Randolph, lui avait assigné cette triste mission, désireux comme toujours de couvrir les dettes de son fils.

Oh oui, ils faisaient une fine équipe – le propre à rien et le président du conseil d'administration de la Stratford Shipping, qui reversait maladroitement les bénéfices de la compagnie dans les poches percées de son fils.

La vérité était que Lawrence pouvait tout pardonner à son frère, Randolph. Lawrence n'avait pas confié les affaires familiales à Randolph, il s'en était déchargé sur lui, avec toutes les obligations et les responsabilités que cela impliquait, afin que lui-même, Lawrence, pût passer ses dernières années à fouiller les ruines de cette Egypte qu'il aimait tant.

Pour être honnête, il convenait de reconnaître que Randolph avait assuré une gestion tolérable de la Stratford Shipping. C'est-à-dire, jusqu'à ce que son fils se révélât être un voleur et un escroc. Randolph ne pourrait que tout admettre s'il se trouvait confronté à la vérité, mais Lawrence faisait preuve de trop d'égoïsme pour provoquer cette confrontation. Il ne voulait plus revenir à Londres et retrouver les bureaux étouffants de la Stratford Shipping. Même Julie ne pourrait le persuader du bien-fondé d'un retour.

Henry attendait son heure. Quant à Lawrence, il reculait cet instant. Il pénétra sous sa tente et approcha du bureau son fauteuil de toile. Il sortit un cahier relié pleine peau qu'il conservait depuis longtemps, pour cette découverte peut-être. Hâtivement, il écrivit ce qu'il se rappelait des inscriptions de la porte et des questions qu'elle posait.

« Ramsès le Damné... »

Il relut ces mots. Et, pour la première fois, il éprouva le même pressentiment que Samir.

Que diable cela pouvait-il bien vouloir dire ?

Minuit et demi. Rêvait-il ? La porte de marbre du tombeau avait été soigneusement dégagée, photographiée et posée sur des tréteaux, sous sa tente. Ils étaient prêts à s'y engouffrer.

Son tombeau, enfin !

Il adressa un signe de tête à Samir. Un frémissement nerveux parcourut l'assemblée. Les flashes crépitèrent, il porta les mains à ses oreilles. Son cri les prit par surprise.

La torche à la main, il entra, bien que Samir essayât une fois de plus de l'en empêcher.

« Lawrence, il y a peut-être des chausse-trapes, ce n'est pas...

– Ecartez-vous. »

La poussière le faisait tousser, ses yeux coulaient.

Il passa sa torche dans le trou béant. Des parois décorées de hiéroglyphes – là encore, c'était indubitable, le style magnifique de la dix-neuvième dynastie.

Il entra sans la moindre hésitation. Quelle fraîcheur extraordinaire ! Et cette odeur, ce parfum étrange, après tous ces siècles !

Son cœur battait trop vite. Le sang affluait à son visage. La nuée de reporters soulevait de la poussière et il toussa encore une fois.

« En arrière ! » cria-t-il.

Les flashes éclataient tout autour de lui. Il voyait à peine le plafond orné de minuscules étoiles.

Une longue table était chargée de coffrets et de petits pots d'albâtre. De monceaux de rouleaux de papyrus. Mon Dieu, tout cela annonçait une découverte sans précédent.

Ce n'est pas un tombeau ! se dit-il.

Un bureau recouvert d'une fine couche de poussière paraissait délaissé par son scribe depuis quelques instants. Un papyrus déroulé, des stylets taillés, un flacon d'encre. Et un gobelet.

Quant au buste, au buste de marbre, il était de style gréco-romain, indiscutablement. Une femme aux cheveux ondulés rejetés en arrière sous un bandeau de métal, ses yeux comme ceux d'une aveugle, sous les paupières lourdes. Ce nom gravé à la base :

CLEOPÂTRE

« C'est impossible, entendit-il Samir dire. Mais regardez, Lawrence, le cercueil ! »

Lawrence l'avait déjà remarqué. Muet, il contemplait le

cabinet déposé sereinement au milieu de cette pièce étonnante, ce cabinet, cette bibliothèque, avec ses rayonnages chargés de rouleaux et sa table de travail recouverte par la poussière.

Une fois de plus, Samir demanda aux photographes de se reculer. La fumée des flashes rendait fou Lawrence.

« Partez, allez-vous-en ! » menaça Lawrence.

En grommelant, ils s'éloignèrent et laissèrent les deux hommes dans la pièce silencieuse.

Ce fut Samir qui parla le premier :

« Ce mobilier est romain. Et voici Cléopâtre. Remarquez les pièces de monnaie sur le bureau, Lawrence. Elles ont été récemment frappées à son effigie. Elles seules valent...

– Je sais, mon ami, mais c'est ici que repose un pharaon. Chaque détail de son cercueil... il est aussi beau que tout ce que l'on a pu trouver dans la Vallée des Rois.

– Il n'a pas de sarcophage, dit Samir. Pourquoi ?

– Ce n'est pas une tombe, répondit Lawrence.

– Et pourtant le roi a choisi d'être enterré ici ! »

Samir s'approcha du cercueil et leva haut sa torche pour mieux éclairer le visage délicatement maquillé, les yeux faits au khôl et les lèvres au contour exquis.

« Je jurerais que c'est la période romaine, dit-il.

– Mais le style...

– Il est trop réaliste, Lawrence. C'est un artiste romain qui a imité à la perfection le style de la dix-neuvième dynastie.

– Comment est-ce possible, mon ami ?

– Des malédictions », murmura Samir, comme s'il n'avait pas entendu la question.

Il déchiffrait les hiéroglyphes disposés autour du visage fardé. Le texte grec y faisait suite, puis le texte latin.

« *Ne touchez pas aux restes de Ramsès le Grand*, lut Samir. C'est la même chose dans les trois langues. De quoi faire réfléchir, non ?

– Demandez aux ouvriers de déposer le couvercle », dit Lawrence.

La poussière était retombée. Dans les vieilles appliques de métal, les torches envoyaient bien trop de fumée au plafond, mais il s'occuperait de cela plus tard.

Il s'agissait à présent d'ouvrir la forme humaine emmaillotée, laquelle avait été placée contre le mur; le mince couvercle de bois du cercueil se trouvait également à la verticale.

Il ne voyait plus les hommes et les femmes regroupés à l'entrée, silencieux devant l'objet de sa découverte.

Lentement, il leva le couteau et trancha le lin sec, lequel s'écarta pour révéler un corps enserré dans des bandelettes.

Il y eut un murmure d'émotion parmi les reporters. Une fois de plus, les flashes fusèrent. Lawrence sentait Samir silencieux à côté de lui. Les deux hommes contemplaient le visage émacié sous ses bandages jaunis, les bras blanchis si sereinement croisés sur la poitrine.

Un des photographes demanda la permission de pénétrer dans la chambre. Samir exigea le silence. Mais rien de cela ne distrayait Lawrence.

Il regardait paisiblement la forme émaciée qui se dressait devant lui, ses bandelettes couleur du sable du désert. Il lui semblait pouvoir déceler une expression dans les traits de ce visage, il trouvait une grande tranquillité dans ces lèvres minces.

Chaque momie constituait un mystère. Chaque forme desséchée quoique préservée, une image blafarde de la vie dans la mort. Il ressentait toujours un certain frisson à contempler ces morts de l'Egypte ancienne, mais là, il éprouvait quelque chose de plus fort encore devant cet être mystérieux qui se faisait appeler Ramsès le Damné, Ramsès le Grand.

Il déchira davantage la première série de bandelettes. Derrière lui, Samir ordonnait aux photographes de quitter le passage. Il y avait danger de contamination. *Eloignez-vous tous, je vous en prie.*

Il tendit la main et effleura la momie; il la toucha avec respect du bout des doigts. Quel contact étrange ! L'épaisse couche de bandes s'était ramollie avec le temps.

A nouveau, il regarda le visage étroit, les lèvres bien dessinées, la bouche sombre.

« Julie, murmura-t-il, oh ma chérie, si seulement tu pouvais voir cela... »

Le bal de l'ambassade. Et toujours les mêmes visages, le même orchestre, les mêmes valses suaves. Les lumières piquaient les yeux d'Elliott Savarell, le champagne lui laissait un goût amer dans la bouche. Ce qui ne l'empêcha pas de vider son verre et d'attirer le regard du serveur. Un autre. Un autre encore. Il aurait tout de même préféré du whisky ou un bon cognac.

Mais on se l'arrachait, n'est-ce pas ? Ce n'aurait pas été pareil sans le comte de Rutherford. Le comte de Rutherford était un ingrédient essentiel, comme les fleurs à profusion et les milliers de bougies; le caviar et l'argenterie; et les vieux musiciens qui s'escrimaient sur leurs violons pour faire danser la jeune génération.

Chacun saluait le comte de Rutherford. Chacun désirait que le comte de Rutherford assistât au mariage de sa fille, à un thé ou à un bal tel que celui-ci. Qu'importe si Elliott et son épouse ne recevaient pratiquement plus jamais personne dans leur demeure londonienne ou leur propriété du Yorkshire, qu'Edith passât la majeure partie de son temps à Paris en compagnie d'une sœur devenue veuve. Le dix-septième comte de Rutherford était un article de choix. Dans sa famille, les titres remontaient – d'une manière ou d'une autre – à Henry VIII.

Comment s'y était-il pris pour ne pas tout gâcher depuis longtemps ? se demanda Elliott. Comment avait-il réussi à charmer tous ces gens pour qui il n'éprouvait, dans le meilleur des cas, qu'un intérêt fugitif ?

Ce n'était pas tout à fait vrai. Il aimait certaines personnes, il fallait bien le reconnaître. Il aimait son vieil ami Randolph Stratford, de même qu'il aimait Lawrence, le frère de Randolph. Il aimait également Julie Stratford, et il aimait la voir danser avec son fils. Elliott était venu pour son fils. Certes, Julie n'allait pas épouser Alex. Pas pour l'instant, tout au moins. C'était pourtant le seul espoir à l'horizon de voir Alex acquérir un jour l'argent dont il aurait besoin pour entretenir les propriétés qu'il hériterait, cette fortune qui était censée aller de pair avec un titre aussi ancien et qui, bien souvent, ne l'accompagnait pas.

Le plus triste de l'histoire, c'est qu'Alex aimait vraiment Julie. L'argent n'avait pas d'importance pour eux. C'était la vieille génération qui s'occupait des projets et des prévisions, comme toujours.

Elliott s'appuya à la rampe dorée pour regarder les jeunes couples tournoyer à ses pieds; un instant, il s'efforça d'oublier les voix pour ne plus entendre que les notes de la valse.

Mais Randolph Stratford parlait à nouveau. Randolph assurait à Elliott que Julie n'avait besoin que d'un petit coup de pouce. Si Lawrence prenait la peine de lui en toucher un mot, sa fille céderait.

« Donnez sa chance à Henry, dit Randolph. Il n'est en Egypte que depuis une semaine. Si Lawrence doit prendre les devants...

– Mais pourquoi Lawrence ferait-il une chose pareille ? » demanda Elliott.

Silence.

Elliott connaissait mieux Lawrence que Randolph. Elliott et Lawrence. Personne ne savait exactement ce qui s'était passé, en dehors des deux protagonistes, naturellement. Il y a des années de cela, dans le monde insouciant d'Oxford, ils avaient été amants; à la fin de leurs études, ils avaient passé un hiver ensemble sur le Nil. Inévitablement, le monde les avait séparés. Elliott avait épousé une héritière américaine, Edith Christian. Lawrence avait fait un empire de la Stratford Shipping.

Leur amitié n'avait jamais failli. Ils avaient passé ensemble d'innombrables vacances en Egypte. Ils pouvaient continuer à passer des nuits entières à parler d'histoire, de ruines, de découvertes archéologiques, de poterie. Elliott avait été le seul à comprendre Lawrence quand il avait choisi de se retirer en Egypte. Elliott avait envié Lawrence. Et l'amertume s'était pour la première fois glissée entre eux. Au petit matin, après boire, Lawrence traitait Elliott de couard parce qu'il passait ses dernières années à Londres dans un monde auquel il n'accordait aucune valeur, un monde qui ne lui apportait aucune joie. Elliott avait reproché à Lawrence sa cécité et sa stupidité. Après tout, Lawrence était riche, bien plus qu'Elliott n'aurait pu le rêver, et Lawrence était veuf avec une fille intelligente et indépendante. Elliott avait une femme et un fils qui avaient besoin de lui jour et nuit pour assurer la réussite de leurs conventionnelles et respectables existences.

« Tout ce que je veux dire, insistait Randolph, c'est que si Lawrence donnait son avis à propos de ce mariage...

– Que faites-vous des vingt mille livres ? » lui demanda brusquement Elliott.

Le ton de sa voix était doux et poli, mais sa question était des plus brutales. Il poursuivit malgré tout.

« Edith revient de France dans une semaine, elle remarquera tout de suite la disparition de son collier. Elle excelle dans ce genre de chose. »

Randolph ne répliqua pas.

Elliott rit doucement, mais pas de Randolph, pas même de lui. Et certainement pas d'Edith, encore plus riche que lui, et dont la fortune consistait principalement en bijoux et en argenterie.

Peut-être Elliott riait-il tout simplement parce que la musique lui tournait la tête; à moins que la vision de Julie Stratford en train de danser avec Alex ne le touchât sincèrement. Peut-être aussi parce qu'il avait perdu la capacité de parler par euphémismes et demi-vérités; ce talent l'avait abandonné en même temps que ses forces physiques et ce sentiment de bien-être qu'il avait éprouvé durant toute sa jeunesse.

A présent, ses articulations le faisaient un peu plus souffrir d'année en année, et il ne pouvait plus faire un kilomètre à la campagne sans qu'une douleur fulgurante ne se réveillât dans sa poitrine. Avoir les cheveux blancs à cinquante-cinq ans ne le dérangeait pas, peut-être parce qu'il savait que cela lui allait assez bien. Mais cela le faisait secrètement souffrir que de devoir se servir d'une canne. Car le pire était encore à venir.

La vieillesse, la faiblesse, la dépendance. Fasse le ciel qu'Alex épouse les millions des Stratford, sans trop tarder si possible !

Il se sentit subitement impatient, mécontent. La musique doucereuse de Strauss l'ennuyait à mourir, mais ce n'était pas cela.

Il aurait voulu expliquer à Randolph que lui, Elliott, s'était cruellement fourvoyé, il y a bien des années. Cela avait quelque chose à voir avec ces longues nuits d'Egypte, où Lawrence et lui-même arpentaient les ruelles sombres du Caire ou s'enivraient dans le salon de leur bateau. Lawrence avait, d'une certaine façon, réussi à donner à sa vie des proportions héroïques, il avait accompli des choses dont les autres étaient tout simplement incapables. Elliott s'était laissé emporter par le courant. Lawrence avait su retrouver l'Egypte, le désert, les temples et les nuits cristallines.

Comme Lawrence lui manquait ! Ces trois dernières années, ils n'avaient échangé qu'une poignée de lettres, mais leur vieille complicité était toujours aussi vive.

« Henry a pris quelques papiers avec lui », dit Randolph, qui regardait autour de lui d'un air las, trop las.

Elliott allait rire à nouveau.

« Si tout se passe comme je l'espère, poursuivit Randolph, je vous rembourserai tout ce que je vous dois et le mariage aura lieu dans moins de six mois, je vous en donne ma parole. »

Elliott souriait.

« Randolph, ce mariage n'aura peut-être pas lieu, je n'en sais rien, et il ne résoudra peut-être pas nos affaires...

– Ne dites pas cela, mon vieux.

– Je dois avoir ces vingt mille livres avant le retour d'Edith.

– Précisément, Elliott, précisément.

– Vous savez, vous pourriez dire non à votre fils, pour une fois. »

Randolph émit un profond soupir. Elliott n'insista pas. Il savait aussi bien que quiconque que la détérioration de Henry n'était pas à prendre à la légère et qu'elle n'avait rien de passager. Il y avait quelque chose de profondément pourri chez Henry Stratford, et cela ne datait pas d'aujourd'hui. En revanche, il n'y avait pratiquement rien de tel chez Randolph.

De nouvelles assurances. Vous aurez vos vingt mille livres. Mais Elliott ne l'écoutait plus. A nouveau il regardait les danseurs – son doux fils, Alex, qui murmurait des choses passionnées à Julie, laquelle affichait cet air déterminé qui lui allait si bien.

Certaines femmes doivent sourire pour être belles, d'autres doivent pleurer. Julie ne présentait tout son éclat que lorsqu'elle était sérieuse – peut-être parce que ses yeux étaient trop doux naturellement, sa bouche trop candide, ses joues de porcelaine trop lisses.

Sous le feu de la détermination, elle était transfigurée. Et Alex, malgré toute sa lignée et toute la passion qui l'animait, semblait n'être pour elle rien de plus qu'un « cavalier », l'un de ces milliers de jeunes élégants qui l'auraient fait danser sur le sol de marbre.

C'était *Journaux du matin*, et Julie aimait cette valse; elle l'avait toujours aimée. Elle se rappelait avoir dansé sur cet air dans les bras de son père. Etait-ce lorsqu'ils avaient rapporté le gramophone à la maison ? Ils avaient dansé dans le salon égyptien, dans la bibliothèque et les autres salons, elle et Père, jusqu'à ce que la lumière du jour s'infiltrât par les volets, et il avait dit :

« Assez, ma chérie, je t'en prie, je n'en puis plus. »

A présent, la musique la laissait rêveuse, sinon un peu triste. Et Alex ne cessait de lui parler, de lui dire d'une manière ou d'une autre qu'il l'aimait, et un sentiment de panique montait en elle, cette crainte de prononcer des paroles dures ou froides.

« Et si vous voulez vivre en Egypte, disait Alex hors d'haleine, si vous voulez rechercher les momies aux côtés de votre père, eh bien nous irons en Egypte. Nous nous y rendrons tout de suite après le mariage. Et si vous voulez manifester pour obtenir le droit de vote, eh bien, je défilerai avec vous.

– Oh oui, répondit Julie, c'est ce que vous dites à présent, et je sais que vous êtes profondément sincère, mais je ne suis pas prête, Alex. Je ne peux pas. »

Elle ne supportait pas de le voir faire preuve de tant de sincérité. Elle ne supportait pas de le voir souffrir. Si au moins il y avait quelque faiblesse chez Alex, un peu de mesquinerie, comme chez tout un chacun. Ses bonnes manières y auraient gagné. Grand, mince, les cheveux bruns, il était par trop angélique. Ses yeux vifs révélaient trop facilement son âme. A vingt-cinq ans, c'était un garçon avide et innocent.

« Que feriez-vous d'une suffragette comme épouse ? lui demanda-t-elle. Et d'une exploratrice ? Je pourrais très bien être exploratrice ou archéologue. J'aimerais tant être en Egypte avec Père.

– Nous irons là-bas, ma chérie. Epousez-moi avant. »

Il se pencha comme pour l'embrasser. Et elle recula d'un pas. La valse les emportait et, l'espace d'un instant, elle se sentit la tête légère, pratiquement comme si elle était amoureuse.

« Que puis-je faire pour gagner votre cœur, Julie ? lui murmura-t-il à l'oreille. Je rapporterai à Londres les Grandes Pyramides.

– Alex, il y a longtemps que vous l'avez décroché », dit-elle avec un sourire.

C'était un mensonge, n'est-ce pas ? Il y avait quelque chose de terrible dans ce moment – dans cette musique charmante et envoûtante, dans le regard désespéré d'Alex.

« La vérité, c'est que... je ne veux pas me marier. Pas pour l'instant. »

Jamais, peut-être ?

Il ne répondit pas. Elle s'était montrée trop franche, trop directe. Elle connaissait ce repli soudain. Ce n'était pas un manque de virilité, mais la marque d'un gentilhomme. Elle l'avait froissé, et maintenant qu'il lui souriait à nouveau, il faisait montre d'un courage et d'une douceur qui la touchaient et la rendaient encore plus triste.

« Père sera de retour dans quelques mois, Alex. Nous parlerons. Du mariage, des droits de la femme, mariée ou non, du fait que vous méritez mieux qu'une femme moderne comme moi qui vous donnera des cheveux blancs en moins d'un an et qui vous jettera dans les bras d'une maîtresse tout ce qu'il y a de plus classique.

– Oh, comme vous aimez scandaliser, dit-il. J'adore cela. »

Et soudain il l'embrassa. Ils s'étaient arrêtés au milieu de la piste de danse, les autres couples tournoyaient autour d'eux au son de la musique. Il l'embrassait et elle le laissait faire, lui cédant totalement comme si elle se devait de l'aimer, comme si elle se devait d'aller à sa rencontre.

Les autres les regardaient, mais cela n'avait pas d'importance. Cela n'en avait pas non plus si les mains d'Alex tremblaient alors qu'il la serrait contre lui.

Ce qui importait, c'est que l'amour qu'elle éprouvait pour lui, si fort fût-il, ne suffisait pas.

Il faisait frais à présent. Il y avait du bruit à l'extérieur, des voitures arrivaient. Le braiment d'un âne, et aussi le rire aigu d'une femme, une Américaine venue tout droit du Caire dès qu'elle avait appris la nouvelle.

Lawrence et Samir étaient installés dans leurs fauteuils de toile devant l'ancien secrétaire chargé de papyrus déroulés.

Lawrence prenait garde de ne pas s'appuyer sur le meuble fragile et il se hâtait d'écrire la traduction des textes dans son carnet.

De temps à autre, il adressait un regard à la momie, à ce grand roi qui, aux yeux de tous, semblait dormir. Ramsès l'Immortel ! Cette idée enflammait l'enthousiasme de Lawrence, qui savait qu'il serait encore dans cette chambre étrange bien après le lever du jour.

« Ce ne peut être qu'un canular, dit Samir. Ramsès le Grand veillant pendant un millénaire sur les familles royales d'Egypte ? L'amant de Cléopâtre ?

– Mais c'est sublime ! » s'exclama Lawrence.

Il posa son stylo et contempla les papyrus. Ses yeux lui faisaient mal.

« Si une femme a pu inciter un immortel à entrer au tombeau, ce ne peut être que Cléopâtre ! »

Il regarda le buste de marbre et en caressa la joue blanche et lisse. Lawrence y croyait. Cléopâtre, bien-aimée de César et de Marc Antoine; Cléopâtre, qui avait résisté avec une formidable détermination à la conquête romaine; Cléopâtre, dernière grande reine de l'Egypte... Il devait revenir à ses traductions.

Samir se leva et s'étira. Lawrence le vit s'approcher de la momie. Que faisait-il ? Il examinait les bandelettes des mains, la bague en forme de scarabée. C'était un joyau de la dix-neuvième dynastie, on ne pouvait le nier.

Lawrence ferma les yeux et se massa doucement les paupières. Puis il s'intéressa à nouveau aux papyrus.

« Samir, je suis de plus en plus convaincu. Voir une telle maîtrise des langues étrangères est surprenante. Quant à ses conceptions philosophiques, elles sont aussi modernes que les miennes. »

Il prit un document qu'il avait déjà étudié.

« Jetez un coup d'œil à ceci, Samir. Cette lettre a été adressée à Ramsès par Cléopâtre.

– Voyons, Lawrence, c'est une plaisanterie de la part des Romains !

– Non, mon ami, ce n'est rien de tel. Elle a écrit cette lettre de Rome, lors de l'assassinat de César ! Elle dit à Ramsès qu'elle va le rejoindre en Egypte. »

Il mit la lettre de côté. Quand Samir aurait le temps, il verrait par lui-même ce que cette lettre contenait. Le monde entier le verrait. Lawrence reprit l'étude des papyrus.

« Tenez, écoutez cela, ce sont les dernières pensées de

Ramsès. *Les Romains ne doivent pas être condamnés pour leur conquête de l'Egypte, car c'est le temps même qui nous a finalement vaincus. Toutes les merveilles de ce siècle nouveau devraient m'arracher à mon chagrin, pourtant je ne peux apaiser mon cœur. Mon esprit souffre, mon esprit se referme comme une fleur privée de soleil...* »

Samir continuait de regarder la momie et la bague.

« Encore une référence au soleil. Le soleil, encore et toujours ! dit-il en se tournant vers Lawrence. Franchement, vous ne pensez tout de même pas...

– Samir, si vous croyez aux malédictions, pourquoi ne croyez-vous pas à l'immortalité de cet homme ?

– Lawrence, vous vous moquez de moi. J'ai vu les conséquences de plus d'une malédiction, mon ami, mais un immortel qui aurait connu l'Athènes de Périclès, la Rome de la République, la Carthage d'Hannibal ? Un homme qui aurait enseigné l'histoire de l'Egypte à Cléopâtre ? C'en est trop pour moi.

– Ecoutez cela, Samir : *Sa beauté m'ensorcellera à tout jamais, mais aussi son courage et sa frivolité, sa passion pour la vie, qui semblait inhumaine de par son intensité alors qu'il n'y avait rien de plus humain.* »

Samir ne répondit rien. Ses yeux étaient à nouveau posés sur la momie, comme s'il ne pouvait s'empêcher de la regarder. Lawrence le comprenait parfaitement, c'est pourquoi il lui tournait le dos afin de ne se consacrer qu'à ses papyrus.

« Lawrence, cette momie est aussi morte que toutes celles que j'ai pu voir au musée du Caire. Un fabulateur, voilà qui était cet homme. Pourtant cette bague...

– Oui, mon ami, je l'ai examinée très attentivement. Elle porte le cartouche de Ramsès le Grand, de sorte que nous n'avons pas seulement affaire à un fabulateur, mais aussi à un amateur d'antiquités. Est-ce là ce que vous voulez me faire croire ? »

Que croyait Lawrence ? Il s'appuya au dossier de toile du fauteuil et porta son regard sur le contenu de cette pièce étrange. Puis il reprit son travail de traduction.

« *C'est pourquoi je me retire dans cette chambre isolée. Ma bibliothèque sera mon tombeau. Mes serviteurs oindront mon corps et l'envelopperont de lin funéraire ainsi que le voulait la coutume en cette époque fort éloignée qui était la mienne. Aucun couteau ne me touchera. Aucun embaumeur n'extraira le cœur et le cerveau de cette forme immortelle.* »

Lawrence céda à l'euphorie, ou était-ce un rêve éveillé ? Cette voix... elle lui paraissait si réelle. Il sentait une personnalité, ce qui ne se produisait jamais avec les anciens Egyptiens. Mais, bien sûr, celui-ci était un immortel...

Elliott s'enivrait, mais personne ne le constatait. Hormis Elliott, appuyé à la rampe dorée du palier d'une manière dégagée qui lui était assez étrangère. Un style certain caractérisait le moindre de ses gestes, mais voici qu'il le désavouait nonchalamment, conscient que personne ne s'en rendrait compte, que personne n'y trouverait à redire.

Ah, le monde, si riche en subtilités ! Quelle horreur ! Il faut qu'il pense à ce mariage, il faut qu'il en parle. Il se doit de faire quelque chose devant le triste spectacle qu'offre son fils, visiblement vaincu, qui monte l'escalier de marbre après avoir regardé Julie danser avec un autre.

« Je vous demande de me faire confiance, dit Randolph. Je garantis ce mariage. ce n'est qu'une question de temps.

– Vous ne pensez certainement pas que je vous presse, lui répondit Elliott, la bouche pâteuse, parfaitement saoul. Je me sens bien plus à l'aise dans un univers de rêve, Randolph, un univers où l'argent n'existe pas. Mais le fait est que nous ne pouvons nous permettre semblable rêverie, vous et moi. Ce mariage nous est essentiel.

– Dans ce cas, j'irai moi-même trouver Lawrence. »

Elliott se retourna pour voir son fils quelques marches en contrebas, pareil à un écolier qui attend l'assentiment des adultes.

« Père, j'ai besoin d'être consolé.

– Ce qu'il te faut, jeune homme, c'est du courage, dit Randolph avec humeur. Ne me dis pas qu'elle t'a encore répondu non. »

Alex prit une coupe de champagne sur le plateau d'un serveur.

« Elle m'aime. Elle ne m'aime pas, dit-il doucement. La vérité, c'est que je ne peux vivre sans elle. Elle me rend fou.

– Mais certainement ! dit Randolph en riant doucement. Regarde plutôt. Ce jeune blanc-bec lui marche sur les pieds.

Je suis certain qu'elle t'en serait très reconnaissante si tu volais à son secours. »

Alex hocha la tête et remarqua à peine que son père lui retirait sa coupe de champagne pour la terminer. Il carra les épaules et redescendit sur la piste de danse. Quelle image parfaite.

« Le plus étonnant, dit Randolph dans un souffle, c'est qu'elle l'aime et qu'elle l'a toujours aimé.

– Oui, mais elle est comme son père. Elle aime surtout sa liberté. Et franchement, je ne puis la blâmer. D'une certaine façon, elle représente trop de choses pour Alex. Il la rendrait pourtant heureuse, j'en suis persuadé.

– C'est vrai.

– Et elle le rendrait suprêmement heureux. Personne d'autre n'y parviendrait, peut-être.

– C'est ridicule, dit Randolph. N'importe quelle jeune femme de Londres donnerait la prunelle de ses yeux pour faire le bonheur d'Alex. Le dix-huitième comte de Rutherford ?

– Est-ce vraiment si important ? Nos titres, notre fortune, la préservation de notre ennuyeux petit monde ? »

Elliott jeta un regard sur la salle de bal. La boisson le rendait dangereusement lucide.

« Je me demande parfois si je ne devrais pas me trouver en Egypte avec Lawrence. Et si Alex ne devrait pas donner son titre bien-aimé à quelqu'un d'autre. »

Il pouvait voir de la panique dans les yeux de Randolph. Seigneur, quelle importance un titre pouvait-il bien avoir aux yeux de ces princes marchands, ces hommes d'affaires qui possédaient tout hormis un titre ? Alex pourrait avoir la maîtrise de Julie, et par là même celle des millions des Stratford, et Alex serait bien plus facile qu'elle à dominer. Mais ce n'était pas tout. Il y avait aussi la perspective d'une noblesse véritable, de nièces et de neveux courant dans la propriété du Yorkshire, de ce misérable Henry Stratford passant les plus méprisables des alliances.

« Nous ne sommes pas encore battus, Elliott, dit Randolph. Et j'aime bien votre ennuyeux petit monde. Que peut-on trouver de mieux ? »

Elliott sourit. Encore une gorgée de champagne, et il dirait à Randolph ce que l'on peut trouver de mieux. Oui, il le lui dirait...

« Je t'aime, mon bel Anglais », lui disait Malenka.

Elle l'embrassa, puis l'aida à remettre sa cravate. Le doux contact de ses doigts sur son menton le fit frissonner.

Quelles charmantes insensées que les femmes, se dit Henry Stratford. Il appréciait toutefois par-dessus tout cette Egyptienne. Elle avait la peau sombre et était danseuse de profession – c'était une beauté calme et affriolante avec qui il pouvait faire tout ce dont il avait envie. On ne connaît jamais la même liberté avec une putain anglaise.

Il s'imaginait bien installé dans un pays oriental avec une femme telle que celle-ci – loin de toute respectabilité britannique. Une fois qu'il aurait fait fortune au jeu, bien évidemment, un banco grandiose qui le mettrait à tout jamais à l'abri du besoin.

Pour l'heure, il y avait du pain sur la planche. Le nombre des gens regroupés autour de la tombe s'était multiplié par deux depuis la veille au soir. Il fallait qu'il entre en contact avec l'oncle Lawrence avant que celui-ci ne fût happé par les spécialistes du musée et les membres des autorités – qu'il lui parle à un moment où il accepterait n'importe quoi pourvu qu'on le laissât tranquille.

« Va-t'en, ma chérie. »

Il embrassa à nouveau Malenka et la regarda jeter sa cape noire sur ses épaules et se hâter vers la voiture qui l'attendait. Elle savait le remercier de tous ces petits luxes occidentaux. Oui, c'était ce genre de femme qui lui convenait. Plus que Daisy, sa maîtresse londonienne, créature gâtée et exigeante qui l'excitait malgré tout, peut-être parce qu'elle était si difficile à satisfaire.

Il but une dernière gorgée de scotch, prit son porte-documents en cuir et quitta la tente.

La foule était impressionnante. Toute la nuit, il avait été tenu éveillé par le bruit des automobiles et les conversations. La chaleur se levait à présent; déjà il sentait le sable dans ses chaussures.

Comme il détestait l'Egypte. Comme il abhorrait ces campements du désert avec leurs chameliers crasseux et leurs serviteurs paresseux. Comme il avait horreur de l'univers qui était celui de son oncle.

Et puis, il y avait Samir, cet assistant insolent, qui se prenait pour l'égal de Lawrence et tentait d'apaiser les reporters. S'agissait-il vraiment de la tombe de Ramsès II ? Lawrence allait-il leur accorder une interview ?

Henry s'en moquait bien. Il repoussa les hommes qui gardaient l'entrée du tombeau.

« Monsieur Stratford, je vous en prie, lui cria Samir, une femme reporter sur les talons. Laissez seul votre oncle. Laissez-le savourer seul sa découverte.

– C'est cela, oui. »

Il lança un regard sombre au garde en faction devant la porte. L'homme s'effaça. Samir retourna contenir les reporters. Ils voulaient savoir qui avait le droit de pénétrer ainsi dans la tombe.

« C'est une affaire de famille », dit-il sèchement à la femme reporter qui le collait de près.

Le garde s'interposa.

Il ne restait plus beaucoup de temps. Lawrence s'arrêta d'écrire, s'épongea le front, plia son mouchoir et jeta quelques phrases sur le papier :

Brillante idée que de dissimuler l'élixir parmi les poisons. Quel endroit plus sûr pour une potion qui confère l'immortalité qu'au milieu de potions qui apportent la mort ? Dire que c'étaient les poisons de Cléopâtre – ceux qu'elle a testés avant de décider que le venin de l'aspic viendrait à bout de sa vie.

Il s'essuya à nouveau le front. Il faisait déjà si chaud. Et dans quelques courtes heures, ils viendraient le trouver et lui demanderaient de laisser la tombe aux responsables du musée. Ah, si seulement il avait fait cette découverte sans le musée ! Dieu sait qu'il n'avait pas besoin d'eux. Et ils allaient tout lui arracher.

Le soleil pénétra par fins rayons par la porte de bois grossièrement taillé. Il frappa les pots d'albâtre, et Lawrence crut entendre quelque chose de très faible, comme un souffle.

Il se tourna pour regarder la momie aux traits bien dessinés sous les bandelettes serrées. L'homme qui prétendait être Ramsès avait été grand, peut-être même robuste.

Ce n'était pas un vieillard, comme la créature qui dormait au musée du Caire. Il est vrai que ce Ramsès-ci déclarait ne jamais avoir vieilli. Il était immortel et ne faisait que sommeiller à l'intérieur de ces bandelettes. Rien ne pouvait le tuer, pas même les poisons de cette chambre qu'il avait essayés en quantité quand son chagrin pour Cléopâtre l'avait rendu à moitié fou. Sur son ordre, ses serviteurs avaient emmailloté son corps inconscient; ils l'avaient enterré vivant dans ce cercueil qu'il avait lui-même préparé dans le moindre détail; puis ils avaient scellé la tombe avec cette porte qu'il avait lui-même gravée.

Mais qu'est-ce qui l'avait rendu inconscient ? C'était là que résidait le mystère. Quelle étonnante histoire ! Et si...

Il se prit à regarder fixement la créature dans ses bandages de lin jauni. Croyait-il vraiment que quelque chose y vivait ? Quelque chose qui pourrait se mouvoir et parler ?

Cela fit sourire Lawrence.

Il reporta son attention sur les pots posés sur son bureau. Le soleil transformait la pièce en fournaise. A l'aide de son mouchoir, il ôta soigneusement le couvercle du premier pot. Une odeur d'amandes amères. Quelque chose d'aussi mortel que le cyanure.

Et l'immortel Ramsès prétendait avoir ingéré la moitié du contenu des pots dans son désir de mettre un terme à sa vie maudite.

Et s'il y avait vraiment *un être immortel sous ces bandelettes ?*

Le bruit se fit encore une fois entendre. Qu'était-ce ? Pas un froissement, non, rien d'aussi distinct. Plutôt une sorte d'inspiration.

Il regarda encore une fois la momie. Le soleil l'éclairait sur toute sa longueur de ses beaux rayons poussiéreux – comme à travers les vitraux des églises ou les branches des chênes dans les forêts profondes.

Il lui semblait voir la poussière s'élever de l'antique figure, une brume d'or pâle de particules mouvantes. Ah, il était trop fatigué !

La créature ne paraissait plus aussi ridée, elle semblait présenter les contours d'un être humain.

« Mais qui étais-tu vraiment, mon lointain ami ? demanda doucement Lawrence. Un fou ? Une victime d'illusions ? Ou tout simplement celui que tu dis être, Ramsès le Grand ? »

Il éprouva un frisson en disant cela. Il se leva et s'approcha de la momie.

Les rayons du soleil baignaient littéralement la créature. Pour la première fois, il remarqua le contour des sourcils; ils donnaient une expression plus dure, plus déterminée, à son visage.

Lawrence sourit. Il lui parla en latin, assemblant soigneusement ses phrases.

« Sais-tu combien de temps tu as dormi, immortel Pharaon ? Toi qui prétends avoir vécu mille ans ? »

Faisait-il violence à la langue de César ? Il avait consacré tant d'années au déchiffrement des hiéroglyphes qu'il ne maniait plus très bien le latin.

« Deux fois plus de temps s'est écoulé, Ramsès, depuis que tu t'es enfermé dans cette chambre; depuis que Cléopâtre a approché le serpent venimeux de son sein. »

Il regarda en silence la forme immobile. On eût pu croire que la vie s'y accrochait, que l'âme était prisonnière des bandelettes et ne pouvait être libérée que si l'on détruisait celles-ci.

Sans réfléchir, il lui parlait en anglais à présent.

« Oh, si seulement tu étais immortel. Si seulement tu pouvais ouvrir les yeux sur ce monde moderne. Et si seulement je n'avais pas à attendre la permission pour ôter ces misérables bandelettes et contempler... ton visage ! »

Son visage. Avait-il quelque chose de changé ? Non, c'était un effet de lumière, n'est-ce pas ? Le visage paraissait pourtant plus plein. Avec respect, Lawrence tendit la main pour l'effleurer, mais il n'en fit rien.

Il revint au latin.

« C'est l'année 1914, mon grand roi. Et le nom de Ramsès le Grand est toujours connu du monde, ainsi que celui de ta reine. »

Un bruit retentit soudain derrière Lawrence. Henry.

« Alors, mon oncle, voilà que vous parlez latin à Ramsès le Grand ? J'ai l'impression que vous êtes déjà victime de la malédiction.

– Oh, il comprend le latin, répondit Lawrence sans quitter des yeux la momie. N'est-ce pas, Ramsès ? Et aussi le grec. Et le perse, et l'étrusque, et toutes ces langues que le monde a oubliées. Qui sait ? Peut-être connaissais-tu aussi les langues des barbares du Nord, celles qui ont donné naissance à notre anglais. » Il revint au latin. « Le monde d'aujourd'hui est si riche en merveilles, grand Pharaon. Il y a tant de choses que je souhaiterais te montrer...

– Je ne crois pas qu'il puisse vous entendre, mon oncle. » Il y eut un tintement de verre. « Du moins, je l'espère. »

Lawrence fit volte-face. Un porte-documents coincé sous le bras gauche, Henry soulevait le couvercle de l'un des pots.

« Ne touche à rien ! dit sèchement Lawrence. C'est du poison, espèce d'imbécile. Tous ces pots sont pleins de poisons. Une seule pincée et tu seras aussi mort que lui. Enfin, s'il est vraiment mort. »

La seule vue de son neveu le rendait furieux. Il se tourna encore une fois vers la momie. Les mains aussi paraissaient plus rebondies. Et l'un des anneaux avait pratiquement crevé les bandelettes. Cela ne faisait que quelques heures...

« Des poisons ? demanda Henry derrière lui.

– Il y a ici tout un laboratoire, lui répondit Lawrence. Ce sont les poisons que Cléopâtre a testés, avant de se suicider, sur ses malheureux esclaves. »

Pourquoi dispenser à Henry des informations aussi précieuses ?

« Comme c'est pittoresque, dit son neveu cynique, sarcastique. Je croyais qu'elle avait été mordue par un aspic.

– Tu n'es qu'un idiot, Henry, tu t'y connais encore moins en histoire qu'un chamelier égyptien. Cléopâtre a essayé une centaine de poisons avant de recourir au serpent. »

Il se tourna pour voir son neveu toucher le buste de Cléopâtre, ses doigts caresser grossièrement le nez, les yeux.

« En tout cas, cela doit valoir une petite fortune. Et ces pièces. Vous n'allez tout de même pas *donner* toutes ces choses au British Museum ? »

Lawrence s'assit sur le fauteuil de toile. Il trempa sa plume. Où avait-il arrêté sa traduction ? Impossible de se concentrer avec toutes ces distractions.

« Tu ne penses donc qu'à l'argent ? demanda-t-il avec froideur. Et qu'en as-tu fait à part le gaspiller ? »

Il dévisageait son neveu. Quand la fougue de la jeunesse s'était-elle éteinte dans ses yeux ? Quand l'arrogance avait-elle endurci et vieilli son visage pour le rendre si terne aujour-d'hui ?

« Plus je t'en donne et plus tu perds aux tables de jeu.

Retourne à Londres, pour l'amour du Ciel. Va retrouver ta maîtresse et tes chanteuses de bastringue. Fais ce que tu veux, mais file ! »

Il y eut un bruit d'explosion à l'extérieur – une voiture qui avait du mal à monter la route sablonneuse. Un serviteur au visage sombre et aux vêtements sales entra précipitamment; il apportait le petit déjeuner sur un plateau. Samir venait sur ses talons.

« Je ne peux les retenir plus longtemps, Lawrence », dit Samir.

Avec un petit geste gracieux, il pria le serviteur de déposer le plateau au bord du petit bureau.

« Les hommes de l'ambassade britannique sont également ici, Lawrence, de même que tous les reporters d'Alexandrie au Caire. Cela devient un véritable cirque. »

Lawrence regarda les plats d'argent, les assiettes de porcelaine. Il ne désirait qu'une chose, rester seul avec ses trésors.

« Contenez-les aussi longtemps que vous le pourrez, Samir. Laissez-moi encore quelques heures avec ces rouleaux, cette histoire est si triste, si poignante.

– Je ferai de mon mieux, répondit Samir. Mais prenez votre petit déjeuner, Lawrence. Vous êtes épuisé. Vous devez vous restaurer et vous reposer.

– Samir, je ne me suis jamais senti mieux. Eloignez-les jusqu'à midi. Oh, et emmenez Henry avec vous. Henry, va avec Samir, il te trouvera à manger.

– Oui, venez avec moi, monsieur, s'il vous plaît, ajouta très vite Samir.

– Je dois parler à mon oncle. »

Lawrence se replongea dans son carnet. Le papyrus était déroulé. Oui, le roi avait parlé de son chagrin et de sa retraite studieuse loin d'Alexandrie et du mausolée de Cléopâtre, loin de la Vallée des Rois.

« Mon oncle, dit sèchement Henry, je serais plus qu'heureux de retourner à Londres si vous trouviez un moment pour signer... »

Lawrence se refusait à quitter des yeux le papyrus. Peut-être y trouverait-il un indice relatif à la localisation du mausolée de Cléopâtre.

« Combien de fois dois-je te le dire ? murmura-t-il d'un air indifférent. Je ne veux signer aucun papier. Reprends ton porte-documents et fiche-moi le camp.

– Mon oncle, le comte désire une réponse à propos de Julie et d'Alex. Il n'attendra pas éternellement. Quant à ces papiers, c'est une question de quelques actions, rien de plus... »

Le comte... Alex et Julie. C'était monstrueux.

« Seigneur, en un moment pareil !

– Mon oncle, le monde ne s'est pas arrêté de tourner parce que vous avez fait une découverte. » Quel ton acerbe ! « Et le portefeuille doit être liquidé. »

Lawrence posa sa plume.

« Non, dit-il en adressant un regard glacial à Henry. Quant au mariage, il peut attendre. Que Julie décide par elle-même, au moins. Rentre en Angleterre et dis cela à mon bon ami, le comte de Rutherford ! Dis aussi à ton père que je ne liquiderai plus les actions familiales. Maintenant, laisse-moi seul. »

Henry ne bougea pas. Son visage se fit plus dur.

« Mon oncle, vous ne vous rendez pas compte...

– Permets-moi de te dire ce dont je me rends compte, dit Lawrence. Tu as perdu au jeu la rançon d'un roi et ton père ferait n'importe quoi pour couvrir tes dettes. Même Cléopâtre et son amant Marc Antoine n'auraient pu gaspiller la fortune qui t'est passée entre les mains. Et puis, en quoi Julie a-t-elle besoin du titre des Rutherford ? Alex convoite les millions des Stratford, cela s'arrête là. C'est un mendiant titré, tout comme Elliott. Dieu me pardonne, mais c'est la triste vérité.

– Mon oncle, Alex pourrait s'offrir n'importe quelle héritière de Londres avec un tel titre.

– Pourquoi ne le fait-il pas ?

– Un mot de vous, et Julie prendrait sa décision...

– Et Elliott te prouverait sa gratitude en arrangeant tes affaires, c'est bien cela ? Il pourrait faire le généreux avec l'argent de ma fille ! »

Henry était blanc de rage.

« En quoi ce mariage te regarde-t-il ? lui demanda Lawrence d'un air amer. Tu t'humilies parce que tu as besoin de cet argent... »

Il crut voir les lèvres de son neveu proférer une sourde malédiction.

Il se consacra une fois encore à la momie et essaya

d'oublier tout le reste – les tentacules de cette existence londonienne qu'il avait rejetée.

Le personnage sous ses bandelettes paraissait avoir pris du volume. Et sa bague, on la voyait parfaitement à présent, comme si le doigt qui la portait avait déchiré les bandes. Lawrence s'imaginait déjà entrevoir les couleurs d'une chair bien vivante.

Tu perds la tête, se dit-il à lui-même.

Pourtant, ce bruit... Oui, il l'entendait à nouveau. Il tendit l'oreille, mais toute sa concentration ne pouvait rien contre les bruits environnants. Il observa le corps dans son cercueil. Seigneur, étaient-ce des cheveux qu'il voyait là, sous le bandage qui entourait la tête ?

« Je te plains beaucoup, Henry, murmura-t-il soudainement. De ne pouvoir savourer un tel instant. Ce roi si ancien, ce mystère... »

Qui avait dit qu'il ne pourrait toucher les restes ? Enlever quelques centimètres de ce lin pourri ?

Il sortit son couteau de poche et l'ouvrit non sans gêne. Vingt ans plus tôt, il n'aurait pas hésité et aurait tranché les bandes d'un coup sec. Il n'aurait pas eu à s'occuper des responsables du musée. Il aurait vu par lui-même si, sous toute cette poussière...

« Je ne ferais pas ça à votre place, mon oncle, l'interrompit Henry. Les gens du musée vont pousser les hauts cris.

– Je t'ai dit de t'en aller. »

Il entendit Henry verser une tasse de café comme s'il avait tout son temps. L'arôme emplit la petite chambre close.

Lawrence s'appuya au dossier de son fauteuil et s'épongea le front. Vingt-quatre heures sans dormir. Peut-être devrait-il prendre du repos.

« Buvez votre café, oncle Lawrence, lui dit Henry. Je vous ai versé une tasse. Ils vous attendent dehors. Vous êtes épuisé.

– Espèce d'imbécile, cracha Lawrence. Laisse-moi donc tranquille. »

Henry posa la tasse devant lui, juste à côté du carnet de notes.

« Attention, ce papyrus n'a pas de prix. »

Le café était assez tentant, même si c'était Henry qui le lui proposait. Il prit la tasse et en but une gorgée, les yeux mi-clos.

Il avait entrevu quelque chose au moment de reposer la tasse. Quoi, la momie frémir aux rayons du soleil ? C'était impossible ! Mais soudain une sensation de brûlure lui envahit la gorge, comme si ses poumons se refermaient, il ne pouvait plus parler ni respirer !

Il chercha à se lever, les yeux rivés sur Henry. Et là, il perçut l'odeur qui émanait de la tasse. Une odeur d'amandes amères. Le poison. La tasse bascula. Il l'entendit à peine se briser sur une dalle.

« Pour l'amour du Ciel ! Petit salopard ! »

Il tombait, les mains tendues vers son neveu qui le regardait sans comprendre, le visage blême, comme si aucune catastrophe n'était en train de se produire – comme s'il n'était pas en train de mourir.

Son corps se convulsa, violemment il trépassa. La dernière chose qu'il vit fut la momie éblouie de soleil, la dernière chose qu'il sentit fut le sol sablonneux sur son visage brûlant.

Henry Stratford demeura longtemps immobile. Il regardait le corps de son oncle comme s'il ne comprenait pas tout à fait ce qui venait de se passer. Quelqu'un d'autre avait agi à sa place. Quelqu'un avait déchiré l'épaisse membrane de sa frustration et était passé à l'acte. Quelque chose d'autre avait trempé la cuillère à café dans le pot de poison avant de la plonger dans la tasse de Lawrence.

Rien ne bougeait dans la lumière poussiéreuse du soleil. Les plus infimes particules semblaient en suspension dans l'air chaud. Seul un bruit imperceptible faisait vibrer cette chambre, comme le battement d'un cœur.

Ne pas céder à la panique. Empêcher sa main de trembler. Empêcher ce cri de s'élever de ses lèvres, car une fois lancé, il ne pourrait plus jamais s'arrêter.

Je l'ai tué. Je l'ai empoisonné.

J'ai supprimé le seul obstacle à mes projets.

Se pencher, chercher le pouls. Oui, il est mort, il est bel et bien mort.

Henry se redressa, en proie à une nausée soudaine, et s'empressa de tirer des feuilles de papier de son porte-documents. Il plongea dans l'encre la plume de son nom et apposa plusieurs fois le nom de Lawrence Stratford au bas d'un certain nombre de documents – ainsi qu'il l'avait fait plusieurs fois dans le passé pour des papiers de moindre importance.

Sa main tremblait, mais ce n'était pas plus mal. Son oncle était affligé d'un tel tremblement. La signature n'en paraissait que plus authentique.

Il reposa la plume et ferma les yeux. Ça y était.

Les pensées les plus étranges l'envahirent brusquement, comme s'il pouvait défaire ce qu'il avait fait ! Ce n'était rien de plus qu'un geste impulsif, il pouvait remonter le temps et retrouver son oncle bien vivant. Une telle chose n'avait pu se produire ! Le poison... le café... Lawrence mort.

Et puis, un souvenir lui revint, pur, paisible et très certainement bienvenu, un souvenir datant d'il y a vingt et un ans, très exactement du jour de la naissance de sa cousine Julie. Son oncle et lui étaient assis au salon. Son oncle Lawrence, qu'il aimait plus que son propre père.

« Je veux que tu saches que tu seras toujours mon neveu, mon neveu bien-aimé... »

Est-ce qu'il perdait la tête ? L'espace d'un instant, il ne sut même plus où il était. Il aurait pu jurer que quelqu'un d'autre se trouvait dans la pièce, avec lui ? Qui donc ?

Cette chose dans son cercueil. Ne la regarde pas. C'est un témoin. Fais ce que tu as à faire.

Les papiers sont signés; les actions pourront être vendues. Julie n'a plus aucune raison de ne pas épouser cet imbécile d'Alex Savarell. Et le père de Henry pourra prendre entièrement en main la destinée de la Stratford Shipping.

Oui. Mais que faire maintenant ? Il parcourut le bureau du regard. Ces six pièces d'or à l'effigie de Cléopâtre ? Oui, prends-en une. Vite, il la fourra dans sa poche. Le rouge lui monta aux joues. Cette pièce devait valoir une fortune. Il pourrait la glisser facilement dans un porte-cigarettes. Bon.

Sortir de là immédiatement. Mais réfléchir surtout. Son cœur battait toujours la chamade. Appeler Samir, voilà ce qu'il convenait de faire. Il était arrivé quelque chose de terrible à Lawrence. Un coup de sang, une crise cardiaque, impossible à dire ! Et cette cellule était comme une fournaise. Un médecin devait venir immédiatement.

« Samir ! » cria-t-il, le visage tendu comme un acteur qui a le trac.

Son regard se posa sur la forme sinistre enveloppée de bandelettes. N'était-elle pas en train de le regarder ? Les yeux n'étaient-ils pas ouverts sous les bandelettes ? Ridicule ! Pourtant l'illusion sema en lui une panique qui donna toute la sincérité nécessaire à son appel au secours.

CHAPITRE DEUX

Furtivement, l'employé lisait la dernière édition du *London Herald*, les pages pliées et soigneusement dissimulées sous son bureau de bois laqué. Le bureau était très calme; la réunion du conseil d'administration était en cours. Dans une pièce voisine, retentissait le claquement d'une machine à écrire.

LA MALÉDICTION DE LA MOMIE TUE LE MAGNAT
DE LA STRATFORD SHIPPING
« RAMSÈS LE DAMNÉ » FRAPPE CEUX
QUI TROUBLENT SON REPOS

La tragédie faisait appel à l'imagination du public. Impossible de faire un pas sans tomber sur la une d'un journal. Les feuilles de chou se complaisaient à présenter des illustrations représentant des pyramides et des chameaux, la momie dans son cercueil de bois et le pauvre Lawrence Stratford gisant à ses pieds.

Ce pauvre M. Stratford, auprès de qui travailler était un plaisir, mais qui n'intéressait plus que par cette mort sensationnelle.

La sensation était à peine retombée qu'un nouveau titre la relançait déjà :

L'HÉRITIÈRE DÉFIE LA MALÉDICTION
DE LA MOMIE
« RAMSÈS LE DAMNÉ » EN VISITE À LONDRES

L'employé tourna la page et la replia. Difficile à croire que Mlle Stratford rapportait au pays tous les trésors pour qu'ils soient présentés à son domicile de Mayfair, mais c'était ainsi que son père avait toujours pratiqué.

L'employé espérait être invité à la réception, mais c'était en fait très improbable, même si cela faisait bien une trentaine d'années qu'il travaillait à la Stratford Shipping.

Vous vous rendez compte, un buste de Cléopâtre, le seul portrait authentifié que l'on ait d'elle. Et des pièces nouvellement frappées à son image. Ah, il aurait voulu admirer ces merveilles dans la bibliothèque de M. Stratford, mais il lui faudrait attendre que le British Museum récupère la collection et la présente au commun des mortels.

Il y avait aussi des choses qu'il aurait pu dire à Mlle Stratford, si l'occasion lui en avait été donnée, des choses que le vieux M. Lawrence aurait peut-être aimé qu'elle apprît.

Par exemple, que Henry Stratford n'avait pas mis les pieds au bureau depuis un an, mais qu'il continuait de percevoir primes et salaire; que M. Randolph tirait pour lui des chèques sur le compte de la compagnie avant de falsifier les livres de comptes.

Mais peut-être la jeune femme découvrirait-elle tout cela par elle-même. Le testament lui donnait les pleins pouvoirs. Et c'était pour cela qu'elle se tenait dans la salle du conseil d'administration en compagnie de son fiancé, Alex Savarell, vicomte Summerfield.

Randolph ne supportait pas de la voir pleurer ainsi. C'était terrible que de devoir lui demander de signer des papiers. Elle paraissait extrêmement fragile dans ses vêtements de deuil. Elle avait les traits tirés et tremblait comme si elle avait de la fièvre. Ses yeux étaient baignés de cette étrange lumière qu'il y avait vue pour la première fois lorsqu'elle lui avait annoncé la mort de son père.

Les autres membres du conseil étaient plongés dans le silence et se tenaient les yeux baissés. Alex la tenait doucement par le bras. Il paraissait étonné, comme si la mort était une chose qu'il ne comprenait pas; la vérité était plus simple, il ne voulait pas qu'elle souffre. Une âme simple. Qui n'avait rien à voir avec ces marchands et ces hommes d'affaires. Un aristocrate de porcelaine avec son héritière.

Pourquoi devons-nous endurer tout ceci ? Pourquoi ne pas nous laisser seuls avec notre chagrin ?

Pourtant Randolph faisait seulement ce qu'il convenait de

faire, même si tout cela n'eût jamais paru aussi absurde. Son amour pour son fils unique n'avait jamais autant souffert.

« Il m'est impossible de prendre des décisions, oncle Randolph, lui dit-elle poliment.

– Bien sûr, ma chérie, répondit-il. Rien ni personne ne te presse. Si tu voulais seulement signer cette décharge pour les fonds d'urgence et nous laisser prendre soin de tout le reste...

– Je veux m'occuper de tout, dit-elle, je veux avoir un œil sur tout. C'est ce que père désirait. Ce problème avec les comptoirs indiens, je ne comprends pas comment on a pu en arriver là. »

Elle s'arrêta de parler comme si elle ne voulait pas discuter affaire pour le moment, comme si elle en était incapable, et les larmes lui vinrent aux yeux.

« Laisse-moi faire, dit-il d'un air las. J'ai l'habitude des soulèvements aux Indes. »

Il poussa vers elle les documents. Signe, je t'en prie, signe. Ne demande pas d'explications. N'ajoute pas l'humiliation à la douleur.

Car, bien que cela pût paraître étonnant, il était très affligé par la mort de son frère. Nous ne savons pas ce que nous éprouvons pour nos proches tant qu'ils ne nous ont pas été enlevés. Il avait passé la nuit à ressasser des souvenirs... leur jeunesse à Oxford, les premiers voyages en Egypte – Randolph, Lawrence, Elliott Savarell. Les nuits du Caire. Il s'était levé tôt et avait fouillé parmi de vieilles lettres, de vieilles photographies. Des souvenirs si merveilleusement vivants.

Et maintenant, sans haine ni calcul, il essayait de tromper la fille de Lawrence. Il essayait de faire passer dix années de mensonges et de trahison. Lawrence avait édifié la Stratford Shipping parce que l'argent ne l'intéressait pas vraiment. Oh, ces risques que Lawrence prenait parfois ! Et que faisait Randolph depuis qu'il était le responsable numéro un ? Tenir les rênes et voler, c'était tout.

A son grand étonnement, Julie prit la plume et apposa rapidement son nom sur divers documents, sans même prendre la peine de les lire. Au moins, il éviterait pendant un certain temps les inévitables questions.

Excuse-moi, Lawrence. On eût dit une prière silencieuse. Peut-être que si tu connaissais le fin fond de l'histoire...

« Dans quelques jours, oncle Randolph, je veux tout passer en revue en votre compagnie. Je crois que c'est ce que père désirait. Mais je suis si lasse, il est vraiment temps que je rentre.

– Oui, je vais vous raccompagner », s'empressa de dire Alex en l'aidant à se lever.

Ce cher Alex. Pourquoi mon fils n'a-t-il pas la moindre parcelle de cette élégance morale ? Le monde entier lui aurait appartenu.

Randolph s'empressa d'ouvrir la porte à double battant. A son grand étonnement, il découvrit les hommes du British Museum qui attendaient. Embêtant, cela. S'il avait su, il lui aurait fait emprunter une autre issue. Il n'aimait pas l'onctueux M. Hancock, qui se comportait comme si toutes les découvertes de Lawrence appartenaient à son musée.

« Mademoiselle Stratford, dit l'homme en s'approchant de Julie. Tout a été approuvé. La première présentation de la momie aura lieu en votre domicile, ainsi que votre père l'aurait souhaité. Nous répertorierons tout, bien entendu, et nous transférerons la collection au musée dès que vous le demanderez. J'ai pensé que vous aimeriez avoir mon assurance personnelle...

– Oui », dit Julie d'un air las. Visiblement, cela ne l'intéressait pas plus que la réunion du conseil d'administration. « Je vous suis reconnaissante, monsieur Hancock. Vous savez quelle importance cette découverte revêtait pour mon père. »

Elle hésita un instant, comme si elle allait se mettre à pleurer. Cela n'aurait pas été étonnant, d'ailleurs.

« J'aurais tant aimé être à ses côtés en Egypte.

– Ma chérie, il est mort au comble du bonheur, dit platement Alex. Et parmi les objets qu'il aimait. »

De belles paroles. Lawrence avait été trompé. Il n'avait profité que quelques heures de sa formidable découverte. Cela, même Randolph pouvait le comprendre.

Hancock prit le bras de Julie. Ils marchèrent vers la porte.

« Naturellement, il est impossible d'authentifier les vestiges tant que nous n'aurons pas procédé à un examen approfondi. Les monnaies, le buste, ce sont là des pièces sans précédent aucun...

– Nous n'aurons pas d'exigences extravagantes, monsieur Hancock. Je désire simplement organiser une petite réception avec les plus vieux amis de père. »

Elle lui offrit sa main afin de lui donner congé. Elle savait faire preuve de fermeté, exactement comme son père. Exactement comme le comte de Rutherford, si l'on y pensait bien. Ses manières avaient toujours été aristocratiques. Si seulement ce mariage pouvait avoir lieu...

« Au revoir, oncle Randolph. »

Il se pencha pour l'embrasser sur la joue.

« Je t'aime, ma chérie », murmura-t-il.

Cela le surprit. De même que le sourire qui éclaira le visage de sa nièce. Avait-elle compris ce qu'il voulait lui dire ? Je suis désolé, désolé pour tout, ma chérie.

Seule enfin dans les escaliers de marbre. Ils étaient tous partis sauf Alex et, au plus profond de son cœur, elle aurait voulu qu'il fût parti, lui aussi. Seul lui importait le calme de sa Rolls-Royce, dont les vitres la coupaient du tumulte du monde extérieur.

« Je ne vous dirai cela qu'une seule fois, Julie, lui glissa Alex en l'aidant à descendre les marches. Mais c'est mon âme qui vous parle. Ne laissez pas cette tragédie reculer notre mariage. Je connais vos sentiments, mais vous êtes seule dans cette maison désormais. Et je veux être à vos côtés, je veux prendre soin de vous. Je veux que nous soyons mari et femme.

– Alex, dit-elle, je vous mentirais en vous disant que je puis prendre une décision dès aujourd'hui. Plus que jamais, j'ai besoin de temps pour réfléchir. »

Soudain, elle ne put supporter de le regarder. Il paraissait si jeune ! Avait-elle jamais été aussi jeune ? Cette question aurait peut-être fait sourire l'oncle Randolph. Elle avait vingt et un ans. Mais Alex, avec ses vingt-cinq ans, lui faisait l'effet d'un garçonnet. Et cela lui faisait mal de ne pas l'aimer autant qu'il le méritait.

La clarté solaire lui fit mal aux yeux quand il ouvrit la porte donnant sur la rue. Elle abaissa le voile épinglé à son chapeau. Il n'y avait pas de reporters, Dieu merci, rien que la grande automobile noire qui l'attendait, sa portière ouverte.

« Je ne serai pas seule, Alex, dit-elle doucement. J'ai Rita et Oscar. Et Henry va reprendre son ancienne chambre. Mon oncle Randolph a insisté sur ce point. J'aurai plus de compagnie que nécessaire. »

Henry. La dernière personne au monde qu'elle eût envie de voir, c'était bien Henry. Le dernier homme que Lawrence ait vu avant de fermer les yeux à tout jamais, quelle ironie !

Les reporters assaillirent Henry Stratford dès qu'il mit le pied à terre. Avait-il redouté la malédiction de la momie ? Avait-il assisté à quelque manifestation du surnaturel dans la chambre où Lawrence Stratford avait trouvé la mort ? Henry franchit la douane sans dire un mot, sans se préoccuper du brouhaha et de la fumée des flashes. Avec une impatience glacée, il toisa les douaniers qui examinèrent ses bagages avant de lui faire signe de passer.

Le sang battait à ses tempes. Il avait envie d'un verre. De la tranquillité de sa maison de Mayfair. De sa maîtresse, Daisy Banker. Il avait envie de n'importe quoi, en fait, sauf de ce trajet en voiture aux côtés de son père. Il évita le regard de Randolph lorsqu'il monta à l'arrière de la Rolls.

Seigneur, son père avait une allure effroyable, comme s'il avait vieilli de dix années en une seule nuit. Il était même un peu décoiffé.

« Vous avez une cigarette ? » demanda brusquement Henry.

Sans même le regarder, son père produisit un petit cigare et un briquet.

« Ce mariage constitue toujours l'essentiel, murmura Randolph comme s'il se parlait à lui-même. Une jeune mariée n'a pas le temps de penser aux affaires. Pour l'heure, je me suis organisé pour que tu vives auprès d'elle. Elle ne peut pas rester seule.

– Voyons, père, nous sommes au XXe siècle ! Pourquoi diable ne peut-elle rester seule ? »

Seule, dans cette maison, avec cette momie répugnante exposée dans la bibliothèque ? Cela le rendait malade. Il ferma les yeux, savoura son cigare et pensa à sa maîtresse. Une série d'images érotiques très précises s'imposa à lui.

« Tu feras ce que je te dis de faire », insista son père.

Sa voix manquait de conviction. Randolph regardait par la vitre.

« Tu resteras auprès d'elle, tu la surveilleras et tu feras tout ton possible pour qu'elle consente à ce mariage. Assure-toi qu'elle ne s'éloigne pas d'Alex. Je crois qu'Alex commence un peu à l'irriter.

– Pas très étonnant. Si Alex avait un peu de jugeote...

– Ce mariage est bon pour elle. Il est bon pour tout le monde, d'ailleurs.

– Oui, oui, d'accord. »

La voiture roulait en silence. Il dînerait avec Daisy, puis il se reposerait chez lui avant de se rendre chez Flint, au cercle de jeux – enfin, si son père pouvait lui donner tout de suite un peu d'argent liquide...

« Il n'a pas souffert, n'est-ce pas ? »

Henry eut un geste d'étonnement.

« Quoi ? De quoi parlez-vous ?

– Ton oncle, dit Randolph en se tournant vers lui pour la première fois, Lawrence Stratford. Est-ce qu'il a souffert, pour l'amour du Ciel, ou est-ce qu'il est parti paisiblement ?

– Il allait tout à fait bien, et puis, la seconde d'après, il gisait à terre. Il a été emporté très rapidement. Pourquoi me demandez-vous cela ?

– Tu es si sensible...

– Je n'ai rien pu faire. »

Un instant, il retrouva l'atmosphère de la chambre close, l'odeur âcre du poison. Et cette chose, cette chose dans son cercueil, cette impression étrange d'être observé.

« C'était un vieil imbécile, entêté de surcroît, dit très doucement Randolph, mais je l'aimais bien.

– Vraiment ? lança Henry en regardant son père droit dans les yeux. Il lui a tout légué à elle, et tu l'aimais bien ?

– Il nous a donné beaucoup à tous les deux il y a longtemps de cela. Cela aurait dû nous suffire...

– C'est une misère comparé à ce qu'elle a hérité !

– Je ne veux pas discuter de cela. »

Patience, se dit Henry. Patience. Il s'adossa au cuir de couleur grise. Il me faut au moins cent livres et je ne les obtiendrai pas ainsi.

Daisy Banker observait à travers les rideaux de dentelle Henry qui descendait du taxi. Elle habitait un long appartement situé au-dessus du music-hall où elle chantait tous les soirs, de dix heures à deux heures du matin. C'était une femme épanouie comme un beau fruit, avec ses grands yeux bleus somnolents et ses cheveux blond platiné. Sa voix n'était pas extraordinaire, elle le savait bien, mais ils l'aimaient, oui, ils l'aimaient beaucoup.

Et elle aimait Henry Stratford, du moins le croyait-elle. C'était certainement la meilleure chose qui lui fût arrivée. Il lui avait trouvé son engagement et il réglait le loyer, il était censé le faire en tout cas. Elle savait qu'il avait quelques dettes, mais il revenait tout juste d'Egypte et saurait faire taire tous ceux qui lui poseraient des questions trop indiscrètes. En cela il excellait.

Elle courut vers le miroir lorsqu'elle entendit son pas dans l'escalier. Elle lissa le col orné de plumes de son peignoir et remit en place les perles de son collier. Elle se pinçait les joues pour les faire rougir quand la clef tourna dans la serrure.

« Ah, je ne pensais plus te revoir », dit-elle d'un air dégagé alors qu'il pénétrait dans la pièce.

Quelle allure ! Il lui faisait toujours autant d'effet. Il était si beau, avec ses yeux et ses cheveux bruns. Et ses manières, un vrai gentleman ! Elle aimait sa façon d'ôter sa cape et de la jeter négligemment sur le fauteuil avant de l'inviter à venir dans ses bras. Il était si indolent, si imbu de soi. Pourquoi ne le serait-il pas ?

« Et ma voiture automobile ? Tu m'en as promis une avant de partir. Où est-elle ? Tu es arrivé en taxi. »

Il y avait quelque chose de si froid dans son sourire. Quand il l'embrassa, ses lèvres lui firent un peu mal; et ses doigts s'enfoncèrent dans la chair tendre de son bras. Elle sentit un vague frisson lui remonter la colonne vertébrale. Sa bouche frémit. Elle l'embrassa à son tour et, quand il l'entraîna dans la chambre, elle ne dit pas un mot.

« Oui, je t'offrirai ton automobile », lui murmura-t-il à l'oreille.

Il lui arracha son peignoir et la pressa contre lui, les pointes de ses seins effleurèrent l'étoffe de sa chemise amidonnée. Elle lui embrassa la joue, puis le menton, léchant sa barbe naissante. Que c'était agréable de le sentir respirer ainsi, de sentir ses mains sur ses épaules !

Le téléphone sonna. Elle l'aurait arraché du mur.

Elle lui déboutonna sa chemise tandis qu'il répondait.

« Sharples, je vous ai déjà dit de ne pas rappeler. »

Ce type était immonde, pensa-t-elle misérablement, elle aurait voulu le voir mort. Elle avait travaillé pour Sharples avant que Henry ne vînt à son secours. Ce Sharples était un être mesquin, tout d'un bloc. Il lui avait laissé sur la nuque une petite cicatrice en forme de croissant de lune.

« Je vous ai dit que je vous paierais dès mon retour, me semble-t-il. Laissez-moi au moins le temps de défaire mes malles ! »

Il raccrocha violemment.

« Viens me voir, mon chéri », dit-elle en s'asseyant sur le lit.

Mais son regard s'assombrit quand elle le vit contempler fixement le combiné. Il était fauché, n'est-ce pas ? Vraiment fauché.

Etrange. Il n'y avait pas eu de veillée dans la maison pour son père. Et maintenant, le cercueil peint de Ramsès le Grand franchissait lentement la porte à double battant du salon, comme porté par des employés des pompes funèbres, pour entrer dans la bibliothèque, cette pièce que son père avait toujours appelée le salon égyptien. Une veillée funèbre pour une momie; et celui qui aurait dû mener le deuil était absent.

Julie vit Samir donner aux hommes du musée l'ordre de placer le cercueil debout dans le coin sud-est, à gauche des portes du jardin d'hiver. Une position parfaite. Tous ceux qui entreraient dans la maison le verraient immédiatement. Tous ceux qui se trouveraient dans le salon pourraient l'admirer. Et la momie elle-même semblerait embrasser du regard les personnes assemblées pour lui rendre hommage quand le couvercle serait ôté, que le corps apparaîtrait enfin.

Les rouleaux et les pots d'albâtre seraient disposés sur la longue table de marbre, sous le miroir, à gauche du cercueil vertical, le long du mur est. Le buste de Cléopâtre était déjà placé sur un piédestal, au centre de la pièce. Les pièces d'or seraient présentées dans une vitrine, à côté de la table de marbre, et les autres trésors le seraient au gré de Samir.

Le doux soleil d'après-midi traversait le jardin d'hiver et projetait des ombres dansantes sur le masque d'or du visage du roi et sur ses bras croisés.

C'était une pure merveille, et seul un insensé eût pu douter de la valeur d'un tel trésor. Mais quelle signification avait toute cette histoire ?

Oh, si seulement ils pouvaient tous partir, se dit Julie, et la laisser seule. Mais les hommes ne cesseraient d'examiner les pièces de l'exposition. Et Alex, que faire d'Alex, qui se tenait à ses côtés et ne la laissait pas tranquille un seul instant ?

Certes, elle avait été heureuse de voir Samir, même si la douleur de cet homme avait attisé sa propre douleur.

Il paraissait guindé, mal à l'aise, dans son costume noir et sa chemise d'Occidental. Paré de la soie de ses robes indigènes, c'était un prince aux yeux sombres, très éloigné des contraintes de ce siècle insensé et de sa marche forcenée vers le progrès. Ici, il paraissait étranger et presque servile en dépit de la façon impérieuse avec laquelle il commandait aux ouvriers.

Alex regardait d'une étrange façon les ouvriers et leurs reliques. Ces choses ne signifiaient rien pour lui, elles avaient trait à quelque autre monde. Il leur trouvait pourtant de la beauté.

« Je me demande s'il y a une malédiction, dit-il dans un souffle.

– Allons, ne soyez pas ridicule, répondit Julie. Ils vont travailler pendant quelque temps. Nous pourrions aller prendre le thé dans le jardin d'hiver.

– C'est une merveilleuse idée », dit-il.

C'était du dégoût qu'il y avait sur son visage, pas de la confusion. Il n'éprouvait rien devant ces trésors. Ils lui étaient étrangers, indifférents. Elle aurait éprouvé la même chose à la contemplation d'une machine moderne à laquelle elle ne comprenait rien.

Cela l'attristait. En réalité, tout la rendait triste à présent – et par-dessus tout le fait que son père n'ait passé que si peu de temps auprès de ces trésors, qu'il soit mort le jour même de leur découverte. C'était à elle qu'il revenait de savourer chacun des articles exhumés dans cette tombe aussi mystérieuse que controversée.

Après le thé, peut-être. Alex comprendrait son désir de rester seule. Elle l'entraîna dans le couloir, ils franchirent les portes des salons, celles de la bibliothèque, puis l'alcôve de marbre qui donnait sur le jardin d'hiver.

C'était l'endroit favori de père lorsqu'il ne travaillait pas dans la bibliothèque. Son bureau et ses livres ne se trouvaient qu'à quelques mètres de lui, par-delà les portes vitrées.

Ils s'assirent à la table d'osier. Le soleil jouait merveilleusement sur le service à thé en argent disposé devant eux.

« Faites le service, je vous en prie », lui dit-elle.

Elle disposa les petits gâteaux sur les assiettes. Il avait enfin à faire quelque chose qu'il comprenait.

Avait-elle jamais connu quelqu'un qui fît si bien toutes ces petites choses ? Alex savait monter à cheval, danser, chasser, offrir le thé, préparer de délicieux cocktails américains et se plier sans hésitation au protocole compliqué de Buckingham Palace. Il lui arrivait de lire un poème en simulant une émotion qui la faisait pleurer. En outre, il embrassait très bien, et le mariage avec lui serait certainement plein de tendres instants. Certainement. Mais à part cela ?

« Buvez, ma chérie, vous en avez besoin », dit Alex en lui tendant une tasse.

Elle était préparée comme elle l'aimait, sans lait, sans sucre. Rien qu'avec une tranche de citron.

Elle eut l'impression que la lumière se modifiait autour d'elle. Une ombre passa. Elle leva les yeux et constata que Samir était entré dans le jardin d'hiver sans faire le moindre bruit.

« Samir, asseyez-vous, joignez-vous à nous. »

Samir la pria de rester assise. Il tenait à la main un carnet relié pleine peau.

« Julie, dit-il en se tournant délibérément vers le salon égyptien. Je vous ai apporté le journal de votre père. Je ne voulais pas le confier aux gens du musée.

– Oh, j'en suis si heureuse. Joignez-vous à nous, je vous en prie.

– Non, je dois retourner de suite à mon travail. Je veux m'assurer que tout se passe dans l'ordre. Vous devez lire ce journal, Julie. Les journaux n'ont publié qu'une parcelle de cette histoire. Vous en saurez davantage...

– Venez, asseyez-vous, insista-t-elle. Nous verrons cela plus tard. »

Après un moment d'hésitation, il obtempéra. Il prit une chaise à côté d'elle et adressa un signe de tête poli à Alex, à qui il avait été précédemment présenté.

« Julie, votre père venait tout juste de commencer ses traductions. Vous connaissez sa maîtrise des langues anciennes...

– Oui, je suis impatiente de lire cela, mais vous ne semblez pas à l'aise ? Qu'y a-t-il ? »

Samir se livra.

« Julie, je suis troublé par cette découverte. Je suis troublé par cette momie et par les poisons enfermés dans cette tombe.

– S'agit-il vraiment des poisons de Cléopâtre ? s'empressa de dire Alex. Ou n'est-ce qu'une invention des reporters ?

– Nul ne peut le dire, répondit poliment Samir.

– Samir, tout est soigneusement répertorié, dit Julie. Les serviteurs ont reçu des ordres très précis.

– Vous ne croyez tout de même pas à cette malédiction ? » demanda Alex.

Samir eut un sourire poli.

« Non. Néanmoins, ajouta-t-il en se tournant vers Julie, promettez-moi de m'appeler immédiatement au musée si vous voyez quelque chose d'étrange, si vous avez le moindre pressentiment.

– Mais, Samir, je ne pensais pas que vous...

– Julie, les malédictions sont rares en Egypte, dit-il vivement. Et les admonestations inscrites sur ce cercueil sont particulièrement graves. Quant à l'histoire de l'immortalité de cette créature, vous trouverez plus de détails dans ce carnet.

– Samir, vous ne croyez tout de même pas que père a été victime d'une malédiction ?

– Non, mais les objets découverts dans cette tombe défient toute explication. Sauf si l'on croit... Mais non, c'est absurde. Je vous demande de ne rien prendre pour argent comptant. Et appelez si vous avez besoin de moi. »

Il prit brusquement congé pour regagner la bibliothèque. Elle l'entendit parler arabe avec l'un des ouvriers. Elle les regarda, un peu gênée, à travers les portes vitrées.

Le chagrin, se dit-elle. C'est une émotion étrange et mal comprise. Il a du chagrin pour mon père, autant que moi, et cela lui gâche le plaisir de la découverte. Comme tout cela doit lui être difficile.

Il aurait été si heureux si... Elle n'éprouvait pas tout à fait la même chose. Ce qu'elle désirait par-dessus tout, c'était rester seule avec Ramsès le Grand et sa Cléopâtre. Mais elle le comprenait. La douleur que lui inspirait la mort de père serait toujours là. Elle ne voulait pas vraiment la voir s'atténuer. Elle se tourna vers Alex, ce pauvre garçon qui la regardait sans comprendre.

« Je vous aime, murmura-t-il brusquement.

– Mon Dieu, mais qu'est-ce qui vous prend ? » dit-elle en riant doucement.

Il paraissait déconcerté. Son beau fiancé souffrait vraiment, elle ne pouvait le supporter.

« Je ne sais pas, dit-il. Peut-être ai-je un pressentiment ? C'est comme cela que vous diriez ? Je veux seulement vous rappeler... que je vous aime.

– Oh, Alex, mon cher Alex. »

Elle se pencha pour l'embrasser.

Sur la coiffeuse de Daisy, la petite horloge sonna six heures.

Henry s'étira avant de prendre la bouteille de champagne et de remplir leurs deux coupes.

Elle avait l'air un peu endormi, la bretelle de satin de sa nuisette à demi descendue sur son bras.

« Bois, chérie, dit-il.

– Pas moi, mamour. Je chante, ce soir, dit-elle avec un mouvement arrogant du menton. Je ne peux pas boire toute la journée comme certains que je connais. »

Elle arracha un peu de chair à la volaille rôtie disposée sur un plat et l'enfourna dans sa bouche. Sa jolie bouche.

« Quand je pense à ta cousine ! Elle n'a pas peur de cette foutue momie, elle va jusqu'à la mettre dans sa maison ! »

Ses grands yeux bleus stupides le fixaient. Tout ce qu'il aimait. Même s'il regrettait sincèrement Malenka, sa beauté égyptienne. Ce qu'il y a de bien avec les Orientales, c'est qu'elles n'ont pas à être stupides; même intelligentes, elles sont très faciles à vivre. Alors que chez une fille comme Daisy, la stupidité est essentielle. Et il faut lui parler, lui parler, lui parler sans arrêt.

« Pourquoi diable aurait-elle peur de cette damnée momie ? dit-il d'un air irrité. Le problème, c'est qu'il va falloir tout donner au musée. Elle ne sait pas ce qu'est l'argent, ma cousine. Elle en a trop pour ça. Il m'a fait la charité et elle, il lui laisse un empire. C'est lui qui a... »

Il s'arrêta. La petite chambre, les rayons du soleil qui éclairent cette chose. Il la vit à nouveau. Il vit *ce qu'il avait fait* ! Non. Ce n'est pas vrai. Il est mort d'un arrêt du cœur ou d'un coup de sang, oui, c'est ça. L'homme allongé sur le sable du sol. Je ne suis pas responsable. Et cette créature qui regarderait à travers ses bandelettes, c'est absurde !

Il but un peu trop vite son champagne. Comme c'était bon. Il remplit encore une fois sa coupe.

« Quand même, avoir une momie chez soi », insista Daisy.

Soudain, violemment, il revit les yeux, derrière le lin pourri, qui le regardaient. Oui, qui le regardaient intensément. Arrête, imbécile, tu as fait ce que tu avais à faire ! Arrête, ou tu vas devenir fou !

Il se leva de table un peu gauchement, passa sa veste et remit en place sa cravate de soie.

« Où vas-tu ? demanda Daisy. Tu es un peu trop saoul pour sortir à cette heure, si tu veux mon avis.

– Je ne t'ai rien demandé. »

Elle savait où il allait. Il avait finalement réussi à extorquer cent livres à Randolph et le cercle de jeux était ouvert à présent. Il voulait être seul afin de se concentrer. Rien que de penser à l'éclairage tamisé, au bruit des dés et de la roulette, cela le mettait en joie. Un coup gagnant et il arrêterait, c'était promis. Avec cent livres pour commencer... Il ne pouvait pas attendre.

Bien sûr, il tomberait sur Sharples, et il lui devait beaucoup d'argent, mais comment pourrait-il le rembourser s'il ne retournait pas jouer, s'il ne sentait pas la chance avec lui ?

« Reste avec moi, lui dit Daisy. Bois un verre et repose-toi un peu, il est tout juste six heures.

– Laisse-moi tranquille ! »

Il passa son loden et mit ses gants de peau. Sharples. Cet individu stupide. Sharples. Il sentit dans la poche de son manteau le couteau qu'il avait avec lui depuis des années. Il le tira et en examina la lame d'acier.

« Oh, pas ça, dit Daisy dans un souffle.

– Ne sois pas idiote », dit-il en refermant le couteau et en se dirigeant vers la porte.

Plus de bruit, rien que le doux clapotement de la fontaine dans le jardin d'hiver. Le salon égyptien n'était éclairé que par l'abat-jour vert, sur le bureau de Lawrence.

Julie était assise dans le fauteuil de cuir de son père, le dos tourné au mur, dans son peignoir de soie doux et étonnamment chaud, la main posée sur le journal qu'elle n'avait pas encore lu.

Le masque brillant de Ramsès le Grand avait quelque chose d'effrayant avec ses grands yeux en amande. Le buste de marbre de Cléopâtre semblait resplendir. Et les pièces de monnaie étaient si belles dans leur écrin de velours noir.

Elle les avait soigneusement étudiées. Le même profil que le buste, la même chevelure sous la tiare d'or. Une Cléopâtre grecque, pas la risible image égyptienne qui illustre les programmes pour la tragédie de Shakespeare ou *Vie des hommes illustres* de Plutarque.

Le profil d'une belle femme; forte, mais pas tragique. Forte ainsi que les Romains aimaient leurs héros et leurs héroïnes.

Les épais rouleaux de parchemin et de papyrus paraissaient frêles posés en tas sur la table de marbre. Les autres objets seraient tout aussi facilement abîmés par des mains maladroites. Des plumes, des encriers, un petit brûleur à huile avec un anneau destiné à supporter une ampoule de verre. Les fioles elles-mêmes posées juste à côté – exquis spécimens du travail du verre, avec leurs petits couvercles d'argent. Naturellement, toutes ces petites reliques, ainsi que la rangée de pots d'albâtre, étaient protégées par de petites étiquettes portant l'inscription : « Défense de toucher ».

Cela l'inquiétait malgré tout de savoir que tant de monde viendrait ici pour admirer ces merveilles.

« N'oubliez pas, c'est du poison ! » avait-elle dit à Oscar et Rita, ses indispensables domestiques. Cela avait suffi pour les faire fuir hors de la pièce !

« C'est un cadavre, mademoiselle, avait dit Rita. Un cadavre ! Même si c'est un roi d'Egypte. Moi, je dis qu'il faut laisser les morts tranquilles.

– Le British Museum est rempli de cadavres, Rita », lui avait répondu Julie en riant doucement.

Si seulement les morts pouvaient revenir. Si le spectre de son père pouvait venir la visiter. Imaginez pareil miracle. Le voir à nouveau, lui parler, entendre sa voix. *Que s'est-il passé, père ? Avez-vous souffert ? Avez-vous eu peur pendant ne fût-ce qu'une seconde ?*

Non, elle n'aurait pas craint ce genre de visite. Mais ce genre de chose n'arrive jamais. Notre chemin, du berceau à la tombe, est ponctué de tragédies mondaines. La splendeur du surnaturel n'est bonne que pour les légendes, les poèmes et les pièces de Shakespeare.

Le moment était venu de rester seule avec les trésors de son père et de lire les derniers mots qu'il avait écrits.

Elle tourna les pages jusqu'à la date de la découverte. Et les premiers mots qu'elle y lut lui emplirent les yeux de larmes.

Je dois écrire à Julie, tout lui décrire. Les hiéroglyphes de la porte ne comportent pratiquement pas une faute; ils doivent avoir été écrits par quelqu'un qui savait pertinemment ce qu'il faisait. En revanche, le grec date de la période ptolémaïque. Le latin est sophistiqué. Impossible. C'est pourtant ainsi. Samir est anormalement superstitieux. Je devrais dormir quelques heures. Je m'y remettrai ce soir.

Il y avait un dessin à l'encre représentant la porte de la tombe. Elle se dépêcha de passer à la page suivante.

Neuf heures du soir. Dans la chambre, enfin. On dirait une bibliothèque plus qu'une tombe. L'homme a été déposé dans un cercueil royal auprès d'un bureau sur lequel il a laissé quelque treize rouleaux. Il écrit entièrement en latin, avec une hâte évidente, mais tout de même soigneusement. Il y a des gouttes d'encre un peu partout, mais le texte est des plus cohérents :

« Appelez-moi Ramsès le Damné. Car tel est le nom que je me suis donné. Mais j'étais jadis Ramsès le Grand de la Haute et de la Basse-Egypte, vainqueur des Hittites, père de nombreux fils et filles, à la tête de l'Egypte pendant soixante-quatre ans. Mes monuments sont toujours debout; la stèle rappelle mes victoires, même si un millier d'années se sont écoulées depuis que j'ai été tiré, enfant mortel, du sein de ma mère.

« Ah, moment fatal aujourd'hui enfoui dans le temps, quand auprès d'une prêtresse hittite j'ai pris l'élixir maudit. J'aurais dû écouter ses avertissements. J'avais soif d'immortalité, et j'ai bu la potion. Et maintenant, les siècles ont passé – parmi les poisons de ma reine perdue, j'ai dissimulé la potion qu'elle n'a pas voulu

accepter de mes mains. »

Julie s'arrêta. L'élixir, au milieu de tous ces poisons ? Elle comprit le sens des paroles de Samir. Les journaux n'avaient rien révélé de cette partie du mystère. Extraordinaire. Ces poisons cachent une formule qui accorde la vie éternelle.

« Mais qui pourrait inventer pareille histoire ? » murmura- t-elle.

Elle se prit à contempler le buste de marbre de Cléopâtre. L'immortalité. Pourquoi Cléopâtre n'avait-elle pas bu cette potion ? Ah, voilà qu'elle y croyait. Elle sourit.

Elle tourna la page du Journal. La traduction était interrompue. Son père s'était contenté d'écrire :

Il décrit comment Cléopâtre l'a tiré de son sommeil peuplé de songes, comment il l'a éduquée, aimée et vue séduire les gouvernants romains l'un après l'autre...

« Oui, murmura Julie, d'abord Jules César, puis Marc Antoine. Mais pourquoi ne pas prendre cet élixir ? »

Il y avait un autre paragraphe de traduction.

« Comment pourrais-je supporter plus longtemps ce fardeau ? Comment continuer d'endurer cette solitude ? Cependant je ne peux mourir. Ses poisons ne me font aucun mal. Ils prennent soin de mon élixir afin que je puisse rêver d'autres reines, belles et sages, et qu'elles partagent les siècles avec moi. Mais n'est-ce pas son visage que je vois ? Sa voix que j'entends ? Cléopâtre. Hier. Demain. Cléopâtre. »

Venait ensuite du latin. Plusieurs paragraphes en latin que Julie était incapable de déchiffrer. Même à l'aide d'un dictionnaire, elle n'aurait pu les traduire. C'étaient ensuite quelques lignes en égyptien démotique, langue encore plus impénétrable que le latin. Et rien d'autre.

Elle reposa le Journal. Elle lutta contre les inévitables larmes. C'était presque comme si elle pouvait sentir la présence de son père dans cette pièce. Quel avait dû être son enthousiasme à en juger d'après son écriture !

Que ce mystère était passionnant !

Quelque part, parmi tous ces poisons, un élixir conférait l'immortalité ? Il n'y avait pas besoin de prendre les choses au pied de la lettre pour les trouver belles. Voyez ce brûleur d'argent et cette ampoule délicate. Ramsès le Damné y avait cru. Son père peut-être aussi y avait cru. Et pour l'heure, elle aussi y croyait.

Elle se leva lentement et s'approcha de la longue table de marbre. Les rouleaux étaient si fragiles. Des fragments de papyrus étaient éparpillés çà et là. Les hommes les avaient retirés avec soin des caisses, mais ils les avaient tout de même endommagés. Elle n'osait pas y toucher. De toute façon, elle n'aurait pu les déchiffrer.

Quant aux pots, elle ne devait pas non plus y toucher. Que se passerait-il si du poison se renversait ou s'évaporait ?

Elle rencontra son reflet dans le miroir mural. Puis elle revint vers le bureau et ouvrit le Journal qui y était posé.

Antoine et Cléopâtre, la tragédie de Shakespeare, connaissait depuis pas mal de temps un beau succès à Londres. Alex et elle-même avaient projeté de s'y rendre, mais il est vrai qu'Alex s'endormait pendant les pièces sérieuses. Seules les opérettes de Gilbert et Sullivan plaisaient à Alex – même s'il tournait habituellement de l'œil vers la fin du troisième acte.

Elle lut l'annonce des représentations. Elle se leva et prit le Plutarque sur une étagère de la bibliothèque.

Quelle était l'histoire de Cléopâtre ? Plutarque ne lui avait pas consacré une biographie à part entière. Non, il ne parlait d'elle que dans celle de Marc Antoine.

Elle passa rapidement aux paragraphes dont elle avait un vague souvenir. Cléopâtre avait été une grande souveraine et ce que nous appellerions aujourd'hui une grande figure politique. Elle avait non seulement séduit César et Marc Antoine, mais elle avait tenu très longtemps l'Egypte à l'écart de la conquête romaine. Elle s'était donné la mort après le suicide de Marc Antoine et la victoire d'Octave. La soumission de l'Egypte à Rome était inévitable, mais elle avait fait de son mieux pour la retarder. S'il n'avait pas été assassiné, Jules César aurait peut-être fait de Cléopâtre son impératrice. S'il s'était montré un peu plus fort, Marc Antoine aurait renversé Octave.

Cléopâtre s'était révélée maîtresse du jeu jusqu'au bout. Octave voulait la conduire à Rome en tant que prisonnière royale. Elle l'avait trompé. Elle avait essayé des dizaines de poisons sur des condamnés, puis avait opté pour la morsure du serpent. Les gardes romains n'avaient pu empêcher son suicide. Octave prit possession de l'Egypte, mais il ne fut pas le maître de Cléopâtre.

Julie referma le livre avec une certaine révérence. Elle regarda les rangées de pots d'albâtre. Etaient-ce bien là les poisons évoqués ?

Elle posa les yeux sur le magnifique cercueil et s'abandonna à une étrange rêverie. Des cercueils tels que celui-ci, elle en avait déjà vu une centaine, au Caire ou ici. Elle en voyait depuis qu'elle était petite fille. Mais celui-ci abritait un homme qui se prétendait immortel. Qui clamait ne pas être plongé dans la mort lors de son enterrement, mais dans un « sommeil peuplé de songes ».

Quel était le secret de ce sommeil ? Comment pouvait-il en être tiré ? Et l'élixir ?

« Ramsès le Damné, murmura-t-elle. T'éveilleras-tu pour moi ainsi que tu l'as fait pour Cléopâtre ? T'éveilleras-tu pour un nouveau siècle de merveilles indescriptibles, même si ta reine est morte ? »

Pas de réponse, rien que le silence. Et les grands yeux doux du masque d'or du roi qui la regardaient fixement.

« C'est du vol ! dit Henry, incapable de contenir sa fureur. Cette chose n'a pas de prix ! »

Il avait les yeux rivés sur le petit homme assis à son bureau, dans l'arrière-boutique de l'officine de numismatique. Un misérable petit voleur, dans son univers sordide de vitrines crasseuses protégeant des pièces de monnaie comme des joyaux.

« Si elle est authentique, oui, répondit lentement l'homme. Mais dans ce cas, quelle est sa provenance ? Une pièce comme celle-ci, à l'effigie parfaite de Cléopâtre ? C'est ce qu'ils voudront savoir, vous savez, d'où elle vient. Et vous ne m'avez pas dit votre nom.

– Non, je ne vous l'ai pas dit. »

Exaspéré, il récupéra la pièce et la fourra dans sa poche. Il prit le temps de mettre ses gants. Combien lui restait-il ? Cinquante livres ? Il était furieux. Il claqua la porte derrière lui.

Le marchand demeura longtemps immobile. Il sentait toujours le poids de la pièce dans sa main. Depuis des années, il n'avait rien vu de tel. Il savait qu'elle était authentique et il pesta intérieurement contre lui-même.

Il aurait dû l'acheter ! Il aurait dû courir le risque. Mais il savait qu'elle était volée, et même pour la reine du Nil, il ne pouvait se résoudre à devenir voleur.

Il quitta son bureau et franchit les rideaux de serge poussiéreuse qui séparaient sa boutique du minuscule salon où il passait la majeure partie de son temps. Son journal était resté là. Un titre s'étalait en première page :

LA MOMIE DE STRATFORD ET SA MALÉDICTION
ARRIVENT À LONDRES

Un dessin à l'encre montrait un jeune homme mince qui débarquait du HMS *Melpomine* accompagné de la momie du fameux Ramsès le Damné. Henry Stratford, le neveu de l'archéologue défunt, disait la légende. Oui, c'était bien l'homme qui venait de quitter sa boutique. Avait-il dérobé la pièce dans la tombe où son oncle était mort subitement ? Combien en avait-il pris en tout ? Le marchand était déconcerté : soulagé d'un côté, plein de regret de l'autre. Il se tourna vers le téléphone.

Midi. L'atmosphère de la salle à manger du club était feutrée et les rares membres qui y déjeunaient le faisaient seuls, en silence, à des tables couvertes de nappes blanches. Exactement ce que Randolph aimait, bien à l'écart des rues tapageuses ainsi que de la pression permanente et de la confusion de ses bureaux.

Il ne fut pas heureux de découvrir son fils dans l'encadrement de la porte, à une quinzaine de mètres de là. Il n'avait pas fermé l'œil de la nuit, c'était évident. Henry était malgré tout rasé et vêtu de frais, Randolph ne pouvait le nier. Henry n'omettait jamais ces petits détails. En revanche, les problèmes majeurs lui échappaient totalement : il n'avait plus de vie propre, c'était un joueur et un buveur impénitent.

Randolph se consacra de nouveau à son potage.

Il ne leva pas les yeux quand son fils prit la chaise en face de lui et demanda au serveur de lui apporter « immédiatement » un scotch.

« Je t'ai dit de rester chez ta cousine, hier soir », dit Randolph, l'air sinistre. Encore une conversation qui n'allait déboucher sur rien. « Je t'ai laissé une clef.

– J'ai trouvé cette clef, merci, mais ma cousine s'arrange fort bien sans moi. Elle a sa momie pour lui tenir compagnie. »

Le serveur apporta le verre, que Henry vida d'un trait.

Randolph prit une autre cuillerée de potage.

« Pourquoi diable prenez-vous vos repas dans un tel endroit ? Cela fait des années qu'il n'est plus à la mode. Je ne connais rien de plus sinistre.

– Parle plus bas, je t'en prie.

– Pourquoi donc ? Tous les membres sont sourds. »

Randolph se cala au dossier de sa chaise. Il adressa un petit signe de tête au serveur, qui emporta l'assiette de potage.

« C'est mon club, et il me plaît ainsi », dit-il d'un air triste.

Superflue, cette conversation, comme toutes celles qu'il avait avec son fils. Il en aurait pleuré de voir que les mains de Henry tremblaient, qu'il avait les traits tirés et que ses yeux regardaient dans le vide – des yeux d'alcoolique.

« Apportez la bouteille », lança Henry au serveur sans même le regarder. Puis, à son père : « Il ne me reste que vingt livres.

– Je ne peux rien t'avancer ! dit Randolph avec lassitude. Tant qu'elle tiendra les rênes, la situation sera désespérée. Tu sembles ne pas comprendre.

– Vous me mentez. Je sais qu'elle a signé des papiers hier.

– Ton avance correspond déjà à un an de salaire.

– Père, il me faudrait cent...

– Si elle se penche sur les livres, je devrai tout lui avouer. Et la supplier de m'accorder une autre chance. »

Il se sentit soulagé d'avoir osé dire cela. Il contempla son fils avec un certain recul. Oui, il devrait peut-être tout dire à sa nièce et lui demander... son aide.

Henry ricanait.

« Vous allez implorer sa pitié. Comme c'est touchant ! »

Randolph détourna les yeux de son fils et porta son regard sur les rangées de tables blanches. Une silhouette grisonnante, courbée en deux, demeurait seule dans un coin de la salle.

C'était le vieux vicomte Stephenson, propriétaire de vastes domaines et détenteur d'un beau compte en banque. Déjeunez en paix, mon ami, pensa Randolph.

« Que pouvons-nous faire d'autre ? dit-il doucement à son fils. Tu devrais venir au travail demain. Au moins, faire une apparition... »

Son fils l'écoutait-il, ce fils misérable qui n'avait pas de projets, pas d'avenir, pas de rêves ?

Cette pensée lui brisa le cœur. Toutes ces années au cours desquelles son fils n'avait connu que le désespoir et l'amertume...

« Très bien, je vais te donner ce que tu demandes. » Cent livres de plus ou de moins, quelle importance quand l'on n'a qu'un fils ?

Des circonstances sinistres, mais indéniablement passionnantes. Quand Elliott arriva, la maison Stratford était littéralement bondée. Il avait toujours aimé cette demeure, avec ses pièces inhabituellement vastes et son étonnant escalier central. Toutes ces boiseries, toutes ces bibliothèques... L'atmosphère y était malgré tout joyeuse, avec ces papiers peints dorés et cet éclairage électrique à profusion. Mais la présence de Lawrence lui manquait cruellement. Chaque instant de leur amitié revenait le tourmenter, et le souvenir de leur aventure sentimentale le hantait cruellement.

Il avait toujours su que cela se terminerait ainsi. Mais, ce soir, il n'aurait voulu se trouver nulle part ailleurs sinon dans la maison de Lawrence pour la présentation officielle de Ramsès le Damné. Il écarta d'un geste ceux qui se précipitèrent vers lui et se fraya un chemin parmi les inconnus et les vieux amis. Sa jambe lui faisait mal, ce soir, l'humidité en était la cause. Heureusement, il ne resterait pas debout très longtemps. Et puis, il avait sa nouvelle canne de marche, élégant objet pourvu d'un pommeau d'argent.

« Merci, Oscar, dit-il avec son sourire habituel quand on lui proposa son premier verre de vin blanc.

– Vous arrivez juste à temps, lui dit Randolph. Ils vont nous montrer cette horreur. Venez. »

Elliott hocha la tête. Randolph avait l'air décomposé, c'était indubitable. La mort de Lawrence l'avait profondément marqué, mais il faisait de son mieux.

Ils se placèrent au premier rang et, pour la première fois, Elliott posa les yeux sur le cercueil fabuleux de la momie.

L'expression innocente, enfantine, du masque d'or le charma. Puis il porta son regard sur les inscriptions – des mots grecs et latins, dessinés ainsi que des hiéroglyphes égyptiens !

Hancock, du British Museum, réclama le silence en frappant sa petite cuillère contre un verre en cristal. Alex se tenait à ses côtés. Il enlaçait Julie, exquise dans ses vêtements de deuil; ses cheveux tirés en arrière révélaient toute la pâleur de son visage et montraient au monde entier que ses traits n'avaient nul besoin d'artifices.

Leurs regards se croisèrent, et Elliott adressa à Julie un petit sourire mélancolique tandis qu'une flamme s'allumait dans les yeux de la jeune femme. D'une certaine façon, se dit-il, elle me préfère à mon fils. Quelle ironie ! Son fils paraissait dérouté par une telle scène, et peut-être l'était-il vraiment – c'était bien là le problème.

Samir Ibrahaim apparut subitement à la gauche de Hancock. Un autre vieil ami. Mais il ne vit pas Elliott. Non sans angoisse, il ordonna à deux jeunes hommes de se saisir du couvercle du cercueil et d'attendre ses instructions. Ils se tenaient les yeux baissés, comme s'ils étaient légèrement embarrassés par l'acte qu'ils allaient accomplir. L'assistance fit silence.

« Mesdames et messieurs », dit Samir. Les deux hommes soulevèrent le couvercle et le déplacèrent sans effort sur le côté. « Je vous présente Ramsès le Grand. »

La momie fut exposée aux yeux de tous, et chacun découvrit ce grand corps aux bras croisés sur la poitrine, cet homme chauve, apparemment, et nu sous les épaisses bandelettes aux couleurs passées.

L'assistance retint un cri. Dans la lumière dorée des chandeliers électriques et des rares candélabres, la forme avait quelque chose d'horrible, comme c'est toujours le cas.

Il y eut des applaudissements un peu gênés. Des frissonnements, un rire nerveux. Et puis, la masse des spectateurs se rompit, certains s'approchant pour mieux voir, d'autres reculant comme au contact du feu, d'autres encore détournant pudiquement les yeux.

Randolph soupira et secoua la tête.

« Il est mort pour ça, hein ? J'aimerais comprendre

pourquoi.

– Ne soyez pas morbide », lui dit son voisin. Elliott ne parvenait pas à se rappeler son nom. « Lawrence était heureux...

– Il faisait ce qu'il aimait », murmura Elliott. Encore cette phrase... Il en aurait pleuré.

Lawrence aurait été heureux d'examiner son trésor. Lawrence aurait été heureux de traduire ces parchemins. La mort de Lawrence était une tragédie. Lawrence aurait été...

Elliott pressa doucement le bras de Randolph et l'abandonna pour se diriger lentement vers le cadavre vénérable de Ramsès.

On eût dit que la jeune génération s'était donné le mot pour l'empêcher d'approcher et faisait corps autour de Julie et d'Alex. Elliott saisit des bribes de phrase de la part de la jeune femme quand la conversation retomba à un niveau plus convenable.

« ... une histoire tout à fait remarquable, expliquait Julie. Mais père venait à peine d'entamer la traduction des papyrus. J'aimerais connaître votre opinion, Elliott.

– A quel propos, ma chère ? » Il venait d'atteindre la momie et en contemplait le visage, émerveillé de pouvoir discerner une expression sous l'épaisseur des linges en décomposition. Il prit Julie par la main. Les autres se pressaient pour mieux voir, mais il ne céda pas de terrain.

« Votre opinion à propos de tout ce mystère, reprit-elle. Est-ce un cercueil de la dix-neuvième dynastie ? Comment a-t-il pu être fabriqué à l'époque romaine ? Vous savez, père m'a dit jadis que vous en saviez plus en matière d'archéologie que tous les spécialistes du musée. »

Il rit sous cape, et elle regarda autour d'elle pour s'assurer que Hancock n'était pas à proximité. Dieu merci, il se trouvait à présent prisonnier de la foule des curieux et les renseignait sur les papyrus et les pots d'albâtre disposés le long du mur.

« Qu'en pensez-vous ? » dit à nouveau Julie. Tant de sérieux et de charme mêlés.

« Il ne peut s'agir de Ramsès le Grand, ma chère, dit-il, mais cela, vous le savez déjà. » Il étudia à nouveau le couvercle peint ainsi que le corps niché dans ses étoffes poussiéreuses. « Un excellent travail, je dois l'avouer. Il n'y a pratiquement pas de substances chimiques. Cela ne sent pas non plus le bitume.

– Il n'y a pas de bitume », dit brusquement Samir.

Il se tenait à la gauche d'Elliott, et ce dernier ne l'avait même pas remarqué.

« Et que faites-vous de cela ? lui demanda Elliott.

– Le roi nous a donné ses propres explications, dit Samir. C'est ce que Lawrence m'a expliqué. Ramsès s'est fait envelopper selon le rite habituel, mais il n'a pas été embaumé. Il n'a jamais quitté la cellule où il a rédigé cette histoire.

– Quelle idée surprenante ! s'écria Elliott. Avez-vous lu vous-même les inscriptions ? » Il posa le doigt sur les mots latins et traduisit : « *Que le soleil ne brille jamais sur mes restes; car dans les ténèbres je dors; au-delà de toute souffrance; au-delà de toute connaissance*... Ce ne sont pas là des sentiments très égyptiens, vous en conviendrez. »

Le visage de Samir s'assombrit quand il regarda les lettres minuscules. « Il y a des avertissements et des malédictions un peu partout. J'étais curieux avant l'ouverture de cette tombe étrange.

– Et maintenant vous avez peur. » Voilà qui était dur à dire, mais qui était vrai. Julie était captivée.

« Elliott, j'aimerais que vous lisiez les notes de père, dit-elle, avant que le musée n'enferme tout dans ses réserves. Cet homme ne prétend pas seulement être Ramsès. Il y a bien d'autres choses.

– Vous ne faites tout de même pas allusion à ces stupidités que racontent les journaux ? lui demanda-t-il. Son caractère immortel, son amour pour Cléopâtre. »

Etrange, la façon dont elle le regardait. « Père a traduit une partie des textes, répéta-t-elle. J'ai son carnet. Il est sur son bureau. Samir sera d'accord avec moi, je pense. Vous trouverez cela intéressant. »

Mais Samir était entraîné par Hancock et un autre individu. Et Julie fut abordée par Lady Treadwell. Ne redoutait-elle pas les malédictions ? Elliott sentit la main de la jeune femme l'abandonner. Le vieux Winslow Baker voulait parler à Elliott sur-le-champ. Non, laissez-moi, je vous prie. Une grande femme aux joues fanées et aux longues mains pâles se planta devant le cercueil et demanda si tout cela n'était pas qu'un immense canular.

« Certainement pas ! dit Baker. Lawrence a toujours été honnête, j'en mettrais ma main au feu. »

Elliott sourit. « Dès que le musée aura ôté ces bandelettes, ils pourront dater précisément les restes. Ils auront une preuve interne, si je puis dire.

– Lord Rutherford, je ne vous avais pas reconnu ! » dit la femme.

Mon Dieu, était-il censé la connaître ? Quelqu'un était passé devant elle, tout le monde voulait voir cette chose. Il aurait dû s'écarter, mais il ne le voulait pas.

« Je ne supporte pas l'idée qu'ils puissent le disséquer, dit Julie dans un souffle. C'est la première fois que je le vois, je n'ai pas osé déplacer seule le couvercle.

– Venez, ma chérie, il y a un vieil ami que j'aimerais vous présenter, dit soudain Alex. Ah, père, vous êtes là ? Vous voulez que je vous apporte une chaise ?

– J'y arriverai, Alex, je te remercie », répondit Elliott. Il faut dire qu'il était habitué à la douleur. On eût dit que de minuscules poignards s'enfonçaient entre ses articulations. Ce soir, même ses doigts le faisaient souffrir, mais il réussissait de temps à autre à oublier cette désagréable impression.

Et maintenant, il ne voyait plus les hommes et les femmes qui lui tournaient le dos et se trouvait seul en compagnie de Ramsès le Damné. Quel instant !

Il ferma à demi les yeux en s'approchant très près du visage de la momie. Etonnamment bien formé, pas le moins du monde desséché. En aucun cas celui du vieillard que Ramsès aurait été après soixante années de règne.

La bouche était celle d'un jeune homme, ou du moins celle d'un individu dans la fleur de l'âge. Le nez était étroit, mais pas émacié – aristocratique, comme disaient les Anglais. Les arcades sourcilières étaient proéminentes et les yeux eux-mêmes n'avaient pas dû être petits. Un bel homme, probablement. Très certainement, même.

Quelqu'un dit avec humeur que cette chose devrait être dans un musée. Un autre qu'elle était absolument dégoûtante. C'étaient donc là les amis de Lawrence ? Hancock examinait les pièces d'or disposées sur le présentoir de velours. Samir se tenait à ses côtés.

« Il y en avait cinq, rien que cinq ? Vous en êtes bien sûr ? » Il parlait si fort qu'on eût cru que Samir était sourd.

« Tout à fait certain, je puis vous l'assurer, dit Samir non sans irritation. J'ai établi personnellement le contenu de la chambre. »

Hancock porta son regard vers un personnage qui se trouvait de l'autre côté de la pièce. Elliott vit qu'il s'agissait de Henry Stratford. Il avait belle allure, avec sa veste gris perle et sa cravate de soie noire. Il riait et parlait assez nerveusement, semblait-il, avec Alex, Julie et cette horde de jeunes gens qu'il méprisait secrètement.

Il était toujours aussi beau, se dit Elliott. Aussi beau que lorsqu'il avait vingt ans, mais, à présent, ce visage élégant et étroit avait troqué la vulnérabilité contre une certaine malveillance.

Pourquoi Hancock le regardait-il de la sorte ? Et que soufflait-il à l'oreille de Samir ? Ce dernier fixa longuement Hancock, avant de hausser nonchalamment les épaules et de s'intéresser à son tour à Henry.

Comme Samir devait mépriser tout ceci ! pensa Elliott. Comme il devait mépriser ce costume occidental si peu confortable ! Il aime porter sa *djellaba* de soie et ses babouches, et il devrait les avoir aujourd'hui. Quels barbares nous faisons !

Elliott se dirigea vers le coin le plus éloigné de la pièce et s'installa dans le fauteuil de cuir de Lawrence. La foule s'ouvrait et se refermait sur un Henry qui cherchait à s'éloigner des autres et jetait des œillades de toutes parts. Très discrètement, pas du tout comme un traître de théâtre, mais avec une idée en tête, c'était évident.

Henry passa lentement devant la table de marbre, la main tendue comme pour effleurer les rouleaux anciens. La foule se referma à nouveau, et Elliott se contenta d'attendre. Le petit groupe rassemblé devant lui finit par se dissoudre, et Henry se tenait là, à quelques mètres, qui caressait du regard un collier posé sur une étagère de verre, une de ces innombrables reliques rapportées par Lawrence plusieurs années plus tôt.

Quelqu'un vit-il Henry s'emparer du collier et le regarder amoureusement ainsi que le ferait un antiquaire ? Quelqu'un le vit-il le glisser dans sa poche et s'éloigner, blafard, la bouche pincée ?

Le scélérat.

Elliott se contenta de sourire. Il but une gorgée de vin blanc très frais en regrettant que ce ne fût pas du sherry. Il aurait voulu ne pas assister à ce menu larcin. Il aurait voulu ne pas voir Henry.

Les souvenirs qu'il avait de Henry n'avaient jamais perdu l'aspect pénible qui les caractérisait, peut-être parce qu'il n'avait jamais confessé à quiconque ce qui s'était réellement passé. Pas même à Edith, à qui il avait pourtant avoué des choses sordides, poussé par le vin et la philosophie; et pas aux prêtres catholiques avec qui il parlait parfois avec une véhémence étonnante du ciel et de l'enfer.

Il s'était toujours dit que le temps lui permettrait d'oublier ces événements terribles, mais dix années s'étaient écoulées, et ils étaient toujours aussi présents.

Il avait aimé Henry Stratford. Et ce dernier avait été le seul amant d'Elliott à oser le faire chanter.

Naturellement, il avait piteusement échoué. Elliott lui avait ri au nez. « Vais-je aller tout raconter à ton père ? Ou à ton oncle Lawrence peut-être ? Il sera furieux après moi... pendant cinq minutes, tout au plus. Mais toi, son neveu préféré, il te méprisera jusqu'au dernier jour parce que je lui dirai tout, vois-tu ? Jusqu'au montant de la somme que tu as essayé de me soutirer. »

Henry avait été cruellement humilié. Mais il ne s'en était pas tenu là. Les chapardages avaient commencé. Une heure après le départ de Henry, Elliott avait constaté la disparition de son étui à cigarettes, de son porte-billets et de tout son argent liquide. Sa robe de chambre n'était plus là, ses boutons de manchettes, ainsi que d'autres objets dont il n'avait plus le souvenir à présent.

Il n'avait jamais pu se résoudre à évoquer toute l'étendue du désastre. Mais, maintenant, il aurait aimé pincer Henry, se glisser à côté de lui et lui parler du collier qui venait de trouver le chemin de sa poche. Henry le rangerait-il avec l'étui à cigarettes en or et les boutons de manchettes, ou bien l'apporterait-il au même prêteur sur gages ?

Tout cela était d'une tristesse. Henry avait été un jeune homme comblé, mais il avait mal tourné, malgré l'éducation, le sang et d'innombrables occasions. Il s'était mis à jouer alors qu'il était encore très jeune; son alcoolisme avait pris une forme chronique dès vingt-cinq ans; et aujourd'hui, à trente-deux ans, il arborait en permanence un air sinistre qui le rendait étrangement répugnant. Qui pâtissait de tout cela ? Randolph, bien entendu, qui se croyait dur comme fer responsable des tares de son fils.

Mais au diable Henry ! C'était la momie qu'Elliott était venu voir. Et les curieux s'étaient un peu dispersés. Il prit un verre de vin, se leva et oublia sa hanche douloureuse pour se diriger vers le cercueil.

Il contempla à nouveau le visage avec sa bouche bien dessinée et son menton décidé. Un homme dans la force de l'âge. Des cheveux apparaissaient sous les bandelettes tendues.

Il leva son verre pour le saluer.

« Ramsès », murmura-t-il en s'approchant davantage. Il se mit alors à lui parler latin : « Bienvenue à Londres. Sais-tu où se trouve cette ville ? » Il ne put s'empêcher de sourire. Voilà qu'il parlait latin à une momie. Puis il cita quelques phrases de César relatives à sa conquête de l'Angleterre. « Voilà où tu te trouves, grand roi. » Il s'essaya au grec, mais y renonça très vite et revint au latin. « J'espère que tu aimes mieux que moi ce pays. »

Un bruissement soudain se fit entendre. D'où provenait-il ? Il l'avait entendu très distinctement en dépit du brouhaha incessant des conversations. On eût dit qu'il émanait du cercueil dressé devant lui.

Une fois encore, il admira le visage. Puis les bras et les mains, emprisonnés sous le lin pourri. L'étoffe salie était déchirée à hauteur des poignets croisés et révélait une partie des vêtements. La momie était en train de se détériorer, de petits parasites avaient dû s'en emparer. Il fallait prendre des mesures.

Il regarda les pieds de la momie. C'était vraiment inquiétant. Un petit tas de poussière était en train de se former sous la main droite, à l'endroit où les bandelettes étaient vraiment détériorées.

« Seigneur, Julie doit se dépêcher de remettre tout cela au musée », murmura-t-il. Puis il entendit à nouveau le bruissement. Il fallait s'occuper très vite de cette momie. Dieu sait ce que l'humidité londonienne pouvait bien lui faire.

Il parla une nouvelle fois latin à la momie. « Moi non plus, je n'aime pas ce climat, grand roi. Il me fait souffrir. Et c'est pour cela que je rentre chez moi et te laisse à tes adorateurs. »

Il pivota sur ses talons et s'appuya lourdement sur sa canne, pour soulager un peu sa hanche. Il lança un ultime regard par-dessus son épaule. Cette chose avait l'air si robuste, comme si la chaleur de l'Egypte n'avait pas réussi à la dessécher entièrement.

Daisy caressait le petit collier dont Henry manipulait le fermoir. Sa loge était pleine de fleurs, de bouteilles de vin rouge, de champagne et d'autres offrandes, mais aucun de ses donateurs n'était aussi beau que Henry Stratford.

« Il est drôle, je trouve », dit-elle, la tête penchée sur le côté. Une chaînette en or et une petite breloque décorée. « Où l'as-tu déniché ?

– Il vaut bien plus que la cochonnerie que tu portais avant », dit Henry avec un sourire. Il avait la voix pâteuse. Une fois de plus, il était ivre. Cela signifiait qu'il serait méchant ou très, très gentil. « Allez, viens, ma poule, on va aller chez Flint. Je sens que la chance est avec moi et j'ai là cent livres qui me brûlent la poche.

– Tu ne vas tout de même pas laisser ta cousine toute seule avec cette horreur.

– Qu'est-ce que ça peut faire ? »

Il s'empara de la cape de renard argenté qu'il lui avait offerte et la lui jeta sur les épaules, puis ils quittèrent la loge et se dirigèrent vers l'entrée des artistes.

Il y avait un monde fou chez Flint. Elle détestait la fumée et l'odeur âcre de l'alcool, mais cela l'amusait toujours d'être avec lui quand il avait de l'argent. Il l'embrassa sur la joue et l'entraîna vers la roulette.

« Tu sais ce qu'il faut faire. Mets-toi à ma gauche et ne bouge pas de là, ça me portera bonheur. »

Elle hocha la tête. Les femmes présentes dans la salle de jeux étaient chargées de bijoux, et elle ne portait que ce ridicule petit collier. Cela la rendait nerveuse.

Julie sursauta. Quel était donc ce bruit ? Elle se trouva quelque peu embarrassée, seule dans la bibliothèque à cette heure tardive.

Il n'y avait personne d'autre avec elle, mais elle aurait

juré... Non, ce n'était pas un bruit de pas.

Elle regarda la momie couchée dans son cercueil. Dans la pénombre, elle paraissait recouverte d'une pellicule de cendres. Elle avait une expression des plus graves, qu'elle n'avait pas remarquée auparavant. Comme quelqu'un qui se débat en plein cauchemar. Elle distinguait presque une ride sur son front.

Etait-elle heureuse que l'on n'ait pas remis en place le couvercle ? Elle n'en savait trop rien. De toute façon, il était trop tard. Elle avait juré de ne toucher à rien. Et puis, elle devait aller se coucher, elle était littéralement épuisée. Les vieux amis de son père s'étaient attardés. Les reporters avaient ensuite fait irruption. Quelle incroyable effronterie ! Les gardes avaient dû les chasser, mais ils avaient tout de même réussi à prendre plusieurs photos de la momie.

Une heure sonnait à l'horloge. Et Julie était seule. Dans ce cas, pourquoi tremblait-elle ? Elle courut jusqu'à la porte afin de mettre le verrou, puis elle se souvint de Henry. Il était censé la protéger, la chaperonner. Etrange qu'il ne lui eût pas adressé une parole aimable depuis son arrivée...

Il faisait très froid quand il sortit dans la rue déserte. Il se hâta d'enfiler ses gants.

Il n'aurait pas dû la gifler, c'est vrai. Mais elle n'aurait pas dû lui parler ainsi. Il savait ce qu'il faisait. A dix reprises, il avait joué quitte ou double. Seulement, au dernier coup... Et puis, quand il s'était mis à discuter au moment de signer une reconnaissance de dettes, elle était intervenue. Tout le monde le regardait. Et Sharples était là.

Ce même Sharples qui se matérialisait devant lui, dans le brouillard. Une fenêtre projeta sa lueur sur son visage marqué par la petite vérole.

« Fichez le camp de là, dit Henry Stratford.

– Vous n'avez pas eu de chance, monsieur ? » Sharples marchait à sa hauteur. « Et la petite dame vous coûte beaucoup d'argent. Elle a toujours été très chère, monsieur, même à l'époque où elle travaillait pour moi. Et je suis très généreux, vous savez.

– Laissez-moi tranquille, misérable ! » Il pressa le pas. Devant lui, le bec de gaz était éteint. Et il n'y avait pas de taxi à cette heure.

« Pas sans un petit cadeau de votre part, monsieur. »

Henry s'arrêta. La pièce à l'effigie de Cléopâtre. Cet imbécile en apprécierait-il la valeur ? Il sentit les doigts de l'homme se refermer sur son bras.

« Comment osez-vous ? » Il s'écarta. Puis, lentement, il tira la pièce de sa poche et la présenta à l'homme, dans la paume de sa main.

« Mais c'est splendide, monsieur. Une vraie merveille ar... chéolo... gique ! » Il prit la pièce et la retourna, comme si les inscriptions avaient quelque sens pour lui. « Vous l'avez volée, hein, monsieur ? Dans le trésor de votre oncle, c'est bien ça ?

– C'est à prendre ou à laisser ! »

Sharples referma la main sur la pièce avec la prestance d'un illusionniste.

« Je vois que vous n'êtes pas gêné, monsieur. » Il la mit dans sa poche. « Il rendait son dernier souffle quand vous la lui avez prise ? Ou est-ce que vous avez attendu qu'il passe l'arme à gauche ?

– Allez au diable.

– Ça ne suffira pas, monsieur. Pensez à tout ce que vous me devez ainsi qu'à ces messieurs. »

Henry fit demi-tour; il remit en place son chapeau et pressa le pas. Derrière lui, les talons de Sharples claquaient sur le pavé. Il n'y avait personne dans la rue, et le rai de lumière sous la porte de chez Flint n'était plus visible.

Il entendit Sharples se rapprocher. Il plongea la main dans la poche de son manteau. Son couteau. Lentement, il le tira, l'ouvrit et le serra entre ses doigts.

La main de Sharples se posa sur son épaule.

« Je crois que vous auriez besoin d'une petite leçon... »

La main de Sharples se fit plus dure, mais Henry pivota et lança son genou dans le ventre de l'homme afin de le déséquilibrer. Henry regarda la soie brillante de la veste, là où la lame s'enfoncerait entre les côtes. Il frappa sans hésitation. L'autre ouvrit la bouche pour pousser un cri.

« Imbécile, je t'avais prévenu ! »

Henry arracha son couteau et frappa à nouveau.

L'homme tituba avant de tomber à genoux. Ses épaules s'affaissèrent et il roula sur le côté.

Henry ne parvenait pas à voir son visage à cause de

l'obscurité. Il ne distinguait que cette forme inerte, sur le pavé. Le froid glacial de la nuit le paralysait. Le sang battit à ses oreilles. Il avait éprouvé la même sensation là-bas, en Egypte, dans la chambre funéraire.

Tant pis pour lui ! Il n'aurait pas dû me défier ! La colère l'étouffait. Il ne pouvait bouger la main droite, paralysée par le froid en dépit du gant. De la main gauche, il referma la lame.

Il regarda autour de lui. Rien que les ténèbres et le silence. Le bruit lointain d'une automobile, peut-être. De l'eau coulait comme d'une gouttière endommagée. Le ciel avait pris une teinte ardoise.

Il se mit à genoux et tendit la main vers la veste de soie en prenant bien soin de ne pas toucher la grande tache humide qui s'y étalait. Il palpa et trouva le portefeuille de l'homme, bourré, plein d'argent !

Il n'en examina pas le contenu et se contenta de le ranger dans la même poche que le couteau. Puis il partit à grandes enjambées sonores. Il sifflota même un air.

Plus tard, confortablement installé à l'arrière d'un taxi, il examina le portefeuille. Trois cents livres. Ce n'était pas si mal. Mais la panique s'empara de lui et il sombra dans un profond désespoir.

Trois cents livres. Ce n'était pas pour cette somme qu'il avait tué Sharples. Il était d'ailleurs incapable de tuer qui que ce fût. Son oncle Lawrence avait succombé à une attaque. Quant à Sharples, cet usurier méprisable dont il avait fait un soir la connaissance chez Flint, eh bien, l'un de ses semblables l'avait descendu. Une rue sombre, un couteau entre les côtes, et voilà.

Voilà ce qui s'était bel et bien passé. Qui pourrait établir un lien entre lui et une affaire aussi sordide ?

Il était Henry Stratford, vice-président de la Stratford Shipping, membre d'une famille distinguée qu'un mariage allait bientôt allier au comte de Rutherford. Personne n'oserait...

Il rendrait visite à sa cousine. Il lui expliquerait sa malchance au jeu. Elle lui offrirait certainement une somme coquette, trois fois plus peut-être que ce qu'il avait en main, parce qu'elle comprendrait fort bien le caractère temporaire de cette gêne.

Sa cousine, sa sœur unique. Jadis, ils s'étaient aimés, Julie et lui. Ils s'étaient aimés comme seuls peuvent le faire un frère et une sœur. Il le lui rappellerait. Elle ne lui ferait pas d'ennuis et il pourrait se reposer un peu.

Depuis peu, c'était cela le pire : il n'arrivait pas à trouver le repos.

CHAPITRE TROIS

Julie descendit lentement les marches de l'escalier, les pieds dans des chaussons, les plis de son peignoir de dentelle dans une main afin de ne pas trébucher, les cheveux rejetés librement sur les épaules.

Elle vit le soleil avant toute autre chose au moment où elle entra dans la bibliothèque – ce grand flot de lumière jaune qui inondait le jardin d'hiver, au-delà des portes ouvertes.

De longs rayons obliques tombaient sur le masque de Ramsès le Damné, sur les sombres couleurs du tapis d'Orient et sur la momie proprement dite, debout dans son cercueil ouvert, le visage et les membres prenant des reflets dorés comme les sables du désert, à midi.

La pièce s'illumina devant le regard de Julie. Le soleil explosa littéralement sur les pièces à l'effigie de Cléopâtre ainsi que sur le buste de marbre de la reine. Il frappa l'albâtre translucide des rangées de pots et illumina les ors de la pièce ainsi que les titres au dos des livres.

Julie ne bougea pas et laissa la chaleur l'envelopper. L'odeur puissante du musc disparaissait. La momie semblait vibrer, comme si elle réagissait à la chaleur, soupirer comme une fleur qui s'entrouvre. Quelle envoûtante illusion ! Bien entendu, elle n'avait absolument pas bougé, mais, d'une certaine façon, elle paraissait plus pleine, ses bras puissants et ses épaules avaient un aspect plus rond.

« Ramsès », murmura-t-elle.

Elle entendit à nouveau le son qui l'avait fait sursauter, la nuit dernière. Mais non, ce n'était pas un bruit, pas vraiment. Rien que le souffle de cette grande maison. Du plâtre et des boiseries sous l'effet du soleil du matin. Elle ferma un instant les yeux. Le pas de Rita sonna dans le hall d'entrée.

« Je vous le dis franchement, mademoiselle, je n'aime pas voir cette chose dans la maison », déclarait Rita. Etait-ce son plumeau qui caressait les meubles de la salle de séjour ?

Julie ne tourna pas la tête. Elle regardait la momie. Elle s'en était approchée et contemplait son visage. Mon Dieu, elle ne l'avait pas vraiment vu, la nuit dernière, il n'y avait pas cette lumière chaude. Cette chose, ç'avait été un homme vivant...

« Elle me donne la chair de poule, ça, je peux vous le jurer.

– Ne soyez pas ridicule, Rita, apportez-moi le café, voulez-vous ? »

Elle s'approcha encore plus de la chose. Après tout, nul ne pouvait l'en empêcher. Elle pouvait la toucher si elle le désirait. Elle entendit Rita s'éloigner. La porte de la cuisine s'ouvrit et se referma. Alors elle tendit la main et toucha les bandelettes de lin qui recouvraient le bras gauche.

« Je ne veux pas qu'ils t'emmènent, dit-elle. Je te regretterai lorsque tu ne seras plus là, mais je ne les laisserai pas te disséquer. Ça, je te le promets. »

Etaient-ce des cheveux bruns qu'elle voyait sous les bandelettes qui ceignaient le crâne ? Mais elle devait oublier les détails et s'intéresser au tout. Cette momie avait une personnalité étonnante, on eût dit une sculpture exquise. Ramsès à la haute stature, aux épaules larges, à la tête inclinée et aux mains croisées dans cette attitude de résignation.

Les mots du carnet lui revinrent avec une précision étonnante.

« Tu *es* immortel, mon amour, dit-elle. Mon père y a pourvu. Tu nous maudis peut-être d'avoir ouvert ta tombe, mais des milliers de gens viendront te voir, des milliers de gens prononceront ton nom. Tu vivras à tout jamais... »

C'était si étrange qu'elle était au bord des larmes. Son père était mort. Et elle se trouvait là, en compagnie de cette chose qui avait tant signifié pour lui. Son père reposait au Caire, dans une tombe anonyme, ce qu'il l'avait souhaité, et Ramsès le Grand était devenu la coqueluche de Londres.

Elle sursauta au son de la voix de Henry.

« Tu fais comme ton père, tu parles encore à cette satanée chose.

– Seigneur, je ne savais pas que tu étais là ! D'où viens-tu ? »

Il se tenait entre les deux salons, sa cape de serge négligemment jetée sur une épaule. Mal rasé, ivre apparemment. Et ce sourire à vous glacer les sangs...

« Je suis censé veiller sur toi, dit-il, tu ne t'en souviens pas ?

– Mais si, et je suis certaine que tu en es enchanté.

– Où est la clef de l'armoire aux alcools ? Il est tout le temps fermé. Pourquoi Oscar fait-il cela ?

– Oscar a congé jusqu'à demain. Peut-être devrais-tu prendre un café, cela te ferait le plus grand bien.

– Ah vraiment ? »

Il ôta sa cape et marcha sur elle avec arrogance tout en balayant du regard le salon égyptien comme s'il n'en approuvait pas totalement le contenu.

« Tu ne me laisses jamais tomber, n'est-ce pas ? dit-il avec un nouveau sourire. Mon amie d'enfance, ma cousine, ma petite sœur ! Je déteste le café. Je préférerais du porto ou du sherry.

– Je n'en ai pas. Tu ferais mieux de monter te coucher. »

Rita semblait attendre des instructions.

« Du café pour M. Stratford, je vous prie, Rita », dit Julie en voyant qu'il n'avait pas bougé. Il contemplait la momie comme s'il ne l'avait jamais vue. « Est-ce vrai que père lui parlait ainsi ? demanda-t-elle. Comme je viens de le faire ? »

Il ne répondit pas immédiatement, se détourna et alla inspecter les pots d'albâtre.

« Oui, il lui parlait comme si elle avait pu lui répondre. En latin. Si tu veux mon avis, ton père était malade depuis quelque temps. Trop d'années passées dans le désert à gaspiller son argent à ramasser des statues, des cadavres et tout ce qui traîne. »

Ses mots lui faisaient mal, il y avait en eux tant de haine. Il s'arrêta devant l'un des pots, le dos tourné à Julie. Dans le miroir, elle vit qu'il ricanait.

« Cet argent était à lui, me semble-t-il, dit-elle. Il nous en a laissé suffisamment. »

Il pivota sur ses talons.

« Ça veut dire quoi, ça ?

– Eh bien, que tu n'as pas très bien géré ta part, non ?

– J'ai fait de mon mieux. Qui es-tu pour me juger ainsi ? » lui lança-t-il.

Le soleil illuminait son visage et lui donnait un air effroyablement vicieux.

« Que fais-tu des actionnaires de la Stratford Shipping ? Pour eux aussi, tu as fait de ton mieux ? Ou est-ce que cela aussi ne me regarde pas ?

– Attention, ma petite. » Il se rapprocha d'elle. Il adressa un regard plein de morgue à la momie comme si elle était témoin de cette scène, puis il ferma à demi les yeux pour dire à Julie : « Mon père et moi-même constituons la seule famille qui te reste à présent. Tu as plus besoin de nous que tu ne penses. Après tout, qu'est-ce que tu connais au commerce ou aux expéditions ? »

Il avait marqué un point, mais l'avait aussitôt perdu. Elle avait besoin d'eux, c'était certain, mais cela n'avait rien à voir avec les affaires. Elle avait besoin d'eux parce qu'ils étaient du même sang.

Elle ne voulait pas qu'il se rende compte de son trouble. Elle se tourna vers les fenêtres du devant, celles qui donnaient sur le nord, là où le jour ne semblait pas vouloir poindre.

« Je sais combien font deux et deux, mon cher cousin, dit-elle. Et cela me place dans une position des plus inconfortables. »

Avec soulagement, elle vit Rita entrer, le dos courbé comme si elle portait une lourde charge. La domestique posa le service à café en argent sur la table du salon, non loin de Julie.

« Merci, ma chère. Ce sera tout pour l'instant. »

Rita disparut, non sans avoir adressé un regard appuyé au cercueil. Julie se retrouva donc seule avec son cousin, qui se tenait juste devant Ramsès.

« Venons-en au fait », dit-il. Il ôta sa cravate de soie et la fourra en boule dans sa poche. Sa démarche était hésitante.

« Je sais ce que tu veux, dit-elle. Je sais ce que toi et oncle Randolph voulez tous les deux. Mais, surtout, je sais ce dont vous avez besoin. Ce que père vous a légué ne couvrira en rien tes dettes. Seigneur, vous avez fait du beau travail.

– Qu'elle est moralisatrice ! » dit Henry. Il ne se tenait plus qu'à une trentaine de centimètres de la jeune femme, le dos tourné au soleil et à la momie. « La suffragette, la petite archéologue. Et maintenant, tu te lances dans les affaires, c'est ça ?

– Je vais essayer », dit-elle froidement. La colère de Henry attisait la sienne. « Que puis-je faire d'autre ? Tout remettre entre les mains de ton père ? Mon Dieu, comme je te plains !

– Qu'est-ce que tu essaies de me dire ? » demanda-t-il. Son haleine empestait l'alcool, son visage était assombri par sa barbe naissante. « Tu vas réclamer notre démission ?

– Je ne sais pas encore. » Elle lui tourna le dos. Elle se rendit dans le premier salon et ouvrit le petit secrétaire. Elle s'assit et prit son carnet de chèques avant d'ouvrir l'encrier.

« Dis-moi, cousine, quel effet cela fait-il de posséder bien plus que l'on ne pourra jamais dépenser, surtout quand l'on n'a rien fait par soi-même ? »

Elle lui tendit son chèque, les yeux baissés, puis elle marcha jusqu'à la fenêtre et souleva le rideau de dentelle afin de regarder dans la rue. Henry, va-t'en, je t'en prie, se disait-elle tristement, inconsolablement. Elle ne voulait pas faire de peine à son oncle. Elle ne voulait faire de mal à personne. Il n'empêche qu'elle était au courant depuis plusieurs années des frasques de Henry. Son père et elle en avaient discuté la dernière fois qu'elle s'était rendue au Caire.

Le silence qui l'entourait la mettait mal à l'aise. Elle se retourna pour regarder le salon égyptien, où l'attendait son cousin, immobile. Ses yeux étaient froids, comme privés de vie.

« Quand tu épouseras Alex, tu nous déshériteras, c'est cela ?

– Pour l'amour du Ciel, Henry, laisse-moi tranquille ! »

Il y avait quelque chose d'étonnant chez Henry, dans la dureté de son visage. Il n'était plus tout jeune. Il avait même l'air vieux, avec sa culpabilité et son aveuglement. Aie pitié de lui, se dit-elle. En quoi peux-tu l'aider ? Confie-lui une fortune et elle sera dilapidée dans moins de quinze jours. A nouveau, elle contempla la rue plongée dans l'hiver londonien.

Les premiers passants. Une nourrice promène des jumeaux dans un landau. Un vieil homme presse le pas, un journal sous le bras. Et le garde du British Museum, avachi sur les marches, juste sous la fenêtre. Plus loin, au domicile de

Randolph, Sally, la femme de ménage, bat les tapis devant la porte d'entrée et croit que personne ne peut la voir.

Pourquoi n'y avait-il aucun bruit derrière elle, dans le double salon ? Pourquoi Henry ne prenait-il pas la porte ? Peut-être était-il déjà parti, mais non, elle perçut un petit bruit furtif, le choc d'une cuillère contre une tasse de porcelaine. Ce satané café.

« Je ne sais pas comment on a pu en arriver là, dit-elle, toujours tournée vers la rue. Salaires, primes, jetons de présence, vous aviez tout.

– Non, ma chère, c'est toi qui as tout. »

Bruit de café que l'on verse. Pour l'amour du Ciel !

« Ecoute, ma petite, dit-il d'une voix lasse. Je n'ai pas plus envie que toi de discuter de cela. Viens, assieds-toi. Prenons une tasse de café ensemble comme des gens civilisés. »

Il lui était impossible de faire le moindre geste.

« Viens prendre une tasse de café avec moi, Julie. »

Etait-il possible d'éviter cela ? Elle se tourna, les yeux baissés, et revint vers la table, ne relevant la tête qu'au tout dernier instant, pour voir Henry, une tasse fumante dans sa main tendue.

Mais elle n'eut pas vraiment le temps de graver cette scène dans sa mémoire. Ce qu'elle vit derrière son cousin la paralysa. C'était impossible, et pourtant ses sens ne la trompaient pas.

La momie était en mouvement. Son bras droit était tendu, d'où pendaient des bandelettes déchirées, quand elle sortit du cercueil doré ! Julie ne pouvait même pas crier. La momie s'avançait vers elle – vers Henry, qui lui tournait le dos – d'une démarche hésitante, tandis que de la poussière s'envolait de ses linges pourris et qu'une forte odeur de moisi envahissait la pièce.

« Bon Dieu, mais qu'est-ce que tu as ? » s'écria Henry.

La créature s'était placée derrière lui, et sa main tendue se refermait sur sa gorge.

Henry se retourna, levant les mains par réflexe pour se protéger. La tasse de café retomba sur le plateau d'argent. Un grognement s'échappa de ses lèvres quand la créature entreprit de l'étrangler. Ses doigts s'agrippaient aux linges corrompus, la poussière s'éleva par volutes quand la momie dégagea son bras gauche pour mieux enserrer son adversaire.

Henry poussa un cri ignominieux et se débarrassa de la créature avant de tomber à quatre pattes. Il s'empressa de se relever et traversa le salon à toute allure avant de gagner le hall d'entrée et la porte.

Muette de terreur, Julie contemplait la silhouette sinistre agenouillée à côté de la table de salon, haletante.

Elle crut perdre la raison. Parcourue de tremblements violents, elle recula devant cette créature en haillons, ce mort qui était revenu à la vie, mais semblait maintenant incapable de se relever.

Est-ce qu'il la regardait ? Est-ce que ses yeux voyaient à travers ces bandelettes déchirées ? Des yeux bleus... L'être tendit la main vers Julie, qui grelottait littéralement. Sa tête commençait à tourner. *Ne t'évanouis pas. Quoi qu'il arrive, ne t'évanouis pas.*

Soudain, l'être ne s'intéressa plus à elle. Il porta son regard sur le cercueil, à moins que ce ne fût sur le jardin d'hiver inondé de lumière.

Elle l'entendait respirer. Vivant ! Mon Dieu, il était vivant ! Il tenta de se mettre sur pied, retomba et se traîna lamentablement sur les genoux.

Il quitta ainsi le salon plongé dans la pénombre et s'éloigna de Julie pour gagner la bibliothèque où pénétrait le soleil. Là, il s'arrêta et respira à pleins poumons, comme si la lumière et non pas l'air lui était vitale. Il se souleva un peu plus sur les coudes et rampa vers le jardin d'hiver avec une vitesse accrue. Les bandelettes de lin de ses bras et de ses jambes s'arrachaient et laissaient une poussière grisâtre sur le sol.

Parfaitement consciente de ce qu'elle faisait, Julie le suivait.

Une fois parvenu dans le jardin d'hiver, l'être s'arrêta près de la fontaine et roula sur le dos, une main tendue vers la véranda, l'autre bien à plat sur la poitrine.

Sans faire de bruit, Julie pénétra à son tour dans le jardin d'hiver. Elle tremblait toujours, mais elle s'approcha au point de se placer juste au-dessus de la créature.

Son corps se gonflait au soleil, il ne cessait de gagner en robustesse ! Julie entendait les bandelettes craquer, elle voyait la poitrine de l'être se soulever avec régularité.

Et son visage, oh ! son visage... De grands yeux bleus brillaient sous le lin. L'être porta la main à son visage et arracha cet ultime écran, révélant ainsi son regard et dégageant ses cheveux bruns.

Il se mit à genoux avec beaucoup de grâce et plongea dans la fontaine ses mains encore bandées. Il porta l'eau à ses lèvres et but avec de grands soupirs de soulagement. Il s'arrêta enfin et présenta à la jeune femme un visage rayonnant d'intelligence !

Elle ne put s'empêcher de pousser un petit cri de surprise. L'être se releva.

Sans se hâter, il arracha les derniers fragments d'étoffe qui recouvraient sa tête, libérant des cheveux bruns et ondulés qui lui tombaient jusqu'à la nuque. Ses yeux la contemplaient avec fascination.

Elle allait s'évanouir. Cela ne lui était jamais arrivé, mais elle savait que c'était cela qui allait se produire. Ses jambes ne la portaient plus, sa vision se troublait. Non ! Elle ne pouvait tout de même pas perdre conscience alors qu'une momie était *revenue à la vie* !

Elle revint dans le salon égyptien, trempée de sueur, les doigts refermés sur son peignoir de dentelle.

L'être l'observait comme s'il voulait vraiment savoir ce qu'elle avait en tête. Il continua d'ôter les bandelettes de son cou, de ses épaules et de sa poitrine, découvrant totalement celle-ci.

Il fit un pas en direction de Julie. Elle recula. Il fit un autre pas. Elle recula encore, jusqu'au second salon. Sa main effleura le plateau d'argent posé sur la petite table.

D'un pas égal, sans faire de bruit, s'avançait vers elle cet homme au corps superbe et aux grands yeux pleins de douceur.

Mon Dieu, est-ce que tu es en train de perdre la raison ? Il est beau, certes, mais il a essayé de tuer Henry !

L'être s'arrêta devant la table. Il regarda la cafetière d'argent et la tasse renversée. Il prit quelque chose sur le plateau. Un mouchoir froissé. Oublié par Henry ? Il désigna le café renversé, puis, d'une voix mâle et sonore, dit :

« Viens prendre une tasse de café avec moi, Julie. »

Un accent britannique parfait ! Et ces mots si familiers ! Julie se sentit ébranlée. Ce n'était pas une invitation, non, mais une imitation. Il imitait Henry ! Les mêmes intonations. C'étaient les paroles mêmes de Henry !

Il montra le mouchoir, qui s'était déplié. Une poudre blanche en tomba, étincelante comme des cristaux de neige. Puis il désigna les pots d'albâtre. Le couvercle de l'un d'eux avait été ôté ! Et, de nouveau, avec cet accent anglais impeccable :

« Buvez votre café, oncle Lawrence. »

Julie ne put retenir un gémissement. Il n'y avait pas d'erreur possible ! Henry avait empoisonné son père, et cet être avait été témoin de son forfait. Henry avait tenté de l'empoisonner, elle, Julie. Elle cherchait de toutes ses forces à nier l'évidence, et elle ne le pouvait pas. Elle savait que les choses s'étaient bien passées ainsi, de même qu'elle savait que cette créature était bien vivante, que l'immortel Ramsès était revenu à la vie, qu'il avait abandonné ses bandelettes funéraires et se dressait à présent devant elle, auréolé de soleil.

Ses jambes fléchissaient. Elle n'y pouvait rien et voyait les ténèbres monter autour d'elle. Comme elle se sentait partir, elle vit la grande silhouette s'avancer et sentit des bras puissants la soulever, la porter, si délicatement qu'elle s'abandonna.

Elle ouvrit les yeux et découvrit le visage de cet être, non, de cet homme ! Ce merveilleux visage. Elle entendit Rita crier dans le hall d'entrée. Puis les ténèbres l'engloutirent.

« Mais qu'est-ce que tu me racontes ? »

Randolph n'était pas bien réveillé. Il repoussa les couvertures et chercha sa robe de chambre de soie, en boule au pied du lit.

« Tu oses me dire que tu as laissé ta cousine seule à la maison avec cette chose ?

– Je viens de vous dire qu'elle a essayé de me tuer ! criait Henry, à la limite de la démence. C'est ça que je vous dis ! Cette satanée chose est sortie de son cercueil et a voulu m'étrangler de ses mains !

– Bon sang, où sont mes pantoufles ? Espèce d'imbécile, elle est restée seule avec lui ! »

Pieds nus, il s'élança dans l'escalier.

Elle ouvrit les yeux. Elle était assise sur le sofa, et Rita lui tapotait la main tout en poussant de petits cris.

La momie se tenait là, à ses côtés. Elle avait rejeté les

linges pourris qui la recouvraient et était nue jusqu'à la taille. Un dieu, voilà à quoi elle ressemblait en cet instant. Et ce sourire...

L'homme s'approcha d'elle. Il avait les pieds nus.

« Julie, dit-il doucement.

– Ramsès », murmura-t-elle.

L'homme hocha la tête, son sourire s'élargit.

« Ramsès ! » dit-il avec une certaine emphase, et il inclina la tête.

Mon Dieu, se dit-elle, ce n'est pas seulement un homme d'une grande beauté, c'est l'homme le plus beau que j'aie jamais vu !

La tête lui tournait, mais elle s'obligea à se lever. Rita était accrochée à elle, mais elle s'en débarrassa, puis la momie – l'homme – lui offrit sa main.

Ses doigts étaient chauds et poussiéreux. Elle le regardait droit dans les yeux. Sa peau était semblable à celle de tout être humain, mais peut-être était-elle plus douce, plus lisse, plus colorée, comme celle d'une personne qui vient de courir et a les pommettes légèrement rosies.

Il tourna brusquement la tête. Elle aussi avait entendu. Des voix dans la rue, une discussion assez vive. Une automobile s'était arrêtée devant la maison.

Rita se précipita vers la fenêtre.

« C'est Scotland Yard, mademoiselle, Dieu merci !

– Mais c'est épouvantable ! Fermez tout de suite la porte à clef ! Mettez la chaîne !

– Mademoiselle !

– Faites ce que je vous dis ! »

Rita s'empressa d'obéir. Julie prit la main de Ramsès.

« Viens à l'étage avec moi, immédiatement, lui dit-elle. Rita, replacez le couvercle du cercueil. Il ne pèse presque rien. Hâtez-vous et rejoignez-moi. »

Rita avait à peine verrouillé qu'ils frappèrent à la porte et tirèrent la sonnette. Le tintement qui retentit dans la partie arrière de la maison surprit Ramsès. Ses yeux se portèrent sur les murs et le plafond comme s'il avait entendu le son parcourir les fils électriques jusqu'au mur de la cuisine.

Julie le tirait avec une certaine fermeté et, à son grand étonnement, il la suivit sans protester dans l'escalier.

Rita poussait de petits cris de détresse, mais cela ne l'empêcha pas de remettre en place le couvercle du cercueil.

Ramsès contemplait le papier mural, les portraits encadrés, les bibelots sur l'étagère, en haut des marches. Il s'étonna des vitraux des fenêtres. Il regarda le tapis de laine aux motifs de feuilles et de plumes.

Les coups frappés devenaient insupportables. Julie entendait son oncle Randolph qui l'appelait.

« Qu'est-ce que je dois faire, mademoiselle ? demanda Rita.

– Suivez-nous. » Elle s'adressa à Ramsès, lequel arborait un air à la fois patient et amusé. « Vous avez l'air normal, murmura-t-elle. Parfaitement normal. Beau, mais normal. » Elle le poussa dans le couloir. « Rita, un bain ! cria-t-elle quand Rita apparut, toute tremblante. Faites couler un bain ! »

On ne frappait plus à la porte depuis un instant. Julie perçut un raclement de clef dans la serrure. Heureusement, il y avait la chaîne ! Les coups reprirent.

Ramsès lui souriait et semblait même sur le point de rire. Il jeta un coup d'œil à l'intérieur des chambres et tomba en arrêt devant le plafonnier électrique.

« Tu verras cela plus tard ! » dit-elle, paniquée. L'eau coulait à gros bouillons dans la baignoire, la vapeur emplissait la pièce.

Il lui adressa un petit signe de tête complice et la suivit dans la salle de bains. Le carrelage brillant parut lui plaire. Il se tourna lentement vers la fenêtre et regarda le soleil qui jouait sur les vitres gelées. Il examina le loquet et ouvrit les deux battants de la fenêtre afin de découvrir les toits des maisons et le ciel matinal.

« Rita, les vêtements de père », dit Julie hors d'haleine. Ils forceraient la porte d'une minute à l'autre. « Vite, apportez-moi sa robe de chambre, ses mules, une chemise, tout ce que vous trouverez. »

Ramsès leva le menton et ferma les yeux. Il buvait au soleil. Julie voyait ses cheveux gonfler et se tordre aux rayons du soleil.

Mais bien sûr ! C'était lui qui l'avait tiré de ce sommeil peuplé de rêves, le soleil ! Il était trop faible pour se battre vraiment avec Henry, il avait dû ramper jusqu'à la lumière solaire pour recouvrer toutes ses forces.

En bas, on entendait crier : « Police ! » Rita revint avec une paire de mules et une pile de vêtements.

« Il y a des reporters, mademoiselle, ils sont nombreux, et Scotland Yard, et votre oncle Randolph...

– Oui, je sais. Descendez leur dire que nous arrivons, mais n'enlevez pas la chaîne ! »

Julie prit le peignoir de bain de soie et le plaça au portemanteau. Elle effleura l'épaule de Ramsès.

Il lui adressa un sourire chaleureux.

« Britannia », dit-il doucement. Julie éprouva une délicieuse ivresse. Elle lui désigna la baignoire. *« Lavare ! »* dit-elle. Cela ne voulait-il pas dire « se laver » ?

Il hocha la tête et posa les yeux sur les objets qui l'entouraient pour finir par la pile de vêtements.

« Pour toi ! » dit-elle en posant la main dessus, puis en montrant Ramsès du doigt. Si seulement elle pouvait se remémorer son latin. « Vêtements. »

Elle recula vers la porte.

« *Reste !* dit-elle. *Lavare.* » Elle fit des gestes explicatifs et se prépara à sortir, quand la main puissante de l'homme se referma sur son poignet.

Elle avait le cœur battant.

« Henry ! » dit-il doucement. Son visage avait pris un air menaçant, mais elle n'était pas l'objet de cette menace.

Elle reprit son souffle. Elle entendait Rita crier quelque chose aux hommes qui cherchaient à entrer. Quelqu'un hurlait dans la rue.

« Non, ne t'en fais pas pour Henry. Pas maintenant. Je vais m'occuper de lui, tu peux en être certain. » Oh, mais il n'allait pas la comprendre. Elle lui fit signe de s'apaiser et lui retira la main. Il hocha la tête et la laissa s'en aller. Elle referma la porte et courut dans le couloir et l'escalier.

« Laissez-moi entrer, Rita ! » criait Randolph.

Julie se précipita au salon. Le couvercle avait été remis sur le cercueil ! Remarquerait-on les traînées de poussière sur le sol ? Non, personne n'y croirait, elle-même n'y aurait pas cru !

Elle ferma les yeux, respira à fond, puis pria Rita d'aller ouvrir la porte.

Elle prit un air compassé pour voir entrer en trombe son oncle Randolph, échevelé, les pieds nus et vêtu de sa seule robe de chambre. Le garde du musée le suivait, ainsi que deux hommes qui avaient l'air de policiers en civil.

« Mais, de grâce, que se passe-t-il ? demanda-t-elle. Vous m'avez réveillée. Quelle heure est-il donc ? » Elle avait l'air perdu. « Rita, qu'y a-t-il ?

– Je vous assure que je n'en sais rien, mademoiselle », hurla pratiquement Rita. Julie lui fit signe de se calmer.

« Oh, ma chérie, j'ai eu si peur. Henry m'a dit...

– Oui ? Qu'a-t-il dit ? »

Les deux hommes en manteau gris avaient remarqué le café renversé. L'un d'eux regardait le mouchoir et la poudre blanche répandue sur le sol, pareille à du sucre semoule. Puis Henry apparut dans le hall d'entrée.

Elle le dévisagea. *Il a tué mon père !* Mais elle se devait de rejeter cette pensée, de crainte de devenir folle. Elle le revit, qui lui offrait une tasse de café.

« Que t'arrive-t-il, Henry ? lui demanda-t-elle d'une voix qui ne tremblait pas. Tu es sorti d'ici en courant il y a une demi-heure comme si tu avais vu un fantôme.

– Tu sais parfaitement ce qui s'est passé », murmura-t-il. Il était livide et suait à grosses gouttes. Il avait pris son mouchoir et s'essuyait la lèvre supérieure.

« Reprends-toi, enfin, dit Randolph à son fils. Explique-nous calmement ce que tu as vu.

– Permettez-moi de vous poser cette question, mademoiselle, dit le plus petit des hommes de Scotland Yard. Un intrus a-t-il cherché à pénétrer dans cette maison ? »

Une voix et des manières de gentleman. Elle ne se sentit plus aucune frayeur.

« En aucun cas, monsieur. Mon cousin a vu un intrus ? Henry, tu dois avoir mauvaise conscience. Tu as des hallucinations. Je n'ai vu personne ici. »

Randolph jetait des regards furibonds à Henry. Les hommes de Scotland Yard étaient en proie à la plus grande confusion.

Henry était fou de rage. Il paraissait sur le point de vouloir étrangler Julie de ses mains nues. Elle soutenait son regard. Tu as tué mon père, pensait-elle froidement. Et tu voulais me tuer. Je te hais, comme je n'ai jamais haï de toute ma vie !

« Le cercueil ! » s'écria Henry. Il s'accrochait à la porte comme s'il se refusait à pénétrer dans la pièce. « Ouvrez-le, je l'exige !

– Tu devras faire preuve de patience. Personne ne touchera à ce cercueil. Il abrite une relique unique au monde, qui appartient au British Museum et ne doit en aucun cas être exposée à l'air ambiant.

– Qu'est-ce que tu racontes ? s'écria Henry, à la limite de l'hystérie.

– Calme-toi, lui dit Randolph. J'en ai assez entendu ! »

Il y eut des bruits dans la rue, des voix. Quelqu'un avait gravi les marches et regardait dans la maison.

« Henry, je ne tolérerai pas un tel désordre dans ma maison », dit sèchement Julie.

Les hommes de Scotland Yard dévisageaient Henry.

« Monsieur, si cette dame ne désire pas que l'on procède à une fouille...

– Bien sûr que non, l'interrompit Julie. Je pense que vous avez déjà perdu assez de temps. Comme vous pouvez le constater, rien ici n'a été dérangé. »

Certes, la tasse de café était renversée et le mouchoir tombé à terre, mais cela n'avait rien que de très anodin.

Nul ne vit ce qu'elle vit en cet instant – la silhouette de Ramsès descendre lentement l'escalier. Ils ne le virent pas traverser le hall et entrer dans la pièce. Julie était fascinée, et les autres s'en aperçurent, découvrant à leur tour l'objet de sa fascination – cet homme brun de haute stature avec son peignoir de bain de soie couleur lie-de-vin.

Elle en avait le souffle coupé. Il était majestueux, ainsi qu'il sied à un roi. Mais il paraissait également hors de ce monde, comme si sa cour n'était fréquentée que par des surhommes.

Porté par lui, le peignoir de soie prenait des airs exotiques. Les mules ressemblaient à celles des tombes anciennes. Sa chemise blanche n'était pas boutonnée, mais cela avait l'air étrangement « normal », peut-être parce que sa peau avait cet éclat et son torse cette fierté. Il y avait dans toute son allure un air de domination naturelle et non pas d'arrogance.

Henry était cramoisi. Il fixait des yeux la chemise ouverte et la bague en forme de scarabée que Ramsès portait à la main droite. Les deux inspecteurs ne pouvaient détacher leurs regards de lui. Et Randolph semblait totalement dérouté. Avait-il reconnu le peignoir qu'il avait offert à son frère ?

Rita avait reculé contre le mur et plaquait une main sur sa bouche.

« Oncle Randolph, dit Julie en faisant un pas en avant, voici un bon ami de père, qui arrive tout juste d'Egypte. C'est un égyptologue renommé que père connaissait fort bien. Monsieur... Reginald Ramsey. J'aimerais vous présenter mon oncle, Randolph Stratford, et voici son fils, Henry... »

Ramsès observa Randolph avant de poser les yeux sur Henry, lequel lorgnait l'étranger d'un air stupide. Julie fit un geste pour demander à Ramsès de prendre patience.

« Je pense que ce n'est pas l'heure idéale pour faire connaissance, dit-elle. De plus, je suis très fatiguée...

– Mademoiselle Stratford, peut-être est-ce monsieur que votre cousin a vu, dit l'un des policiers.

– Oh, c'est très possible, répondit-elle. Mais je dois prendre soin de mon hôte à présent. Il n'a pas pris son petit déjeuner. Je dois.. »

Henry savait, c'était évident ! Elle s'efforça de dire quelque chose de banal, qu'il était plus de huit heures, qu'elle avait faim. Pendant ce temps, sans détacher les yeux de Henry, Ramsès se faufila derrière les deux hommes de Scotland Yard et, d'un geste rapide et gracieux, ramassa le mouchoir et le glissa dans la poche de son peignoir.

Randolph arborait un air étonnamment perplexe; l'un des deux policiers ne pouvait dissimuler son ennui.

« Tu as tout à fait raison, ma chérie, dit Randolph.

– Oh oui ! » Elle s'avança vers lui et le prit par le bras avant de le pousser vers la porte. Les hommes de Scotland Yard la suivirent.

« Je suis l'inspecteur Trent, madame, dit l'un d'eux. Et voici mon collaborateur, le sergent Galton. N'hésitez pas à nous appeler si besoin est.

– Je n'y manquerai pas. »

Henry était au bord de la crise d'apoplexie. Soudain, il bondit comme un fou, manqua la renverser et se précipita au-dehors vers la foule regroupée sur les marches.

« C'était la momie, monsieur ? lui cria quelqu'un. Vous avez vu la momie marcher ?

– C'était la malédiction ?

– Mademoiselle Stratford, vous n'êtes pas blessée ? »

Les hommes de Scotland Yard sortirent et l'inspecteur

Trent entreprit de disperser les curieux.

« Bon sang, mais qu'est-ce qu'il lui a pris ? grommela Randolph. Je ne comprends rien à tout cela. »

Julie lui serrait le bras. Non, il ne savait pas ce que Henry avait fait. Lui-même n'aurait jamais cherché à nuire à père. Mais comment pouvait-elle en être sûre ? Sans réfléchir, elle le prit par le cou et l'embrassa sur la joue.

« Ne vous inquiétez pas, oncle Randolph. » Elle était au bord des larmes.

Randolph secoua la tête. Il se sentait humilié, un peu apeuré même, et elle était un peu triste de le voir dans cet état. Il s'en alla dans la rue, pieds nus, et les reporters s'élancèrent à sa poursuite.

Elle referma sa porte et se rendit dans la pièce de devant.

Le silence. Le chant de la fontaine dans le jardin d'hiver. Le pas d'un cheval, dans la rue. Rita frissonnait dans un coin et froissait son tablier entre ses doigts.

Ramsès se tenait au milieu de la pièce, immobile, les bras croisés. Et pour la première fois, elle comprit vraiment le sens du mot « royal ».

« Rita, laissez-nous, dit-elle à voix basse.

– Mais mademoiselle...

– Merci. »

Le silence à nouveau. Puis il s'avança vers elle. Pas l'ombre d'un sourire sur son visage, mais beaucoup de sérieux quand il étudia attentivement les traits de la jeune femme, ses habits, sa chevelure.

Que doit-il penser de ce peignoir de dentelle ? Est-ce qu'il croit que les femmes de notre époque portent ce genre de chose à la maison et dans la rue ? Non, ce n'était pas la dentelle qu'il regardait, mais la forme de ses seins, le contour de ses hanches. L'expression de son visage avait changé, elle était passionnée à présent. Il s'approcha un peu plus et elle sentit ses doigts tièdes se refermer sur son épaule.

« Non », dit-elle.

Elle secoua la tête avec insistance et recula. Elle ne voulait pas admettre qu'elle avait peur, elle ne voulait pas non plus admettre qu'un délicieux frisson lui avait parcouru tout le dos.

« Non », dit-elle à nouveau.

Il hocha la tête, recula et sourit. Il fit un petit geste de la main. Il prononça quelques mots latins. Elle y reconnut son nom, ainsi que *regina* et le mot correspondant à maison. Julie est reine dans sa maison.

Elle hocha la tête.

Son soupir de soulagement fut impossible à dissimuler. Elle tremblait de tous ses membres. S'en était-il aperçu ? Bien sûr que oui !

Il fit un geste pour attirer son attention.

« *Panis*, Julie, dit-il. *Vinum. Panis.* » Il fit la moue, comme s'il cherchait le mot exact. « *Edere*, dit-il en portant gracieusement la main à ses lèvres.

– Oh, je sais ce que tu veux dire. De la nourriture, c'est cela. Tu demandes du pain et du vin. » Elle courut jusqu'à la porte. « Rita, appela-t-elle. Il a faim. Apportez-lui quelque chose à manger. »

Elle se tourna pour le voir une nouvelle fois lui sourire avec chaleur. Il la trouvait agréable à regarder, n'est-ce pas ? Si seulement il savait qu'elle le trouvait irrésistible, qu'un instant plus tôt elle avait failli refermer les bras sur lui et... Non, il ne faut pas penser à cela. Surtout pas...

CHAPITRE QUATRE

Elliott était installé dans la bergère et regardait fixement le feu qui brûlait dans l'âtre, les pieds posés sur le garde-feu. La chaleur faisait du bien à ses jambes et à ses mains. Il écoutait Henry, partagé entre l'impatience et la fascination.

« Vous avez imaginé tout cela ! dit Alex.

– Mais puisque je vous dis que cette satanée chose est sortie de son cercueil. Elle m'a étranglé. J'ai senti ses mains se poser sur moi, j'ai vu son visage couvert de bandelettes.

– Votre imagination vous joue des tours.

– Traitez-moi de menteur ! »

Elliott observait les deux jeunes hommes debout près du manteau de la cheminée. Henry, mal rasé, tremblant, un verre de scotch à la main. Et Alex, immaculé, les mains aussi propres que celles d'une religieuse.

« Cet égyptologue, tu dis que la momie et lui ne font qu'un ? Henry, tu as passé la nuit dehors, n'est-ce pas ? Tu as bu avec cette chanteuse de bastringue, tu as...

– D'où vient ce type s'il n'est pas la momie ? »

Elliott rit doucement. Il attisa les braises du bout de sa canne à pommeau d'argent.

Henry poursuivit comme si de rien n'était.

« Il n'était pas là la nuit dernière ! Il a descendu l'escalier dans le peignoir d'oncle Lawrence ! On voit bien que vous ne l'avez pas vu ! Il n'a rien d'un homme ordinaire, cela saute aux yeux.

– Il est resté seul avec Julie ? »

Alex avait bien du mal à appréhender la situation.

« C'est ce que j'essaie de vous dire. Mon Dieu, est-ce qu'il y a quelqu'un à Londres qui daignera m'écouter ? » Henry engloutit son scotch, s'approcha de l'armoire et emplit à nouveau son verre. « Et Julie le protège. Julie sait ce qui s'est passé. Elle a vu cette chose se lancer sur moi.

– Vous vous faites du tort en racontant cette histoire, lui dit calmement Alex. Personne ne voudra croire...

– Pensez à ces rouleaux, à ces papyrus, bredouilla Henry. Ils évoquent un être immortel. Lawrence en a parlé à Samir, il lui a dit comment Ramsès II avait vécu mille ans...

– Je croyais que c'était Ramsès le Grand, l'interrompit Alex.

– C'est la même chose, bon sang ! Ramsès II, Ramsès le Grand, Ramsès le Damné. Tout est dans les papyrus, je vous dis – cette histoire entre Cléopâtre et Ramsès. Vous n'avez donc pas lu les journaux ? Je croyais qu'oncle Lawrence avait perdu l'esprit.

– Et moi je crois qu'un peu de repos vous ferait du bien, à l'hôpital, pourquoi pas ? Toute cette histoire de malédiction...

– Bon Dieu, mais vous ne me comprenez donc pas ? C'est pire qu'une malédiction. Cette chose a tenté de m'étrangler. Elle bouge, je vous dis, elle est vivante ! »

Alex ne pouvait regarder Henry sans un certain dégoût. Le même dégoût que lui inspiraient les journaux, se dit Elliott d'un air sombre.

« Je vais aller voir Julie. Père, si vous voulez bien m'excuser...

– Naturellement. C'est là ton devoir. » Elliott s'intéressait à nouveau au feu. « Prends contact avec cet égyptologue. Vois d'où il vient. Elle ne devrait pas rester seule à la maison avec un étranger. C'est absurde.

– Ce n'est pas avec un étranger qu'elle est seule, mais avec une momie, grommela Henry.

– Henry, vous devriez rentrer chez vous et prendre un peu de repos. Quant à moi, je m'en vais. »

Henry bredouilla une insulte qu'Alex ne releva pas, puis se servit encore une fois à boire.

Elliott écoutait la bouteille cliqueter contre le verre.

« Cet homme, ce mystérieux égyptologue, tu as retenu son nom ?

– Reginald Ramsey, du moins c'est ce qu'elle a dit. Je jurerais qu'elle l'a inventé de toutes pièces. » Il revint vers la cheminée et s'y accouda, un verre de scotch plein à ras bord à la main. « Je ne l'ai pas entendu prononcer un seul mot dans notre langue. Et son regard, vous auriez dû voir ça ! Je vous le dis, il faut faire quelque chose !

– Oui, mais quoi ?

– Comment le saurais-je ? Il faut l'attraper, oui ! »

Elliott ne put s'empêcher de rire.

« Si cette chose, cette personne, je ne sais comment dire, a bel et bien essayé de t'étrangler, pourquoi Julie chercherait-elle à la protéger ? »

Henry eut les yeux vagues pendant quelques instants, puis il but une gorgée. Elliott le dévisageait avec horreur. Il était fou. Non, pas fou – hystérique.

« Ce que j'aimerais savoir, dit Elliott, c'est pourquoi il a voulu te faire du mal.

– Pour l'amour du Ciel, c'est une momie, non ? C'est moi qui suis rentré dans cette satanée tombe, pas Julie. J'ai trouvé Lawrence mort dans cette tombe... »

Henry s'arrêta brusquement de parler comme s'il venait de comprendre. Les regards des deux hommes se croisèrent un bref instant, puis Elliott s'intéressa à nouveau au feu. Voici donc le jeune homme pour qui j'ai eu tant de sollicitude, pensa-t-il, celui à qui j'ai donné tendresse et amour. Il est au-jourd'hui au bout du rouleau...

« Ecoutez, dit Henry en appuyant sur chaque mot, il doit y avoir une explication à tout cela. En attendant, nous devons arrêter cette créature. Elle a peut-être ensorcelé Julie.

– Je vois.

– Non, vous ne voyez pas. Vous me croyez fou. Et vous me méprisez. Vous l'avez toujours fait, d'ailleurs.

– Non, pas toujours. »

Une fois de plus, ils se regardèrent. Le visage de Henry était couvert de sueur. Ses lèvres tremblaient légèrement. Il était en proie au désespoir le plus profond, Elliott en aurait juré.

« Pensez-en ce que vous voudrez, dit Henry, mais je ne passerai pas une nuit de plus dans cette maison. Je vais faire porter mes effets au club.

– Tu ne peux pas la laisser seule. Ce ne serait pas correct. Et en l'absence d'engagement formel entre Julie et Alex, je ne peux décemment me mêler de cela.

– En tout cas, moi, je ne retournerai pas là-bas. »

Henry posa bruyamment son verre sur la cheminée avant de se retirer.

Elliott s'appuya contre la soie damassée du fauteuil. La porte d'entrée de la maison se referma en claquant.

Il repensa à toute cette histoire. Henry était venu le trouver parce que Randolph ne le croyait pas. Pourquoi raconter cela ? On n'invente pas pareille chose, même quand on est aussi fou et désespéré que Henry. Cela n'avait pas de sens.

« L'amant de Cléopâtre, murmura-t-il. Le gardien de la maison royale d'Egypte. Ramsès l'Immortel, Ramsès le Damné. »

Il éprouva l'envie soudaine de voir Samir, de lui parler. Bien sûr, toute cette histoire était ridicule, mais... Non. La vérité, c'était que Henry connaissait une déchéance plus rapide que tout ce que l'on eût pu imaginer. Il désirait malgré tout que Samir fût mis au courant.

Il tira sa montre de sa poche. Il était encore très tôt. Il avait pas mal de temps devant lui avant ses rendez-vous de l'après-midi. Si au moins il parvenait à s'extraire de ce fauteuil.

Il avait fermement planté sa canne sur les pierres de l'âtre quand il entendit sa femme marcher sur le tapis près de la porte. Il retomba, heureux de retarder l'instant où la douleur se réveillerait, et leva les yeux vers son épouse.

Il avait toujours apprécié sa femme. Et, maintenant, au milieu de sa vie, il avait découvert qu'il l'aimait. Cette femme si attentive, au charme si subtil, lui paraissait sans âge, peut-être parce qu'il n'éprouvait pas de désir érotique à son égard. Mais il savait qu'elle était de douze ans son aînée, qu'elle était vieille par conséquent, et cela ne le troublait que parce que lui-même redoutait la vieillesse et craignait de la perdre.

Il l'avait toujours admirée, il avait toujours recherché sa compagnie; et il avait un besoin d'argent désespéré. Elle s'en était toujours moquée. Elle appréciait son charme, ses relations sociales, et lui pardonnait ses petites excentricités.

Elle avait toujours su qu'il y avait en lui quelque chose qui n'allait pas, philosophiquement parlant, qu'il était, en quelque sorte, le mouton noir du troupeau – qu'il ne partageait en rien les opinions de ses pairs, de ses amis ou de ses ennemis. Le bonheur de cette femme ne dépendait pas de celui de son époux, semblait-il, et elle lui était éternellement reconnaissante d'avoir affronté la vie sociale au lieu de s'enfuir au loin comme Lawrence Stratford.

Elliott était heureux de savoir que sa femme était rentrée, elle lui ferait un peu oublier la mort de Lawrence. Naturellement, il lui faudrait récupérer très vite sa rivière de diamants. Il était cependant quelque peu soulagé de savoir que Randolph comptait lui rembourser dès le lendemain l'argent qu'il lui avait prêté après avoir gagé le collier.

Edith avait l'air particulièrement élégant dans ce tailleur qu'elle avait rapporté de Paris. Curieusement, elle ne portait jamais aucun bijou dans la vie de tous les jours.

« Je sors faire un tour, lui dit-il. Je ne serai pas long. Je serai là à déjeuner. »

Elle ne lui répondit pas. Elle s'assit sur un pouf à côté de lui et posa la main sur la sienne. Comme elle était douce ! Ses mains étaient les seules parties de son corps à trahir son âge véritable.

« Elliott, vous m'avez à nouveau emprunté ma rivière », lui dit-elle.

Il se tut, il avait trop honte.

« Je sais que vous l'avez fait pour Randolph. Henry a des dettes. C'est toujours la même chose. »

Il regardait les braises dans la cheminée. Qu'aurait-il pu lui dire ? Elle savait que son collier était en sécurité entre les mains d'un joaillier en qui tous deux avaient pleinement confiance et que la somme allouée était minime – ce ne serait pas dramatique même si Randolph ne remboursait pas.

« Pourquoi n'avez-vous pas osé me confier votre besoin d'argent ? lui demanda-t-elle.

– Ce n'est pas chose facile, ma chérie. Et puis, Henry ne facilite pas les choses à Randolph.

– Je sais, et je sais également que vous vouliez bien faire, comme toujours.

– C'est peut-être vulgaire de dire les choses ainsi, mais le prix d'un collier n'est rien en comparaison des millions des Stratford. Voilà où nous en sommes, ma chérie, à essayer de bien marier notre fils, comme l'on dit.

– Randolph ne peut persuader sa nièce d'épouser Alex. Il n'exerce aucune influence sur elle. Vous avez prêté cet argent à Randolph parce que c'est votre ami, c'est tout.

– Peut-être avez-vous raison. » Il soupira sans la regarder. « Je me sens un peu responsable...

– En quoi devez-vous vous sentir responsable ? Qu'avez-vous à faire avec Henry et avec ce qu'il est devenu ? »

Il ne répondit rien. Il repensa à la chambre d'hôtel à Paris et à l'air misérable de Henry après sa tentative d'extorsion de fonds. Chaque détail du mobilier lui revenait en mémoire. Quand il avait constaté la disparition du porte-cigarettes et de l'argent, il s'était juré de se souvenir de tout pour que cela ne se reproduise plus jamais.

« Je suis désolé pour le collier, Edith. » Il avait brusquement pris conscience du fait qu'il avait volé sa femme tout comme le jeune Henry l'avait volé. Il lui adressa un petit sourire complice, un haussement d'épaules. « Randolph a maintenant la somme nécessaire, ajouta-t-il.

– Ce ne sera pas nécessaire, dit-elle. Laissez-moi faire. » Elle l'aida à se lever. « Où allez-vous ?

– Je vais voir Samir Ibrahaim, au musée.

– Encore cette momie.

– Henry vient de me raconter l'histoire la plus étrange qui soit... »

CHAPITRE CINQ

« Alex, mon chéri, dit-elle en lui offrant ses deux mains, M. Ramsey était un bon ami de père. Il a parfaitement sa place dans cette maison.

– Mais vous êtes seule... » Il jeta un regard désapprobateur sur son peignoir blanc.

« Alex, je suis une jeune femme moderne. Ne me posez pas de questions ! Maintenant vous allez vous en aller et me laisser m'occuper de mon invité. Dans quelques jours, nous déjeunerons ensemble et je vous expliquerai tout...

– Julie, quelques jours ! »

Elle l'embrassa rapidement sur les lèvres et le poussa vers la porte d'entrée. Il lança un ultime regard en direction du jardin d'hiver.

« Partez, Alex. Cet homme vient d'Egypte, je me dois de lui montrer Londres. Je suis pressée. Je vous en prie, mon chéri, faites ce que je vous dis. »

Alex était trop bien éduqué pour élever de nouvelles protestations. Il lui adressa un regard plein d'innocence et dit d'une voix douce qu'il l'appellerait au téléphone le soir même.

« Vous êtes adorable », dit-elle.

Elle lui envoya un baiser du bout des doigts et referma la porte. Elle demeura un instant appuyée au mur et contempla les portes de verre. Elle vit Rita passer à toute allure. Elle entendit des bruits de vaisselle dans la cuisine. La maison était chargée d'odeurs agréables.

Son cœur battait très fort à nouveau. Les pensées les plus folles lui venaient à l'esprit, mais n'avaient pas d'impact émotionnel immédiat. Ce qui importait en cet instant – cet extraordinaire instant ! –, c'était que Ramsès était là. Un être immortel l'attendait dans le jardin d'hiver.

Elle traversa le hall pour le regarder. Il portait toujours le peignoir de bain de son père, mais avait ôté la chemise avec une grimace de dégoût devant la rugosité du tissu. La table en osier était couverte d'assiettes contenant des mets fumants. Tout en lisant l'exemplaire de *Punch* posé devant lui, il mangeait délicatement de la main droite la viande, la volaille, les fruits ou le pain qui lui avaient été apportés. Il y avait quelque chose de fascinant dans sa façon de manger : il n'utilisait pas les couverts, bien qu'il appréciât beaucoup les motifs compliqués de l'argenterie.

Il lisait et mangeait avec application depuis deux heures. Il avait dévoré d'incroyables quantités de nourriture, englouti quatre bouteilles de vin, deux bouteilles d'eau de seltz, tout le lait de la maison, et s'octroyait à présent des gorgées de cognac.

Il n'était pas ivre. Il paraissait même étonnamment sobre. Il avait parcouru le dictionnaire égyptien/anglais avec une telle rapidité que sa façon de tourner les pages avait ébloui Julie. Le dictionnaire latin/anglais ne lui avait pas demandé plus de temps. En quelques minutes, il avait assimilé les chiffres arabes. Seul le concept de zéro lui avait peut-être posé des problèmes. Il avait ensuite feuilleté le *Oxford English Dictionary* avec la même hâte, suivant du doigt les colonnes de chaque page.

Bien entendu, il ne lisait pas chaque mot. Il s'imprégnait de l'esprit fondamental de la langue. Cela, elle le comprit quand il lui fit nommer chacun des objets de la maison avant de les répéter avec un accent parfait. Il avait mémorisé le nom des plantes du jardin d'hiver – fougères, bananiers, marguerites, orchidées, bégonias, bougainvilliers. Elle avait été surprise de l'entendre répéter chaque mot sans commettre la moindre erreur : fontaine, tables, assiettes, porcelaine, argent, carrelage, Rita !

Il s'intéressait pour l'heure à des textes purement anglais et achevait la lecture de *Punch* après avoir jeté son dévolu sur deux numéros de *Strand*, sur le magazine américain *Harper's Weekly* et sur tous les numéros du *Times* qu'il avait pu trouver.

Il étudiait chaque page avec le plus grand soin et touchait

du doigt les mots et les gravures comme un aveugle. Avec la même bienveillante attention, il caressa les assiettes de Wedgwood et le cristal de Waterford.

Rita lui apporta un verre de bière.

« Je n'ai rien d'autre, mademoiselle », dit-elle en haussant doucement les épaules.

Ramsès se saisit du verre et le vida immédiatement. Il hocha la tête et sourit.

« Les Egyptiens aiment la bière, Rita. Allez en chercher immédiatement. »

Occuper Rita, c'était l'empêcher de perdre l'esprit.

Julie se fraya un chemin parmi les fougères et les plantes en pots afin de s'installer à table en face de Ramsès. Il lui montra un dessin représentant une jeune femme, œuvre du célèbre dessinateur Gibson. Julie hocha la tête.

« Américaine, dit-elle.

– Etats-Unis, répondit-il.

– Oui », fit-elle, étonnée.

Il dévora une saucisse, puis une tranche de pain pliée en deux tout en tournant les pages de la main gauche. Il désigna un homme sur une bicyclette et cela le fit rire.

« Bicyclette, dit-elle.

– Oui », répondit-il avec l'intonation de Julie avant de prononcer quelques mots en latin.

Il fallait qu'elle le sorte, qu'elle lui montre tout !

Le téléphone sonna tout à coup dans le salon égyptien. Ramsès se leva brusquement et suivit Julie dans la pièce. Il la regarda répondre.

« Allô ? Oui, ici Julie Stratford. » Elle boucha le microphone. « Téléphone, murmura-t-elle. Machine qui parle. » Elle lui présenta le récepteur pour lui faire entendre la voix de son interlocuteur. On appelait du club de Henry. Quelqu'un passerait prendre sa malle. Pouvait-elle la faire préparer ?

« Elle est déjà prête. Envoyez deux hommes. Faites vite, je vous prie. »

Elle saisit le fil et le tendit à Ramsès.

« La voix passe par ce fil », dit-elle. Elle le prit par la main et le conduisit dans le jardin d'hiver afin de lui montrer les fils qui couraient de la maison aux poteaux. Il était vraiment très intéressé.

Puis elle prit un verre sur la table et le plaqua au mur qui séparait le jardin d'hiver de la cuisine. Les bruits causés par Rita s'en trouvaient amplifiés. Elle l'invita à écouter à son tour.

« Le fil du téléphone conduit le son, dit-elle. C'est une invention mécanique. » Voilà ce qu'il faut faire, lui expliquer le fonctionnement de toutes les machines ! Lui expliquer le formidable bond en avant que les machines nous ont permis d'exécuter, la transformation complète de notre conception de la matière.

« Conduit le son », répéta-t-il d'un air pensif. Il revint vers la table et prit le magazine qu'il lisait. Il fit un geste comme pour lui demander de lire à haute voix. Elle lut un paragraphe traitant de politique intérieure. Il y avait trop d'abstractions, mais il se contentait d'écouter les syllabes, n'est-ce pas ? Impatient, il lui reprit le magazine et dit :

« Merci.

– Très bien. Tu apprends à une vitesse étonnante. »

Il exécuta un certain nombre de gestes, touchant son front et son crâne comme pour faire référence à son cerveau. Puis il toucha sa peau et ses cheveux. Qu'essayait-il de lui dire ? Que l'organe de la pensée avait réagi aussi vite que sa peau et ses cheveux au soleil ?

Il désigna la table.

« Saucisses, dit-il. Bœuf. Encore du poulet. Bière. Lait. Vin. Couteau. Fourchette. Serviette. Bière. Encore de la bière.

– Oui, dit-elle. Rita, apportez-lui encore de la bière. Il aime la bière. » Elle prit entre ses doigts l'étoffe de son peignoir. « Dentelle, dit-elle. Soie. »

Il émit un petit bourdonnement.

« Abeilles ! dit-elle. Exactement. Oh, tu es si merveilleusement intelligent. »

Il rit. « Dis encore.

– Merveilleusement intelligent. » Elle tapota son crâne. Le cerveau, la pensée.

Il fit signe qu'il comprenait. Puis il prit un couteau à manche d'argent et, comme s'il lui demandait la permission, le glissa dans sa poche. Il lui fit ensuite signe de le suivre et il l'emmena dans le salon égyptien. Il se planta devant une vieille carte du monde recouverte d'un sous-verre poussiéreux et posa le doigt sur l'Angleterre.

« Oui. Angleterre. Britannia. » Elle lui montra l'Amérique. « Etats-Unis. » Elle lui donna le nom des océans et des continents, avant d'identifier l'Egypte et le Nil. « Ramsès, roi d'Egypte », dit-elle en tendant la main vers lui.

Il hocha la tête. Mais il voulait savoir autre chose. Très soigneusement, il articula sa question :

«XXe siècle ? Que signifie " après Jésus-Christ " ? »

Elle ne savait que lui répondre. Il dormait à l'époque de la naissance du Christ ! Il n'avait aucun moyen de savoir combien de temps il avait dormi, et elle redoutait le choc que pourrait lui causer sa réponse.

Les chiffres romains. Où était donc ce livre ? Elle trouva les *Vies* de Plutarque sur les étagères de son père et trouva la date de publication écrite en chiffres romains, trois ans auparavant, c'était parfait.

Elle prit une feuille de papier sur le bureau, trempa sa plume et inscrivit la date. Mais comment lui faire comprendre quel était le début du système ?

Cléopâtre en était assez proche, mais elle ne souhaitait pas, pour des raisons évidentes, recourir au nom de cette reine. Un exemple lui vint à l'esprit.

Elle écrivit en lettres bâtons le nom d'Octave César. Il hocha la tête. Elle traça dessous le chiffre romain correspondant à « un ». Puis elle dessina une longue ligne droite et, tout au bout de la page, écrivit son propre nom, Julie, accompagné de la date, toujours en chiffres romains. Le tout suivi du mot latin *annum*.

Il pâlit. Il regarda longuement la feuille de papier, puis les couleurs revinrent à ses joues. Il comprenait, c'était évident. Il prit un air grave, pensif. Elle écrivit le mot *siècle*, puis le chiffre romain correspondant à cent, et enfin le mot *annus*. Il manifesta un peu d'impatience, oui, oui, il comprenait.

Il croisa les bras et se mit à déambuler dans la pièce. Elle ne pouvait deviner à quoi il pensait.

« Cela fait longtemps, dit-elle. *Tempus... tempus fugit !* » Elle se trouva embarrassée. Le temps s'enfuit ? C'était la seule citation latine qui lui revînt à l'esprit. Il lui sourit. Etait-ce un cliché, il y a deux mille ans ?

Il s'approcha du bureau et lui prit la plume pour dessiner avec soin le cartouche égyptien qui comportait son nom,

Ramsès le Grand. Il traça un trait horizontal et dessina un autre cartouche, avec le nom de Cléopâtre, cette fois-ci. Au milieu de cette ligne, il traça la lettre M, mille en chiffres romains, puis les chiffres arabes correspondant.

Il lui donna le temps de déchiffrer cela, puis il inscrivit sous son cartouche 3 000 en chiffres arabes.

« Ramsès a trois mille ans, dit-elle, et Ramsès le sait. »

Il lui sourit. Quelle expression était la sienne ? Triste, résignée, pensive ? Son œil s'assombrit, sa lèvre frémit. Il regarda tout autour de lui comme s'il découvrait cette pièce pour la première fois. Il observa le plafond, le sol, puis posa les yeux sur le buste de Cléopâtre. Ses yeux étaient toujours aussi lumineux, son sourire doux et agréable, mais quelque chose avait quitté son visage – une certaine vigueur.

Il se tourna vers Julie et elle vit que ses yeux étaient embués de larmes. Cela, elle ne pouvait le supporter ! Elle le prit par la main et leurs doigts s'enlacèrent.

« De très nombreuses années, Julie, dit-il. De très nombreuses années. Le monde inconnu de moi. Je dis bien ?

– Oh oui, très bien. »

Il parlait à voix basse, avec une certaine révérence.

« De très nombreuses années, Julie. » Puis il sourit et, bientôt, ses épaules s'agitèrent : il riait ! « Deux mille ans, Julie ! » Il avait recouvré toute sa vigueur. A nouveau, il regarda le buste de Cléopâtre avant de se tourner vers la jeune femme.

Elle aurait voulu l'embrasser. Ce besoin était si fort qu'elle s'en étonna. Ce n'était pas seulement la beauté de son visage, la profondeur de sa voix, la tristesse qu'elle avait décelée dans ses yeux. Il lui caressait les cheveux avec beaucoup de respect, et elle en frissonnait.

« Ramsès est immortel, dit-elle, Ramsès jouit de la *vitam æternam.* »

Il émit un petit rire poli. « Oui, dit-il, *vitam æternam.* »

Eprouvait-elle de l'amour pour cet homme ? Sa présence était-elle si puissante qu'elle chassait tout autre sentiment de son esprit ? Elle ne pensait même plus à Henry et à ce qu'il avait fait.

Il y eut un bruit terrible dans la rue. Une automobile, très certainement. Il l'entendit, mais ne réagit que fort lentement. Ses yeux étaient rivés à ceux de la jeune femme. Il posa doucement une main sur son épaule et la mena jusqu'à la fenêtre.

Il se comportait en véritable gentleman. A travers les rideaux de dentelle, il assista à un spectacle qui dut lui sembler fort étrange – une automobile rapide de facture italienne, avec deux jeunes gens qui adressaient de grands signes de la main à une jeune femme qui déambulait sur le trottoir. Le chauffeur actionna son avertisseur, ce son désagréable fit sursauter Ramsès, mais celui-ci continua de regarder. Il n'éprouvait pas de crainte, rien que de la curiosité, à la vue de cet engin pétaradant qui s'éloignait dans la rue.

« Voiture automobile, dit-elle. Cela fonctionne au pétrole. C'est une machine. Une invention.

– Voiture automobile ! » Il courut à la porte d'entrée et l'ouvrit.

« Non, attendez, vous devez vous vêtir correctement, dit-elle. Des vêtements, des habits.

– Chemise, cravate, pantalon, chaussures », répliqua-t-il.

Elle rit. Il lui fit signe d'attendre. Elle le vit se rendre dans le salon égyptien et sélectionner l'un des pots d'albâtre. Il le dévissa – il y avait un petit compartiment secret à sa base. Il en tira plusieurs pièces d'or, qu'il rapporta à Julie.

« Vêtements », dit-il.

Elle admira brièvement les pièces à l'effigie de Cléopâtre.

« Oh non, dit-elle, elles ont beaucoup trop de valeur. Garde-les, tu es mon invité. Je veillerai à tout. »

Elle le prit par la main et l'entraîna à l'étage. Il s'arrêta devant un portrait du père de Julie.

« Lawrence », dit-il. Il la regarda droit dans les yeux. « Henry ? Où est Henry ?

– Je m'occuperai de Henry, dit-elle. Le temps et la cour de justice... *judicium*... le tribunal le jugera. »

Il indiqua qu'il n'était pas satisfait de cette réponse. Il sortit le couteau de sa poche et passa son pouce sur le tranchant.

« Moi, Ramsès, je tuerai Henry.

– Non ! dit-elle en portant la main à ses lèvres. La justice ! Le droit ! Nous faisons confiance à la justice... Quand l'heure viendra... » C'en était trop pour elle. Les larmes lui montaient aux yeux. Henry, qui avait dépouillé son père de son triomphe... « Non ! » dit-elle alors qu'il tentait de l'apaiser.

Il posa une main sur sa poitrine.

« Moi, Ramsès, je suis la justice, dit-il. Roi, juge, tribunal. »

Elle renifla et essuya ses larmes du revers de la main.

« Tu apprends très vite les mots, lui dit-elle, mais tu ne peux tuer Henry. Je ne pourrais vivre si tu tuais Henry. »

Brusquement, il lui prit le visage entre ses deux mains et, l'attirant à lui, il l'embrassa.

CHAPITRE SIX

Henry était saoul. Il avait fini la bouteille de scotch qu'il avait prise à Elliott sans la permission de ce dernier et buvait du cognac comme si c'était de l'eau. Mais cela ne l'aidait en rien.

Il ne cessait de fumer de petits cigares égyptiens et emplissait l'appartement de Daisy de cet âcre parfum dont il avait pris l'habitude au Caire. Cela ne réussissait qu'à le faire penser à Malenka et à regretter de ne pas se trouver à ses côtés, en ce moment, même s'il regrettait d'avoir jamais mis les pieds en Egypte et d'être entré dans cette chambre funéraire où son oncle Lawrence étudiait une pile de papyrus.

Cette créature était vivante ! Cette créature l'avait vu mettre le poison dans la tasse de Lawrence !

Il comprenait à présent à quel point il était en danger. Personne d'autre n'aurait pu le comprendre parce que tous ignoraient les motifs de la créature. Quant à ce Reginald Ramsey, il savait, au plus profond de lui-même, qu'il ne faisait qu'un avec la répugnante créature qui avait cherché à l'étrangler. Retrouverait-il son cercueil et ses bandelettes une fois son sinistre devoir accompli ?

Seigneur ! Il frissonna. Il entendit Daisy dire quelque chose et leva les yeux pour la voir accoudée à la cheminée, en corset et bas de soie. Ses boucles blondes lui tombaient sur les épaules, ses seins rebondis débordaient de leurs bonnets de dentelle. Mais il n'avait absolument pas envie de l'admirer, de la toucher.

« Et tu viens me dire qu'une cochonnerie de momie est sortie de sa boîte et qu'elle a posé ses sales pattes sur ton cou ? Tu me dis qu'elle porte une robe de chambre et des pantoufles et qu'elle se trimballe dans toute la maison ? »

Ferme-la, Daisy. Il se vit en train de tirer de sa poche le couteau avec lequel il avait tué Sharples et le plonger dans la gorge de Daisy.

La cloche tinta. Elle n'allait tout de même pas ouvrir dans cette tenue ? Bah, quelle importance ! Il se cala dans son fauteuil et chercha le couteau.

Des fleurs. Elle revint avec un gros bouquet et dit quelques mots à propos d'un admirateur. Qu'est-ce qu'elle avait à le regarder ainsi ?

« Il me faut un pistolet, dit-il sans la regarder. Il y a bien une des crapules que tu fréquentes qui pourrait m'en avoir un !

– Toute cette histoire ne me regarde pas.

– Tu feras ce que je te dis ! » Si seulement elle savait. Il avait déjà tué deux hommes et avait failli tuer une femme. Failli. Pis encore, il rêvait d'égorger Daisy, de voir la tête qu'elle ferait quand la lame lui trancherait la gorge. « Prends le téléphone. Appelle ton frère. Il me faut un pistolet assez petit pour tenir sous mon manteau. »

Est-ce qu'elle allait se mettre à pleurer ?

« Fais ce que je te dis. Je vais au club me changer. Si quelqu'un me demande, tu lui diras que j'habite ici, c'est d'accord ?

– Tu n'es pas en état d'aller où que ce soit ! »

Il se leva péniblement et s'avança vers la porte en titubant. Il se retint au mur et resta longtemps le front appuyé.

« Si tu n'as pas fait ce que je t'ai dit quand je reviendrai...

– Ne t'inquiète pas. »

Elle jeta les fleurs à terre et croisa les bras avant de se retourner et de s'incliner.

Un certain instinct, auquel il avait toujours fait confiance, lui dictait de ne pas perdre son sang-froid. C'était le moment de se montrer doux, aimable, presque affectueux, même si la vue de cette femme courbée devant lui le rendait fou furieux, même si ses sanglots le faisaient grincer des dents.

« Tu aimes bien cet appartement, n'est-ce pas, chérie ? dit-il. Tu aimes le champagne et les fourrures. Et tu aimeras beaucoup ta voiture automobile dès l'instant où je te l'aurai offerte. Mais, pour l'heure, je ne te demande qu'un peu de loyauté. »

Il la vit hocher la tête. Comme elle s'approchait de lui, il passa la porte.

La malle de Henry venait tout juste d'être enlevée.

A la fenêtre, Julie regardait l'étrange et bruyant véhicule allemand disparaître dans la rue. En son for intérieur, elle ne savait vraiment que penser de son cousin.

Prévenir les autorités à ce stade de l'affaire était une chose impensable. En dehors d'elle-même, il n'y avait pas de témoin sérieux de l'acte de Henry, et la seule idée de blesser Randolph dépassait tout ce que Julie pouvait supporter.

Randolph était innocent. Elle en était persuadée. De même qu'elle savait avec certitude que la découverte de la culpabilité de Henry porterait le coup de grâce à Randolph. Elle perdrait son oncle ainsi qu'elle avait perdu son père. Son oncle n'avait jamais été de la même trempe que son père, certes, mais ils étaient de la même chair et du même sang, et elle l'aimait beaucoup.

Elle se rappela les mots prononcés par Henry : « Nous sommes tout ce que tu as. » Elle était au bord des larmes.

Un bruit de pas dans l'escalier l'interrompit dans ses pensées. Elle se retourna et découvrit la seule personne au monde qui pût l'aider à porter son fardeau.

Elle s'était vêtue avec beaucoup de goût pour cet instant. Sous prétexte que tout ce qu'elle faisait contribuait à l'éducation de son hôte honoré, elle avait porté son choix sur son ensemble le plus élégant, sur un chapeau à bord noir orné de fleurs en soie et sur des gants noirs, bien entendu – tout cela pour lui faire connaître la mode de son époque.

Elle avait aussi voulu se faire belle pour lui, et elle savait que la laine couleur bordeaux lui allait à ravir. Son cœur battit un peu plus vite quand elle le vit descendre l'escalier.

Il s'avança vers elle comme pour l'embrasser.

Elle ne recula pas.

Il s'était parfaitement débrouillé avec la garde-robe de son père. Chaussettes et chaussures sombres. Chemise très bien boutonnée. Cravate de soie nouée avec une certaine excentricité, mais avec beaucoup de goût. Même les boutons de manchettes étaient correctement mis. En fait, il était étrangement beau dans sa veste de soie, son manteau sombre et son pantalon de flanelle grise. Seule l'écharpe de cachemire jetait une note discordante. Il se l'était nouée autour de la taille comme l'aurait fait un soldat de la vieille époque.

« Puis-je ? » dit-elle en la lui ôtant avant de la lui passer autour du cou. Elle lissa l'étoffe tout en essayant de ne pas se laisser dominer par ses yeux d'un bleu intense et son étrange sourire.

La grande aventure allait commencer. Ils allaient sortir ensemble. Elle allait montrer le XXe siècle à Ramsès le Grand !

Il la prit par la main au moment où elle ouvrait la porte et l'attira à lui. A nouveau, elle crut qu'il voulait l'embrasser, et sa fébrilité se changea en frayeur.

Il s'en rendit compte et, desserrant son étreinte, il s'inclina et lui baisa la main avec beaucoup de respect avant de lui adresser un sourire entendu.

Comment pourrait-elle lui résister ?

« Viens, le monde nous attend », dit-elle.

Un fiacre passait par là. Elle fit signe au cocher et tira son compagnon par la manche.

Il s'était arrêté pour contempler la rue avec ses maisons, leurs grilles de fer, leurs portes massives et leurs rideaux de dentelle.

Il semblait si plein de vie, si plein de désir. D'un pas alerte, il la rejoignit dans le fiacre.

Elle comprit qu'elle n'avait jamais rencontré chez Alex quelque chose qui ressemblât peu ou prou à cette passion. Cela la rendit triste, non pas parce qu'elle pensait vraiment à Alex, mais parce qu'elle entrevoyait pour la première fois à quel point les choses ne seraient plus jamais les mêmes.

Le cabinet de Samir au British Museum était assez petit; encombré de livres, il abritait également un gros bureau et deux fauteuils de cuir. Elliott le trouvait malgré tout assez agréable et puis, la petite cheminée tirait plutôt bien.

« Je ne suis pas certain de pouvoir vous en dire beaucoup plus, expliqua Samir. Lawrence n'en a traduit qu'un infime fragment, dans lequel le pharaon se prétend immortel. Il a parcouru le monde, semble-t-il, depuis la fin de son règne officiel. Il a vécu parmi des peuples dont les anciens Egyptiens n'avaient même pas connaissance. Il prétend avoir séjourné deux siècles à Athènes, puis à Rome. Finalement, il s'est retiré dans un tombeau dont seules les familles royales d'Egypte pouvaient le tirer. Certains prêtres connaissaient ce secret. Il était devenu une légende à l'époque de Cléopâtre, mais, apparemment, la jeune reine y croyait.

– Et elle a fait tout ce qui était en son pouvoir pour le réveiller.

– Du moins le prétend-il. Il est tombé amoureux d'elle et a approuvé sa liaison avec César au nom de la nécessité et de l'expérience, mais pas celle avec Marc Antoine. Il en a éprouvé de l'amertume, m'a dit Lawrence. Il n'y a là rien qui vienne contredire notre connaissance de l'histoire. Tout comme nous, il a condamné Antoine et Cléopâtre pour leurs excès et leurs mauvais jugements.

– Lawrence croyait vraiment à cette histoire ? Il n'avait pas une théorie...

– Lawrence éprouvait un bonheur incommensurable devant un tel mystère. Il aurait consacré le reste de ses jours à tenter de le déchiffrer. En revanche, je ne saurais dire s'il y croyait vraiment. »

Elliott réfléchit. « La momie, Samir. Vous l'avez examinée. Vous étiez aux côtés de Lawrence quand il a ouvert le cercueil.

– Oui.

– N'avez-vous pas remarqué quelque chose d'extraordinaire ?

– Vous avez vu des milliers de momies semblables à celle-ci. Ce qui était étonnant, c'étaient les textes, la maîtrise des langues et, bien entendu, le cercueil proprement dit.

– Je dois vous faire une confidence, dit Elliott. Selon notre ami commun, Henry Stratford, la momie est tout ce qu'il y a de plus vivante. Ce matin même, elle a quitté son cercueil, traversé la bibliothèque de Lawrence et tenté d'étrangler Henry dans le salon. Henry a réussi à s'en tirer. »

Samir ne répondit pas tout de suite, comme s'il n'avait pas entendu. Puis il dit doucement :

« Vous vous moquez de moi, Lord Rutherford ? »

Elliott se mit à rire. « Non, je ne me moque pas, monsieur Ibrahaim. Et je parierais que Henry Stratford n'avait pas envie de plaisanter quand il m'a raconté son histoire. Il était fortement ébranlé, au bord de l'hystérie, pour ainsi dire, mais il ne plaisantait pas. »

Le silence.

« Samir, vous n'auriez pas une cigarette, par hasard ? »

Sans quitter Elliott des yeux, Samir ouvrit un petit coffret d'ivoire ciselé. Des cigarettes égyptiennes. Parfaitement délicieuses. Samir prit le briquet d'or et le tendit à Elliott.

« Merci. J'ajouterais... car je pense que cela vous intéresse... que la momie n'a fait aucun mal à Julie, qui la considère d'ailleurs comme son hôte privilégié.

– Lord Rutherford...

– Je suis extrêmement sérieux. Mon fils, Alex, s'y est rendu immédiatement. En fait, la police était déjà arrivée. Il semble qu'un égyptologue réside dans la demeure des Stratford, un certain M. Reginald Ramsey, et que Julie insiste beaucoup pour lui faire découvrir Londres. Il est son invité, paraît-il. Henry a vu l'égyptologue et prétend que ce n'est autre que la momie vêtue des habits de Lawrence. »

Elliott alluma sa cigarette et aspira la fumée.

« Vous allez en entendre parler un peu partout, poursuivit-il. Les reporters ont accouru sur place. *Une momie hante Mayfair !* » Il haussa les épaules.

Samir était visiblement plus étonné qu'amusé. Il semblait même attristé.

« Pardonnez-moi, dit-il, mais je n'ai pas une très haute opinion du neveu de Lawrence, Henry.

– Comment le pourriez-vous ?

– Cet égyptologue... Vous dites que son nom est Reginald Ramsey. Je n'en ai jamais entendu parler.

– Et pourtant, vous les connaissez tous, n'est-ce pas ? Du Caire à Londres ou à Manchester, de Berlin à New York.

– C'est vrai, oui.

– Cela n'a pas de sens.

– Je suis bien d'accord.

– A moins, bien entendu, que nous n'acceptions que la momie soit immortelle. Tout concorderait.

– Vous ne croyez tout de même pas... » Samir ne termina pas sa phrase. Sa détresse était évidente.

« Oui ?

– C'est grotesque, murmura Samir. Lawrence a succombé à une attaque cardiaque. Cette chose ne l'a pas tué. Quelle folie !

– Y a-t-il eu la moindre trace de violence ?

– De violence ? Non, bien entendu, mais il y avait des malédictions inscrites sur le cercueil. Cette chose voulait dormir en paix. Le soleil. Elle ne voulait pas du soleil. Elle demandait qu'on la laisse tranquille. C'est ce que les morts demandent toujours.

– Vraiment ? fit Elliott. Si j'étais mort, je ne suis pas certain de vouloir la tranquillité éternelle.

– Notre imagination nous entraîne un peu loin, Lord Rutherford. Et puis... Henry Stratford était dans le tombeau quand Lawrence est mort !

– C'est vrai, et Henry n'a pas vu notre ami en bandelettes se mouvoir avant ce matin.

– Toute cette histoire ne me plaît pas, je n'aime pas savoir que Mlle Stratford demeure seule avec ces reliques.

– Le musée devrait peut-être faire quelque chose, dit Elliott. Après tout, cette chose est d'une valeur inestimable. »

Samir ne répondit rien. Il était à nouveau bouche bée, les yeux rivés sur son bureau.

Elliott prit appui sur sa canne et se leva. Il savait fort bien dissimuler la gêne que lui procurait un geste aussi simple, mais il dut rester immobile quelques instants pour permettre à la douleur de s'apaiser. Il écrasa lentement sa cigarette.

« Merci, Samir. Cette conversation a été particulièrement intéressante. »

Samir sortit de sa rêverie. « Lord Rutherford, que se passe-t-il selon vous ? » Il se leva à son tour.

« Vous voulez que je vous parle avec franchise ?

– Oui.

– Ramsès II est immortel. Il a découvert quelque substance capable de lui conférer l'immortalité. Et, en ce moment même, il parcourt les rues de Londres en compagnie de Julie.

– Vous n'êtes pas sérieux.

– Si, je le suis. Mais je crois aussi aux fantômes, aux esprits et au mauvais sort. Je jette du sel par-dessus mon épaule et je touche du bois très souvent. Je serais surpris – non, éberlué – si tout ceci se révélait exact, comprenez-moi. Mais j'y crois. Pour l'instant, j'y crois. Et je vous dirai pourquoi. C'est la seule façon d'expliquer ce qui vient de se passer. »

A nouveau, le silence.

Elliott sourit. Il enfila ses gants, prit sa canne et quitta le bureau d'un pas alerte, comme si la douleur n'existait plus.

CHAPITRE SEPT

C'était la grande aventure de son existence. Rien ne pourrait jamais l'égaler, elle le savait déjà. Mais le plus étonnant était peut-être qu'elle se déroulât en plein Londres, à midi, dans ces rues tapageuses qu'elle connaissait depuis toujours.

Cette ville vaste et crasseuse ne lui avait jamais semblé magique auparavant. Et pourtant c'était ainsi qu'elle lui apparaissait aujourd'hui. Et *lui*, comment la percevait-elle, cette métropole gigantesque avec ses hautes bâtisses de brique, ses automobiles et ses tramways bruyants, ses hordes de fiacres et de cabs qui encombraient chaque rue ? Que pensait-il de ces réclames omniprésentes, ces panneaux de toutes tailles qui proposaient produits et services ? Les trouvait-il laids, ces grands magasins sinistres où s'entassaient des vêtements prêts à porter ? Quelle impression lui procuraient ces petites boutiques où la lumière électrique brûlait toute la journée parce que les rues étaient trop enfumées pour laisser passer la clarté solaire ?

Cette ville, il l'aimait, il la prenait dans ses bras. Rien ne l'y effrayait, rien ne lui paraissait repoussant. Il descendait du trottoir pour poser la main sur le capot des automobiles. Il escaladait les escaliers étroits des omnibus afin de découvrir le monde depuis l'impériale. Au bureau du télégraphe, il s'attardait devant la jeune secrétaire à sa machine à écrire. Et elle, charmée par ce géant aux yeux bleus, s'écartait pour le laisser frapper les touches, ce qu'il faisait, et il écrivait des phrases latines qui lui tiraient des éclats de rire.

Julie l'entraîna aux bureaux du *Times*. Il devait voir les presses géantes, sentir l'odeur de l'encre, entendre le bruit assourdissant qui emplissait les salles. Il devait établir le lien entre toutes ces inventions, il devait en comprendre la simplicité.

Elle le voyait envoûter les gens partout où il se rendait. Les hommes et les femmes lui rendaient hommage comme s'ils comprenaient qu'il était de nature royale.

Elle avait tant de questions à lui poser, tant de concepts à lui expliquer. Lui exposer des abstractions, tâche qu'elle redoutait, fut facilité par le fait qu'il apprenait l'anglais à toute allure.

« Le nom ! lui disait-il dès qu'elle interrompait son commentaire incessant. Une langue est faite de noms, Julie. Le nom des gens, des choses, de ce que nous éprouvons. » Il se frappait la poitrine en prononçant ces mots. Au milieu de l'après-midi, les mots latins *quare*, *quid*, *quo* et *qui* avaient totalement disparu de son vocabulaire.

« L'anglais est ancien, Julie. La langue des barbares de mon époque, désormais pleine de mots latins. Tu entends le latin ? Comment cela, Julie ? Explique-moi !

– Il n'y a aucun ordre dans ce que je t'enseigne », lui répondit-elle. Elle voulait lui expliquer l'imprimerie, faire le lien avec la frappe des monnaies.

« Je trouverai un ordre plus tard », l'assura-t-il.

Il était trop occupé à visiter les boutiques des boulangers et des gargotières, des cordonniers et des modistes, à s'étonner des ordures jetées dans les ruelles, à regarder les paquets de papier portés par les gens ou les robes des femmes.

A admirer les femmes aussi.

Si ce n'est pas cela le désir, je ne connais rien au caractère humain, se dit Julie.

Elle l'amena chez un libraire. Elle lui montra le nom des auteurs anciens, Aristote, Platon, Euripide et Cicéron. Il s'étonna des gravures d'Audrey Beardsley.

Les photographies l'enchantaient positivement. Julie l'entraîna dans un petit studio pour qu'il se fasse tirer le portrait. Son plaisir avait quelque chose d'enfantin. Le plus étonnant était, selon lui, que même les pauvres de cette grande ville pouvaient détenir de telles images d'eux-mêmes.

C'est cependant lorsqu'il assista à une projection d'images animées qu'il fut littéralement stupéfait. Dans la petite salle bondée du cinéma, il avait le souffle court et tenait la main de Julie tandis que des figures géantes et lumineuses couraient sur l'écran tendu devant eux. Il repéra le rayon du projecteur et le suivit jusqu'à la cabine du projectionniste, dont il ouvrit la porte sans hésitation. Le vieil homme céda à son charme et ne fut pas long à lui expliquer les détails de tout le mécanisme.

Enfin, ils pénétrèrent dans la caverne immense et sombre de Victoria Station, et les locomotives puissantes et haletantes le clouèrent sur place d'étonnement. Puis il s'en approcha sans crainte et toucha les parois de métal et les roues démesurées. Derrière un train qui partait, il posa les pieds sur les rails pour en sentir les vibrations. Emerveillé, il contemplait la foule.

« Des milliers de personnes, transportées d'un bout à l'autre de l'Europe, cria-t-elle pour se faire entendre. Des voyages qui demandaient plusieurs mois ne prennent à présent que quelques heures.

– L'Europe, murmura-t-il. D'Italia à Britannia.

– Les trains montent sur des navires qui traversent les mers. Les pauvres des campagnes peuvent venir dans les villes. Tous les hommes connaissent la ville, comprends-tu ? »

Il hocha gravement la tête. Il lui pressa la main. « Pas de hâte, Julie. Tout sera compris en son temps. » A nouveau l'éclat de son brillant sourire, la chaleur soudaine de l'affection qu'il lui portait et qui la faisait rougir et détourner les yeux.

« Les temples, Julie. Les maisons des *deus... di*.

– Des dieux. Mais il n'y en a plus qu'un maintenant. Un dieu unique. »

Incrédulité. Un seul dieu ?

L'abbaye de Westminster. Ils marchèrent sous les voûtes élevées. Quelle splendeur ! Elle lui montra le cénotaphe de Shakespeare.

« Ce n'est pas la maison de Dieu, lui expliqua-t-elle, mais l'endroit où nous nous rassemblons pour lui parler. » Comment lui expliquer le christianisme ? « L'amour fraternel, dit-elle. C'est là son fondement. »

Il la regarda sans bien comprendre.

« L'amour fraternel ? » Enthousiasmé, il regarda les gens autour de lui. « Ils croient à cette religion ? demanda-t-il. Ou est-ce par habitude ? »

En fin d'après-midi, il parlait de manière cohérente, par

paragraphes entiers. Il lui dit qu'il aimait l'anglais. C'était une langue propre à la pensée. Le grec et le latin étaient excellents pour la réflexion, mais pas l'égyptien. Chaque fois qu'il avait appris une langue, il avait amélioré sa capacité de compréhension. Le langage rendait possibles toutes sortes de pensées. Ah, que le petit peuple de cette époque pût lire des journaux encombrés de mots ! Quelle devait être la pensée de l'homme du commun ?

« N'es-tu pas fatigué ? lui demanda Julie.

– Non, jamais fatigué, répondit-il, sauf dans le cœur et dans l'âme. Faim. Nourriture, Julie. Je désire beaucoup de nourriture. »

Ils gagnèrent la quiétude de Hyde Park et, en dépit de ses dénégations, il parut apaisé par les arbres intemporels qui se dressaient autour de lui, par la vision du ciel à travers les branches.

Ils trouvèrent un petit banc. En silence, il regarda les promeneurs. Ils avaient une telle façon de le dévisager, cet homme de puissante stature, à l'expression si fière et si conquérante ! Se savait-il beau ? se demanda-t-elle. Savait-il que le moindre effleurement de sa main lui causait un frisson qu'elle feignait d'ignorer ?

Oh, tant de choses à lui montrer. Elle le conduisit aux bureaux de la Stratford Shipping en faisant des vœux pour que personne ne la reconnaisse et elle le fit monter dans l'ascenseur de fer forgé. Elle appuya sur le bouton du dernier étage.

« Des cordes et des poulies, lui expliqua-t-elle.

– Britannia », dit-il à voix basse quand ils furent sur le toit de l'immeuble. Ils écoutèrent les cris des sifflets des usines, le tintement des clochettes des tramways. « America, Julie. » Il la prit par les épaules et la serra doucement. « Combien de jours par bateau mécanique jusqu'en America ?

– Dix jours, je crois. On pourrait être en Egypte en moins de temps que cela. Le voyage d'Alexandrie ne prend que six jours. »

Pourquoi avait-elle dit cela ? Son visage s'assombrit. « Alexandrie, murmura-t-il en reprenant l'intonation de Julie. Alexandrie existe toujours ? »

Elle le ramena à l'ascenseur. Tant de choses à voir. Elle lui expliqua qu'Athènes existait toujours, et Damas, et Antioche. Et Rome, bien sûr, Rome était toujours là.

Une idée folle lui traversa l'esprit. Elle héla un cab et dit au cocher : « Chez Madame Tussaud. »

Tous les personnages costumés de ce musée de cire. Hâtivement, elle lui expliqua qu'il s'agissait d'un panorama de l'histoire. Elle lui présenterait les Indiens d'Amérique, elle lui montrerait Genghis Khan et le Hun Attila – ces conquérants qui avaient semé la terreur en Europe après la chute de Rome.

Ils n'étaient au musée de cire que depuis quelques instants quand elle se rendit compte de l'erreur qu'elle avait commise. Le visage de son compagnon se décomposa à la vue des soldats romains. Il reconnut instantanément le personnage de Jules César. Avec une certaine incrédulité, il découvrit la Cléopâtre égyptienne, poupée de cire qui ne ressemblait en rien au buste qu'il chérissait ou aux pièces qu'il détenait toujours. Son identité était pourtant indiscutable : sur sa couche dorée, elle approchait de son sein le serpent qui lui serait fatal. Raide et sans caractère particulier, Marc Antoine se tenait derrière elle en tenue militaire romaine.

Le visage de Ramsès se colora. Une flamme sauvage éclairait son regard lorsqu'il se tourna vers Julie, puis il déchiffra à nouveau les panonceaux d'explication.

Comment n'avait-elle pas pensé que ces personnages se trouveraient là ? Elle le prit par la main et l'entraîna au loin de cette vitrine. Il bouscula un couple de visiteurs. L'homme proféra des paroles menaçantes, mais Ramsès parut ne pas l'entendre. Il courait vers la sortie, et elle courait derrière lui.

Il paraissait calmé quand elle le rejoignit dans la rue. Il lui prit la main sans même la regarder et ils marchèrent lentement pendant quelque temps avant de s'arrêter pour voir des ouvriers du bâtiment au travail. Une grosse bétonneuse tournait. Des coups de marteau résonnaient entre les murs.

Un sourire quelque peu amer se dessina sur les lèvres de Ramsès. Julie héla un fiacre.

« Où allons-nous maintenant ? lui demanda-t-elle. Dis-moi ce que tu veux voir. »

Il ne pouvait détacher les yeux d'une mendiante en haillons qui tendait la main aux passants.

« Les pauvres, dit-il. Pourquoi les pauvres sont-ils toujours là ? »

Ils marchèrent en silence dans les rues pavées. Le linge accroché entre les maisons leur cachait le ciel gris et mouillé. La fumée du repas du soir emplissait les ruelles. Le visage sale, les pieds nus, des enfants les regardaient passer.

« Toute cette richesse ne peut donc pas aider ces gens ? Ils sont aussi pauvres que les paysans de mes domaines.

– Certaines choses ne changent pas avec le temps, lui dit Julie.

– Et ton père ? C'était un homme riche ? »

Elle acquiesça. « Il a fondé une grande compagnie maritime – ses navires transportent les marchandises des Indes et de l'Egypte jusqu'en Angleterre et en Amérique. Ils font parfois le tour du monde.

– Pour cette richesse, Henry a essayé de te tuer, comme il a tué ton père dans le tombeau. »

Julie avait le regard fixe. Il lui semblait que ses paroles viendraient à bout du peu de maîtrise de soi qu'il lui restait. Cette journée, cette folle aventure l'avaient portée à des sommets, et voici qu'elle se sentait retomber. *Henry a tué père*. Il lui était quasi impossible de parler.

Ramsès lui prit la main.

« Il aurait dû y avoir assez de richesses pour nous tous, dit-elle d'une voix brisée. Assez pour moi, pour Henry, pour le père de Henry.

– Pourtant ton père a cherché des trésors en Egypte.

– Non, pas des trésors ! Il cherchait des traces du passé. Tes écrits avaient plus d'importance pour lui que les bagues que tu portes aux doigts. L'histoire que tu as racontée, pour lui c'était un trésor ! Cela et le cercueil décoré, parce que c'étaient des choses pures, des témoignages de ton époque.

– L'archéologie, dit Ramsès.

– Oui. » Elle sourit malgré elle. « Mon père n'était pas un pilleur de tombeaux.

– Je te comprends. Ne te mets pas en colère.

– C'était un universitaire, dit-elle avec plus de douceur. Il avait tout l'argent qu'il voulait. S'il a commis une erreur, c'est de confier sa société à son frère et à son neveu, mais il les payait bien. »

Elle s'arrêta de parler. Elle se sentait très lasse. Son euphorie n'avait pu effacer son inquiétude, et ses souffrances ne faisaient que commencer.

« Il doit y avoir une explication, dit-elle.

– Oui, la cupidité. C'est l'explication pour tout. »

Par la vitre du fiacre, il regardait les fenêtres crasseuses et brisées. Des odeurs ignobles s'élevaient des caniveaux. L'odeur de l'urine et de la déchéance.

Elle-même ne s'était jamais rendue dans cette partie de Londres. Cette promenade l'attristait et exacerbait sa douleur.

« Cet Henry devrait être arrêté, dit Ramsès d'une voix forte. Avant d'essayer de te faire à nouveau du mal. Et la mort de ton père, tu veux sûrement la venger.

– Mon oncle Randolph en mourra s'il apprend ce qui s'est passé. S'il ne le sait déjà...

– L'oncle, celui qui est venu ce matin parce qu'il avait peur pour toi... il est innocent et il a peur pour son fils. Mais le cousin Henry est mauvais. Et le mal n'est pas réprimé. »

Elle tremblait. Les larmes lui étaient montées aux yeux.

« Je ne peux rien faire pour l'instant. C'est mon cousin, ma seule famille. Et si quelque chose doit être fait, ce le sera par un tribunal.

– Tu es en danger, Julie Stratford, lui dit-il.

– Ramsès, je ne suis pas une reine, je ne peux agir de mon propre chef.

– Mais moi je suis le roi. Je le serai toujours. Ma conscience peut porter ce poids. Laisse-moi agir quand je le jugerai bon.

– Non ! » Elle l'implora du regard. Il posa le bras sur elle et tendit la main comme pour l'enlacer. Elle ne bougea pas. « Promets-moi de ne rien faire. S'il arrive quelque chose, j'en porterai également le poids.

– Il a tué ton père.

– Tue-le et tu tueras la fille de mon père ! »

Il y eut un instant de silence. A quoi pensait-il ? Elle sentait le bras droit de Ramsès contre son bras gauche. Puis il l'attira à lui, ses seins contre sa poitrine, et il l'embrassa, forçant sa bouche à s'ouvrir. Une chaleur l'envahit. Elle leva la main comme pour le repousser et, malgré elle, ses doigts coururent dans ses cheveux. Elle le caressait délicatement, puis elle se retira, abasourdie.

Parler lui était impossible. Elle avait le visage empourpré et se sentait totalement offerte. Elle ferma les yeux. Elle savait que, s'il la touchait à nouveau, elle n'offrirait plus la moindre résistance. Elle allait se retrouver à faire l'amour dans ce fiacre si elle n'agissait pas sur-le-champ.

« Pour qui me prenais-tu, Julie ? lui demanda-t-il. Pour un pur esprit ? Je suis un *homme* immortel. »

Il voulut l'embrasser encore une fois, mais elle le repoussa de la main.

« Parlerons-nous encore de Henry ? » dit-il. Il lui prit la main et lui baisa les doigts. « Henry sait ce que je suis. Il a vu, parce que j'ai bougé pour te sauver la vie, Julie. Il a vu. Et il n'y a pas de raison de le laisser vivre avec cette connaissance, car il est le mal et mérite de mourir. »

Il savait qu'elle avait du mal à se concentrer sur les paroles qu'il prononçait.

« Henry s'est ridiculisé avec cette histoire, dit-elle, et il n'essaiera plus de me faire du mal. » Elle retira sa main et regarda par la vitre. Ils quittaient ce quartier sale et misérable, Dieu merci.

Il haussa les épaules d'un air pensif.

« Henry est un lâche », dit-elle. Elle se maîtrisait à nouveau. « Un épouvantable lâche. Ce qu'il a fait à père le prouve bien.

– Les lâches peuvent être plus dangereux que les braves, Julie.

– Ne lui fais pas de mal ! dit-elle en le regardant droit dans les yeux. Il faut s'en remettre à Dieu. Je ne peux être juge et partie !

– Voilà qui est digne d'une reine, dit-il, mais tu es plus sage que la plupart des reines. »

Il se pencha lentement pour l'embrasser. Elle savait qu'il lui fallait se détourner, mais elle ne le put pas. Elle se sentit encore une fois embrasée de l'intérieur.

Il lui sourit.

« Je suis l'hôte de ta cour, dit-il avec un geste de la main. Et tu es ma reine. »

Elliott n'eut pas la moindre difficulté à venir à bout de Rita. Bien qu'elle lui expliquât que sa maîtresse n'était pas là et qu'il lui faudrait revenir une autre fois, il entra dans la demeure et se dirigea vers le salon égyptien.

« Ah, tous ces merveilleux trésors, je n'aurai jamais assez de temps pour les examiner tous. Apportez-moi un verre de sherry, Rita. Je me sens un peu las. Je vais me reposer un instant avant de rentrer chez moi.

– Certainement, monsieur, mais...

– Du sherry, Rita.

– Bien, monsieur. »

La pauvre, comme elle avait l'air angoissé et pâle. Et cette bibliothèque, quel désordre ! Les livres traînaient un peu partout. Il regarda la table du jardin d'hiver. D'où il était, il voyait des dictionnaires et des piles de magazines posés sur les chaises.

En revanche, le Journal de Lawrence se trouvait sur le bureau, comme il l'espérait. Il l'ouvrit, vérifia qu'il s'agissait bien de ce qu'il cherchait et le dissimula sous son manteau.

Il regardait le cercueil de la momie quand Rita revint lui apporter son verre de sherry.

Il s'appuya sur sa canne et prit le verre, où il se contenta de tremper les lèvres.

« Je pense que vous ne me laisseriez pas voir la momie, n'est-ce pas ? dit-il.

– Mon Dieu, non, monsieur ! Je vous en prie, n'y touchez pas ! s'écria Rita, franchement paniquée. Le couvercle est très lourd, il ne faut pas essayer de le soulever.

– Voyons, vous savez comme moi qu'il est en bois assez mince et qu'il ne pèse pratiquement rien. »

La domestique était terrifiée.

Il sourit. Il prit un souverain dans sa poche et le lui tendit. Etonnée, elle secoua la tête.

« Non, prenez-le, mon enfant. Achetez-vous quelque chose avec. »

Avant même qu'elle trouvât à lui répondre, il prit le chemin de la sortie. Elle courut pour lui ouvrir la porte.

Il s'arrêta en bas des marches. Pourquoi n'avait-il pas profité de la situation ? Pourquoi n'avait-il pas soulevé le couvercle du cercueil royal ?

Son majordome, Walter, vint l'aider. Ce brave Walter, qui le secondait depuis son enfance. Il laissa Walter l'installer dans la voiture et se cala aux coussins avant d'étendre les jambes et de serrer les dents de douleur.

Eût-il été surpris de trouver le cercueil vide ? Non, en aucun cas. Mais il avait redouté de le constater par lui-même.

M. Hancock du British Museum n'était pas un homme patient. Toute sa vie durant, il avait tiré profit de sa dévotion à l'égard des antiquités égyptiennes pour rudoyer les autres et justifier sa grossièreté. Elle faisait partie de son caractère, de même que son amour sincère pour les reliques et les papyrus qu'il étudiait depuis si longtemps.

Il lut tout haut le gros titre aux trois personnages qui se trouvaient en sa compagnie.

« *Une momie hante Mayfair !* » Il replia le journal. « C'est positivement dégoûtant. le jeune Stratford est-il devenu fou ? »

Le personnage le plus âgé, assis juste de l'autre côté du bureau, se contenta de sourire.

« Henry Stratford est un ivrogne et un joueur invétéré. Quoi qu'il en soit, la momie n'est plus dans son cercueil !

– Nous avons laissé une collection inestimable dans une propriété privée, dit Hancock, et nous nous retrouvons avec un beau scandale ! Scotland Yard est sur les dents et les reporters de la presse à sensation campent dans la rue.

– Veuillez me pardonner, dit l'homme âgé, mais le problème de cette pièce volée est bien plus troublant.

– Oui, dit Samir Ibrahaim, mais je vous assure qu'il n'y avait que cinq pièces quand j'ai établi le catalogue de la collection, et personne n'a vu cette prétendue pièce volée.

– Il n'empêche que M. Taylor est un numismate de réputation, dit Hancock. Il est certain de l'authenticité de cette monnaie, et c'est Henry Stratford qui est venu la lui proposer.

– Stratford aurait pu la dérober en Egypte », dit l'homme âgé. Il y eut un murmure d'approbation parmi l'assistance.

« La collection devrait se trouver au musée, dit Hancock. Nous devrions être en train de procéder à l'examen de la momie de Ramsès. Le musée du Caire n'apprécie pas cette controverse. Quant à cette pièce...

– Messieurs, l'interrompit Samir, nous ne pouvons prendre de décision tant que nous n'aurons pas parlé à Mlle Stratford.

– Mlle Stratford est très jeune, dit Hancock avec hargne. Et son chagrin perturbe son jugement.

– Oui, dit l'homme âgé, mais je suis persuadé que nous n'oublions pas quelle fut la contribution de Lawrence Stratford à notre musée. Je pense que Samir a raison. Nous ne pouvons emporter cette collection tant que Mlle Stratford ne nous en aura pas donné la permission. »

Hancock regarda les journaux. « *Ramsès sort de sa tombe*, lut-il. Je n'aime pas cela.

– Il conviendrait peut-être de placer un autre garde, suggéra Samir. Peut-être même deux. »

L'homme âgé hocha la tête. « Excellente proposition. Mais n'oublions pas les sentiments de Mlle Stratford.

– Vous devriez peut-être lui rendre visite, dit Hancock en s'adressant à Samir. Vous étiez l'ami de son père.

– Très bien, monsieur, répondit Samir à voix basse. C'est ce que je ferai certainement. »

Le début de soirée, l'hôtel Victoria. Ramsès dînait depuis quatre heures du soir. Le soleil jouait alors à travers les vitres de couleur avant de tomber sur les tables parées de blanc. Il faisait sombre à présent; des bougies brûlaient un peu partout; les pales des ventilateurs tournaient avec lenteur et faisaient à peine remuer les frondaisons des palmiers dans leurs pots de cuivre.

Des serveurs en livrée apportaient plat après plat sans émettre le moindre commentaire, les sourcils levés toutefois alors qu'ils ouvraient la quatrième bouteille de vin italien.

Julie avait achevé son frugal repas depuis bien longtemps. Ils étaient en pleine conversation et les phrases anglaises coulaient avec autant de fluidité que le vin.

Elle avait montré à Ramsès comment se servir de l'argenterie, mais il ne voulait rien entendre. A son époque, seul un barbare eût enfourné ainsi la nourriture dans sa bouche.

Après avoir observé quelque temps les autres convives, il admit qu'« enfourner » n'était pas le mot qui convenait, et elle put entreprendre de lui montrer comment rompre le pain et découper les aliments avant de les placer sur la langue sans que les doigts ne vinssent toucher les lèvres.

Elle lui parlait avec passion de la Révolution industrielle.

« Les premières machines étaient assez simples, elles servaient à tisser, à labourer. C'est l'idée de machine qui est nouvelle.

– Oui.

– Si tu fabriques une machine pour faire une chose, tu peux en faire une plus parfaite pour en faire une autre.

– Je te comprends.

– Ce fut ensuite le tour de la machine à vapeur, de la voiture automobile, du téléphone, de l'aéroplane.

– Je veux faire cela, voler dans le ciel.

– Ne t'inquiète pas, nous volerons. Mais comprends-tu ce concept, cette révolution de la pensée ?

– Bien sûr. Je ne viens pas à vous, comme tu dis, de la dix-neuvième dynastie de l'histoire de l'Egypte, je viens à vous des premiers jours de l'Empire romain. Mon esprit est, comment dis-tu ? souple, adaptable. Je suis constamment en, comment dis-tu ? révolution. »

Quelque chose l'étonnait. Elle ne se rendit pas tout de suite compte de quoi il s'agissait. L'orchestre s'était mis à jouer, très doucement, et couvrait à peine le bruit des conversations. Ramsès posa sa serviette et contempla la salle de restaurant bondée.

Les doux accords de la valse de *La Veuve joyeuse* se faisaient maintenant pleinement entendre. Julie se tourna pour voir le petit ensemble à cordes installé de l'autre côté d'une piste de danse en bois vernis.

Ramsès se leva et se dirigea vers les musiciens.

« Ramsès, attends-moi. » Mais il ne l'écouta pas. Elle se précipita derrière lui. Chacun regardait cet homme de grande taille traverser la salle à grands pas et se planter devant l'orchestre comme s'il en était le chef.

Il était fasciné par les violons et la contrebasse. Le sourire lui revint quand il découvrit la grande harpe. Il avait l'air si heureux que la violoniste lui rendit son sourire et que le vieux contrebassiste parut amusé.

On dut le prendre pour un sourd-muet quand il posa les doigts sur le violoncelle, sursauta en en percevant les vibrations, et le caressa de nouveau.

Tout le monde le regardait, même les serveurs, visiblement inquiets. Mais personne n'osa poser de questions à ce gentleman si élégant, même lorsqu'il frissonna et plaqua les mains sur ses oreilles.

Elle le tirait par la manche. Il ne bougeait pas.

« Julie, quels sons ! murmura-t-il.

– Alors danse avec moi, Ramsès », dit-elle.

Personne d'autre ne dansait, mais quelle importance ? La piste était là, sous ses pieds, et elle avait envie de danser, plus que toute autre chose au monde.

Elle posa la main sur sa taille.

« Voici comment l'homme doit conduire la femme, dit-elle en esquissant les pas de la valse. En fait, ma main devrait se placer sur ton épaule. Mais laisse-moi faire, je vais te montrer... »

Ils tournaient de plus en plus vite. Ramsès suivait parfaitement et ne regardait pratiquement jamais ses pieds. Un autre couple se joignit à eux, puis un troisième, mais Julie ne les vit pas. Elle n'avait d'yeux que pour Ramsès. Elle vivait dans un tourbillon où se mêlaient les bougies et les pales dorées des ventilateurs, au-dessus de sa tête, le scintillement de l'argenterie et les flots de musique qui les entraînaient, toujours plus vite.

Il éclata de rire. « Julie, comme la musique versée d'un gobelet, comme la musique devenue du vin ! »

Ils exécutaient de petits cercles rapides.

« Révolution ! » s'écria-t-il.

Elle rejeta la tête en arrière et rit à son tour.

Et puis cela s'arrêta. Il fallait bien un final. Elle savait que c'était fini, qu'il allait l'embrasser. Mais il hésita. Il vit les autres couples se retirer et la prit par la main.

« Il est temps de partir », dit-il.

La nuit était froide et brumeuse. Elle donna la pièce au portier pour qu'il leur trouve un fiacre.

Ramsès faisait les cent pas sur le trottoir, il regardait les gens qui descendaient des véhicules à moteur et des charrettes, le petit marchand de journaux qui courait vers lui pour lui proposer la dernière édition.

« La malédiction de la momie à Mayfair ! criait le jeune garçon. La momie quitte sa tombe ! »

Avant qu'elle pût faire un geste, Ramsès avait arraché le journal à l'enfant. Julie lui donna une pièce.

Le scandale faisait la une. Il y avait même un dessin à l'encre représentant Henry en train de dévaler les escaliers.

« Ton cousin, dit Ramsès d'un air sombre. *La malédiction de la momie a encore frappé*, lut-il lentement.

– Personne n'y croit ! C'est une plaisanterie. »

Il poursuivit sa lecture : « Les responsables du British Museum assurent que la collection Ramsès est intacte et sera bientôt rendue au musée. » Il s'arrêta. « Museum, dit-il, musée. Explique le mot *musée*. Qu'est-ce que c'est, un tombeau ? »

La pauvre fille était terrorisée, c'était évident. Samir savait qu'il devait partir, mais il voulait voir Julie. C'est pourquoi il attendait au salon, assis au bord du sofa, et refusant pour la troisième fois le café, le thé ou le vin que lui proposait Rita.

De temps à autre, il parcourait la maison du regard et entrevoyait le cercueil étincelant. Si seulement Rita pouvait s'en aller, mais il était clair qu'elle ne le laisserait pas seul.

Le musée était fermé depuis plusieurs heures, mais elle voulait qu'il le vît. Elle laissa partir le fiacre et l'accompagna jusqu'aux grilles. Il regarda le portail et les hautes fenêtres. La rue était sombre, déserte, et un fin crachin s'était mis à tomber.

« Il y a de nombreuses momies à l'intérieur, lui dit-elle. La tienne se serait normalement retrouvée ici. Père travaillait pour le British Museum, mais à ses propres frais.

– Les momies des rois et des reines d'Egypte ?

– Il en reste beaucoup en Egypte. Une momie de Ramsès II y est exposée depuis plusieurs années dans une vitrine de verre. »

Il eut un rire plein d'amertume. « Tu l'as vue ? » Il se tourna vers le musée. « Pauvre fou, il n'a jamais su qu'il serait enterré dans le tombeau de Ramsès.

– Qui était-ce ? » Son cœur battait plus vite, tant de questions se pressaient sur ses lèvres.

« Je ne l'ai jamais su, dit-il doucement tout en observant le monument. J'ai envoyé mes soldats trouver un mourant, quelqu'un ignoré de tous. Ils l'ont ramené au palais, la nuit. Et ainsi j'ai pu... comment dis-tu ? organiser ma propre mort. Mon fils, Mineptah, a été satisfait, lui qui voulait être roi. » Il réfléchit un instant. Sa voix se fit plus grave. « Et tu me dis que ce corps est dans un musée avec celui de rois et de reines ?

– Oui, au musée du Caire, dit-elle. Près de Saqqarah et des pyramides, il y a une grande ville là-bas. »

Elle voyait bien à quel point une telle révélation l'affectait. Très doucement, elle reprit ses explications, sans savoir s'il l'entendait.

« Il y a longtemps de cela, la Vallée des Rois a été pillée. Les voleurs s'en sont pris à presque toutes les tombes. Le corps de Ramsès le Grand a été découvert en compagnie de dizaines d'autres dans une fosse commune creusée par les prêtres. »

Il la regarda droit dans les yeux, l'air pensif.

« Dis-moi, Julie. La reine Cléopâtre VI, qui régnait à l'époque de Jules César, son corps repose au musée du Caire ou ici ? »

Il montra le bâtiment sombre. Son visage était plus coloré qu'à l'ordinaire.

« Non, Ramsès. Personne ne sait ce qu'il est advenu des restes de Cléopâtre.

– Mais tu connais cette reine, celle dont le buste de marbre était dans mon tombeau !

– Oui, Ramsès, même les enfants des écoles connaissent le nom de Cléopâtre. Tout le monde le connaît. Mais sa tombe a été détruite dans les temps anciens. C'était la loi de l'époque, Ramsès.

– Je comprends mieux que je ne parle, Julie. Continue.

– Nul ne sait où se trouvait son tombeau et nul ne sait ce que son corps est devenu. L'époque des momies était révolue.

– Ce n'est pas cela, dit-il. Elle a été ensevelie correctement, selon le rite égyptien, mais sans magie et sans être embaumée, puis emmenée vers son tombeau, au bord de la mer. »

Il s'arrêta de parler et porta les mains à ses tempes. Puis il appuya le front aux grilles. La pluie tombait un peu plus fort. Julie avait un peu froid.

« Ce mausolée, dit-il en croisant les bras comme pour donner plus de sérieux à ses paroles, c'était une structure très vaste, recouverte de marbre.

– C'est ce que nous disent les auteurs anciens, mais il a disparu. Alexandrie n'en conserve plus la trace. Personne ne sait où il se dressait. »

Il la regarda sans rien dire avant de s'éloigner un peu de Julie. Il s'arrêta sous un réverbère et contempla la lumière jaune. Elle le rejoignit. Il la prit par la main et l'attira contre lui.

« Tu sens ma douleur, dit-il calmement. Pourtant tu sais si peu de chose de moi. Qui suis-je pour toi ? »

Elle réfléchit. « Un homme, dit-elle. Un homme beau et fort. Un homme qui souffre comme nous tous. Et je sais des choses... parce que tu les as écrites toi-même et que tu nous as laissé ces manuscrits. »

Impossible de dire si cela le satisfaisait.

« Ton père a lu ces choses, dit-il.

– Oui, il en fait une traduction.

– Je l'ai vu.

– Est-ce vrai, tout ce que tu as écrit ?

– Pourquoi mentirais-je ? »

Il voulut soudain l'embrasser et elle se recula.

« Tu choisis un curieux moment pour me faire des avances, dit-elle hors d'haleine. Nous parlions de... de tragédie, non ?

– De solitude, peut-être, et de folie. Et de ces choses auxquelles le chagrin nous pousse. »

Son visage était apaisé, il avait retrouvé un semblant de sourire.

« Tes temples sont en Egypte, dit-elle, ils sont toujours debout. Le Ramesseum à Louxor. Abou Simbel. Oh, ce ne sont pas les noms qui t'étaient familiers ! Tes statues colossales ! Des statues que le monde entier a admirées. Les poètes anglais les ont chantées. De grands généraux ont fait le voyage pour aller les voir. Je les ai approchées, j'ai posé la main sur elles. Je suis entrée dans les salles des palais. »

Il souriait toujours. « Et maintenant je marche dans ces rues modernes avec toi.

– Et cela t'emplit de joie.

– Oui, c'est très vrai. mes temples étaient anciens avant même que je ferme les yeux. Mais le mausolée de Cléopâtre venait d'être édifié. » Il lui lâcha la main. « Ah, tout cela, c'est comme hier pour moi, vois-tu ? Mais c'est aussi un rêve lointain. J'ai senti s'écouler les siècles pendant mon sommeil. Mon esprit a mûri pendant ce temps. »

Elle repensa aux textes traduits par son père.

« Quels furent tes rêves, Ramsès ?

– Je n'ai rien rêvé, ma douce chérie, rien qui puisse égaler les merveilles de ce siècle ! » Il fit une pause. « Quand nous sommes las, nous parlons avec tendresse des rêves comme s'ils incarnaient nos désirs véritables – ce que nous *aurions*, lorsque ce que nous *avons* nous déçoit si amèrement. Mais pour ce vagabond, le monde concret a toujours été le véritable objet du désir. Et la lassitude n'est apparue que lorsque le monde prenait l'apparence du rêve. »

Elle ne chercha pas à comprendre toute la signification de ses paroles. Sa courte existence avait été marquée par la douleur et la faisait chérir ce qu'elle possédait. La mort de sa mère, plusieurs années auparavant, l'avait davantage rapprochée de son père. Elle avait essayé d'aimer Alex Savarell parce que c'était ce qu'il voulait; et son père n'y avait rien trouvé à redire. Mais ce qu'elle aimait vraiment, c'étaient les idées, et les choses, tout comme son père. Etait-ce cela que Ramsès avait voulu lui dire ? Elle n'en était pas certaine.

« Tu ne veux pas revenir en Egypte, tu n'as pas non plus besoin de voir seul le vieux monde ?

– Je suis déchiré », murmura-t-il.

Une bourrasque balaya le trottoir humide; des feuilles mortes voletèrent avant de se plaquer aux grilles. Les fils électriques sifflèrent au-dessus de leurs têtes et Ramsès leva les yeux.

« Bien plus vivant qu'un rêve, dit-il en regardant à nouveau le réverbère allumé. Je veux cette époque, ma douce chérie. Tu me pardonneras de t'appeler ainsi ? Ma douce chérie... Il doit t'appeler comme cela, ton ami Alex.

– Tu peux me donner ce nom », dit-elle.

Car je t'aime plus que je ne l'ai jamais aimé !

Il lui adressa un sourire chaleureux. Il la prit dans ses bras et la souleva.

« Légère petite reine, dit-il.

– Repose-moi, grand roi.

– Et pourquoi le ferais-je ?

– Parce que je te l'ordonne. »

Il obtempéra, la déposant délicatement à terre avant de s'incliner.

« Et maintenant où allons-nous ? Nous rentrons au palais des Stratford, dans la région de Mayfair, dans la cité de Londres, en Angleterre, au pays de Britannia ?

– Oui, parce que je suis littéralement épuisée.

– Oui, et je dois étudier dans la bibliothèque de ton père, si tu le permets. Je dois lire des livres afin de *mettre en ordre*, comme tu dis, les choses que tu m'as montrées. »

Pas un bruit dans la maison. Où était donc passée la domestique ? Le café que Samir s'était résolu à accepter était froid. Il ne pouvait boire ce breuvage insipide dont il n'avait jamais eu envie.

Depuis plus d'une heure, il fixait du regard le cercueil quand, soudain, il se leva. Le parquet craqua sous son poids. Les phares d'une automobile éclairèrent brièvement la pièce, donnant momentanément vie au masque d'or de la momie. Il s'approcha du cercueil. Soulève le couvercle. Soulève-le et tu sauras. Soulève-le. Imagine. Se pourrait-il qu'il fût vide ?

Il tendit ses mains tremblantes vers le bois doré.

« Je ne ferais pas cela, monsieur ! »

Ah, la domestique. Elle était là, les mains jointes, effrayée visiblement, mais par quoi ?

« Mademoiselle Julie serait fort mécontente. »

Il ne trouva rien à dire. Il lui adressa un petit signe de tête et regagna le sofa.

« Vous devriez peut-être revenir demain, dit-elle.

– Non, je dois la voir ce soir.

– Mais, monsieur, il est très tard. »

Le pas d'un cheval dans la rue, le crissement de freins. Il entendit un rire bref et sut que c'était Julie.

Rita s'empressa d'ôter la chaîne de la porte. Samir les regarda bouche bée, qui entraient dans la maison : Julie, radieuse, les cheveux étincelants de gouttes de pluie, et cet homme grand et splendide, aux yeux bleus flamboyants, qui l'accompagnait.

Julie lui parla. Elle prononça son nom, mais il ne l'entendit pas.

Il ne pouvait détacher les yeux de cet homme. Sa peau était pâle, très lisse, et ses traits délicats. Mais l'esprit qui l'habitait en constituait la caractéristique majeure. Cet homme respirait la force et la vigueur au point que c'en était impressionnant.

« Je désirais seulement... prendre de vos nouvelles, dit-il à Julie sans vraiment la regarder. Voir si vous alliez bien. Je m'en faisais pour vous... »

Il parlait d'une voix traînante.

« Ah, je sais qui vous êtes ! dit soudain l'homme avec un accent anglais parfait. Vous êtes l'ami de Lawrence, n'est-ce pas ? Votre nom est Samir.

– Nous nous sommes déjà rencontrés ? dit Samir. Je ne

m'en souviens pas.

Ses yeux scrutèrent la créature qui s'avançait vers lui et, soudain, ils se fixèrent sur cette main tendue, sur cette bague ornée du cartouche de Ramsès le Grand. Cette bague, il l'avait vue sous les bandelettes de la momie, il n'y avait pas d'erreur possible !

Ce que disait Julie n'avait aucune importance, ses paroles aimables n'étaient que des mensonges. Quant au personnage mystérieux, il le regardait fixement, car il savait que lui, Samir, avait reconnu la bague.

« J'espère que Henry ne vous a pas débité ses sornettes... »

Samir ferma les yeux et, quand il les rouvrit, ce fut pour découvrir le regard bleu si intense du roi.

« Votre père n'aurait pas voulu que vous restiez sans protection. Il aurait souhaité que je vous rende visite...

– Ah, Samir, ami de Lawrence, dit le personnage mystérieux, il n'y a plus de danger pour Julie Stratford. » Passant sans transition à l'égyptien ancien avec cet accent que Samir n'avait jamais entendu : « Cette femme est aimée de moi et sera protégée de tout mal. » Puis revenant à l'anglais : « Vous connaissez certainement la langue des pharaons, mon ami. Vous êtes égyptien, n'est-ce pas ? Toute votre vie, vous l'avez étudiée. Vous la lisez aussi bien que le latin ou le grec. »

Cette voix si élégamment modulée, si civilisée, si courtoise, qui s'efforçait de dissiper toute crainte. Qu'aurait pu exiger de plus Samir ?

« C'est exact, monsieur, dit Samir. Mais je ne l'ai jamais entendu prononcer, et son accent m'a toujours été mystérieux. » Il s'obligea à regarder franchement l'inconnu. « Vous êtes égyptologue, m'a-t-on dit. Croyez-vous que c'est la malédiction du tombeau qui a tué mon cher ami Lawrence ? Ou la mort l'a-t-elle pris naturellement, ainsi que nous le supposons ? »

L'homme parut peser la question. A quelques pas de lui, dans l'ombre, Julie pâlit et baissa les yeux.

« Les malédictions sont des mots, mon ami, dit l'homme. Des avertissements pour éloigner l'ignorant et le curieux. Il faut du poison ou quelque arme aussi brutale pour prendre une vie humaine.

– Du poison ! s'exclama Samir.

– Samir, il est très tard, dit Julie d'une voix tendue. Ne parlons pas de cela à présent, c'est par trop douloureux. Nous n'aborderons ce sujet que lorsque nous voudrons vraiment aboutir à des conclusions. » Elle s'avança et lui prit les mains. « Revenez un autre soir, nous parlerons ensemble de tout cela.

– Oui. Julie Stratford est très fatiguée. Julie Stratford a été un bon professeur. Et je vous souhaite bonne nuit, mon ami. Car vous l'êtes, n'est-ce pas ? Il y a sans aucun doute de nombreuses choses que nous devrions nous confier. Pour l'heure, je me charge de protéger Julie Stratford de toute chose ou de tout homme qui chercherait à lui nuire. »

Samir se dirigea lentement vers la porte.

« Si vous avez besoin de moi, dit-il en se retournant, n'hésitez pas à faire appel à moi. » Il fouilla dans son manteau et en tira une carte, qu'il regarda comme s'il ne la connaissait pas, avant de la tendre. Il vit la bague jouer avec la lumière quand l'homme s'en empara.

« Je reste très tard chaque soir dans mon bureau du British Museum. Je me promène dans les couloirs quand tout le monde est parti. Empruntez la porte de service, vous me trouverez facilement. »

Pourquoi disait-il cela ? Qu'espérait-il provoquer ? Il aurait aimé que ce personnage mystérieux reparlât devant lui dans cette langue ancienne. Il ne comprenait pas le mélange de joie et de peine qu'il éprouvait en cet instant, l'étrange assombrissement du monde et la lumière si vive qui l'avait accompagné.

Il se hâta de descendre les marches de granit sans jeter un coup d'œil aux gardes en uniforme. Il s'éloigna à toute allure dans les rues froides et humides, ignorant les fiacres qui ralentissaient à son approche. Il ne désirait qu'une chose, être seul ! Il ne cessait de revoir cette bague, d'entendre ces mots égyptiens prononcés pour la première fois avec leur accent véritable. Il en aurait pleuré.

« Lawrence, conseille-moi », murmurait-il.

Julie referma la porte et mit la chaîne.

Elle se tourna vers Ramsès. Elle pouvait entendre Rita marcher à l'étage. Ils étaient seuls.

« Tu ne penses tout de même pas lui confier ton secret !

dit-elle.

– Le mal est fait, répondit-il avec beaucoup de calme. Il connaît la vérité. Ton cousin Henry racontera tout, et les autres en viendront à le croire.

– Non, c'est impossible. Tu as vu toi-même ce qui s'est passé avec la police. Samir sait parce qu'il a vu ta bague, il l'a reconnue. Il n'en ira pas ainsi avec les autres. Cependant...

– Cependant ?

– Tu voulais qu'il sache. C'est pour cela que tu l'as appelé par son nom. Tu lui as dit qui tu étais.

– Vraiment ?

– Oui, je le crois. »

Il réfléchit. Il ne trouvait pas cette idée très agréable.

« Deux hommes peuvent en persuader un troisième, dit-il sentencieusement.

– Ils ne peuvent rien prouver. Tu es bien réel, oui, et la bague est, elle aussi, bien réelle, mais elle est la seule chose qui établisse un lien entre toi et le passé ! Tu ne comprendras pas cette époque si tu penses que les hommes n'ont besoin que de cela pour croire qu'un être est sorti de sa tombe. C'est l'ère de la science, pas de la religion. »

Il rassemblait ses pensées. Il pencha la tête, croisa les bras et marcha de long en large.

« Oh, ma douce chérie, si seulement tu pouvais comprendre », dit-il. Il n'y avait pas d'insistance dans sa voix. « Pendant mille ans, j'ai caché ce secret, même à ceux que j'ai aimés et servis. Ils n'ont jamais su d'où je venais, quel âge j'avais ou ce que j'avais connu. Et voici que je m'éveille à ton époque et que je révèle cette vérité à plus de mortels en une seule lune que depuis le temps où Ramsès régnait sur l'Egypte.

– Je comprends », dit-elle. Mais elle pensait tout autrement. *Tu as déjà écrit toute cette histoire. Tu as laissé ces rouleaux de papyrus. Tout cela parce que tu ne pouvais plus porter seul ton secret.* « Tu ne comprends pas ce siècle, dit-elle. Les miracles ne sont compris de personne, même de ceux par qui ils adviennent.

– Quelle étrange pensée !

– Même si je devais le crier sur les toits, personne ne me croirait. Ton élixir est en sécurité, que tes poisons soient là ou pas. »

On eût dit qu'un trait de douleur l'avait transpercé. Elle s'en aperçut. Elle regretta ses paroles. Quelle folie de penser que cette créature est toute-puissante, que son sourire ne dissimule pas une vulnérabilité aussi grande que sa force. Elle était désespérée. Elle attendit. Et le sourire de Ramsès vint, une fois de plus, la tirer de ce mauvais pas.

« Nous ne pouvons qu'attendre, Julie Stratford. »

Elle soupira. Il se débarrassa de son manteau et se retira dans le salon égyptien. Il regarda le cercueil, son cercueil, puis la rangée de pots. Il tendit la main et alluma la lumière électrique, ainsi qu'il l'avait vue faire, et examina les rangées de livres derrière le bureau de Lawrence.

« Tu as certainement besoin de dormir, dit-elle. Je vais te conduire dans la chambre de père.

– Non, ma douce chérie, je ne dors pas, sauf quand je désire prendre congé de la vie.

– Tu veux dire... d'une journée à l'autre, tu n'as pas besoin de sommeil ?

– C'est exact, dit-il en lui adressant son plus beau sourire. Et j'aimerais te confier un autre secret. Je n'ai besoin ni de nourriture ni de boisson, j'en ai tout simplement envie ! Mais ce dont j'ai besoin, à présent, c'est de lire les livres de ton père, si tu me le permets.

– Tu n'as pas besoin de me le demander. Prends tout ce que tu veux. Tu peux t'installer dans sa chambre, mettre sa tenue d'intérieur. Je veux que tu te sentes parfaitement à l'aise. »

Ils se regardèrent. Quelques mètres les séparaient, et elle s'en trouvait fort bien ainsi.

« Je vais te laisser », dit-elle. Mais il la prit par la main et la lui baisa avant de l'enlacer et de la serrer contre lui pour l'embrasser fougueusement. Et, brusquement, il la relâcha.

« Julie est reine dans son propre domaine, dit-il comme s'il s'excusait.

– Ce que tu as dit à Samir, ne l'oublie surtout pas : “ Je me charge de protéger Julie Stratford de toute chose ou de tout homme qui chercherait à lui nuire. ”

– Je n'ai pas menti. Et j'aimerais m'allonger à ton côté afin de mieux te protéger. »

Elle rit doucement. Mieux valait s'en aller maintenant alors que cela lui était encore moralement et physiquement possible. « Oh, il y a autre chose... » Elle s'approcha du meuble qui renfermait le gramophone. Elle le remonta et chercha un disque dans la pile. *Aïda* de Verdi. « Ah, voilà », dit-elle. Il n'y avait pas sur la pochette d'illustration qui eût pu raviver ses souvenirs. Elle posa le lourd disque noir sur le plateau de velours et mit le bras en place. Elle se retourna pour voir sa réaction lorsque retentirait la marche triomphale.

« Oh, mais c'est de la magie ! Cette machine fait de la musique ! »

Bras croisés, tête penchée, il se balançait au rythme de la musique. Il chantait à voix basse, tout doucement.

La simple vue de la chemise blanche tendue sur ses épaules et ses bras puissants suffisait pour parcourir Julie de délicieux frissons.

CHAPITRE HUIT

Minuit sonnait quand Elliott referma le carnet. Il avait passé la soirée à lire et à relire la traduction de Lawrence ainsi que les vieilles biographies poussiéreuses consacrées au roi appelé Ramsès le Grand ainsi qu'à la reine connue sous le nom de Cléopâtre. Il n'y avait rien dans ces ouvrages historiques pour contredire les déclarations fracassantes de la momie.

Un homme qui avait régné pendant soixante ans sur l'Egypte pouvait fort bien être immortel. Et le règne de Cléopâtre VI avait été remarquable à tout point de vue.

Une chose l'avait toutefois réellement intrigué : un paragraphe que Lawrence avait écrit en latin et en égyptien et qui marquait la fin de ses notes. Elliott n'avait eu aucun mal à le déchiffrer. A Oxford, c'est en latin qu'il avait tenu son Journal intime, et il avait étudié l'égyptien pendant des années aux côtés de Lawrence avant d'en poursuivre seul l'apprentissage.

Il ne s'agissait pas d'une transcription des confessions de Ramsès. Ce paragraphe concernait les commentaires personnels de Lawrence à propos de ce qu'il venait de lire.

« Prétend avoir pris cet élixir une fois pour toutes. Une nouvelle infusion ne fut pas nécessaire. A préparé la mixture pour Cléopâtre, mais a pensé qu'il était mauvais de s'en débarrasser. N'a pas voulu l'absorber par crainte des effets contraires. Si l'on testait toutes les substances chimiques du tombeau ? S'il y en avait une qui eût un effet rajeunissant sur le corps humain et pût prolonger la vie de manière tangible ? »

Les deux lignes en égyptien étaient incohérentes. On y parlait de magie, de secrets, d'ingrédients naturels combinés pour produire des effets entièrement nouveaux.

C'était donc là ce à quoi Lawrence avait cru, approximativement. Et il s'était donné la peine d'utiliser des langues anciennes afin de mieux le dissimuler. Mais que pensait Elliott de toute cette histoire, particulièrement des déclarations de Henry relatives à la résurrection de la momie ?

Une fois de plus, il se dit qu'il jouait là à un petit jeu véritablement dramatique et que « croire » est un mot dont nous n'examinons que rarement toute la portée. Par exemple, il avait, toute sa vie durant, « cru » à l'enseignement de l'Eglise d'Angleterre, mais il n'avait jamais sérieusement envisagé d'aller au ciel après sa mort et encore moins en enfer. Il n'aurait pas parié un sou sur l'existence de l'un ou de l'autre.

Une chose était cependant certaine. S'il lui avait été donné de voir la momie sortir de son cercueil, comme le prétendait Henry, il ne se serait en aucun cas conduit comme ce dernier. Henry était un homme dépourvu d'imagination. Et ce manque d'imagination avait toujours été tragique. Il se rendit alors compte que Henry était un garçon incapable d'entrevoir *les implications* des choses.

Loin de fuir ce mystère, comme Henry avait choisi de le faire, Elliott s'y jetait à corps perdu. Si seulement il avait pu rester un peu plus longtemps dans la maison des Stratford et faire preuve d'un peu plus d'intelligence. Il aurait pu examiner les pots d'albâtre, emporter l'un des rouleaux. La pauvre Rita n'aurait pas osé s'opposer à lui.

Il regrettait de n'avoir rien fait.

Il regrettait aussi les souffrances de son fils, Alex. C'était là le seul côté déplaisant de cette étonnante aventure.

Alex avait appelé Julie pendant toute la journée. Il s'inquiétait beaucoup de la présence dans la maison de Julie de cet homme qu'il n'avait aperçu qu'à travers les portes du jardin d'hiver – « un homme énorme, enfin, très grand, avec des yeux bleus. Beaucoup d'allure, c'est vrai... mais certainement trop âgé pour faire la cour à Julie ! »

A huit heures du soir, il avait reçu un appel téléphonique émanant de l'un de ces amis bien intentionnés qui passaient leur temps à répandre des rumeurs. On avait vu Julie danser à l'hôtel Victoria dans les bras d'un étranger à la fois beau et imposant. Alex et Julie n'étaient donc pas fiancés ? Alex était mort d'inquiétude. Il avait appelé chez Julie à chaque heure de l'après-midi et n'avait jamais obtenu la moindre réponse. Finalement, il avait supplié son père d'intervenir. Elliott ne pourrait-il démêler tout cela ?

Oui, Elliott le pourrait, car il se sentait étrangement revigoré par toute cette histoire. Il ne cessait de penser à Ramsès le Grand et à son élixir de vie dissimulé parmi les poisons.

Il quitta son fauteuil sans se préoccuper de ses jambes douloureuses et alla à son bureau afin d'écrire une lettre.

> Ma très chère Julie,
>
> Il est venu à ma connaissance que tu abritais un hôte, un ami de ton père, je crois. Il me serait très agréable de faire la connaissance de ce monsieur. Si je puis t'être de quelque utilité pendant son séjour, ce sera avec un réel plaisir que je t'obligerai.
>
> Puis-je te prier de te joindre à nous demain soir, avec ton ami, pour un dîner intime...

Il ne lui fallut que quelques instants pour écrire ces mots. Il glissa la lettre dans une enveloppe, la scella et se rendit dans le hall d'entrée pour la déposer sur un plateau d'argent; Walter, son majordome, irait la porter dès le lendemain matin. Il réfléchit. C'était là ce qu'Alex lui avait demandé, mais, en vérité, ce n'était pas pour son fils qu'il agissait de la sorte. Un tel dîner risquait d'être encore plus douloureux pour Alex, mais plus il comprendrait tôt... Non, il ne savait pas ce qu'Alex était censé comprendre. Tout ce qu'il savait, c'était que lui-même était emballé par ce mystère qui se révélait progressivement à lui.

Il se dirigea vers le portemanteau, prit sa lourde cape de serge et emprunta la porte de service pour sortir dans la rue. Quatre automobiles y étaient garées, mais la Lancia Theta, celle équipée d'un démarreur électrique, était la seule qu'il eût jamais conduite. Une année entière s'était écoulée depuis la dernière fois où il s'était offert ce plaisir extraordinaire.

Il appréciait beaucoup de pouvoir se débrouiller seul, sans avoir recours à un chauffeur, un domestique ou un valet de pied. Quel formidable progrès qu'une invention aussi complexe pût lui faire recouvrer la simplicité !

Le plus difficile fut de s'installer sur le siège, mais il y parvint tout de même. Il appuya sur la pédale du démarreur, lâcha les gaz, et se retrouva jeune homme, lorsqu'il fonçait vers Mayfair au triple galop de son cheval.

Après avoir quitté Ramsès, Julie se hâta de monter à l'étage et de s'enfermer dans sa chambre. Elle resta longuement appuyée contre la porte, les yeux clos. Elle entendait Rita s'affairer, elle sentait le parfum des chandelles de cire que la domestique allumait toujours près de son lit. Une petite touche de romantisme qui lui rappelait son enfance – avant l'apparition des ampoules électriques, lorsque les lampes à gaz avaient toujours quelque chose d'un peu écœurant.

Elle ne pensait à rien sinon à ce qu'il venait de se passer. Tout cela si était énorme qu'elle ne pouvait réfléchir un tant soit peu. Elle vivait une aventure exceptionnelle, c'était là tout ce qu'elle pouvait se dire. En dehors du fait qu'elle éprouvait pour Ramsès une attirance physique qui avait quelque chose de douloureux.

Non, pas seulement physique. Elle tombait amoureuse de tout son être.

En ouvrant les yeux, elle vit le portrait d'Alex sur sa table de chevet. Et Rita, dans l'ombre, qui venait d'étaler sa chemise de nuit sur la courtepointe de dentelle. Puis, peu à peu, elle prit conscience des fleurs qui embaumaient la pièce. Il y avait des bouquets partout, sur les tables de nuit, sur la coiffeuse, sur le secrétaire.

« C'est de la part de monsieur le vicomte, mademoiselle, lui dit Rita. Tous ces bouquets. Je ne sais pas ce qu'il va penser de tout cela, mademoiselle... Moi-même, je ne sais pas trop quoi penser...

– Je m'en doute bien, Rita, mais de grâce, vous ne devez rien à dire à personne.

– Qui me croirait, mademoiselle ? Mais je vous l'avoue, je ne comprends rien. Pourquoi se cache-t-il dans cette boîte ? Et pourquoi dévore-t-il toute cette nourriture ? »

Julie se montra incapable de lui répondre. Dieu sait ce que Rita pouvait bien imaginer.

« Rita, vous ne devez vous inquiéter de rien, dit Julie en la prenant par la main. Me croirez-vous si je vous dis que c'est un gentleman et qu'il y a une explication à tout ? »

Rita fixait Julie du regard. Soudain, elle ouvrit tout grands ses petits yeux bleus. « Mais, mademoiselle Julie, s'exclama-t-elle, si c'est un monsieur bien, pourquoi se cache-t-il à Londres ainsi ? Et comment a-t-il fait pour ne pas étouffer sous tous ces chiffons ? »

Julie réfléchit un instant.

« Rita, père était au courant de mon projet, dit-elle, et il l'approuvait. »

Brûle-t-on vraiment en enfer lorsque l'on dit des mensonges ? se demanda Julie. Principalement des mensonges qui ont la vertu d'apaiser autrui ?

« Je puis même ajouter que cet homme a une mission très importante, reprit Julie. Seuls quelques membres du gouvernement sont au courant.

– Oh !

– Bien sûr, certains personnages importants de la Stratford Shipping sont également dans le secret, mais vous ne devez en souffler mot à quiconque. Ne dites rien à l'oncle Randolph, à Henry ou à Lord Rutherford...

– Je comprends, mademoiselle, fit Rita en hochant la tête. Je n'imaginais pas tout ça. »

Dès que la porte se fut refermée, Julie pouffa de rire dans sa main comme une écolière. Le principal était que son explication se tenait. Ce que Rita croyait était peut-être insensé, mais c'était en tout cas bien plus plausible que ce qui s'était vraiment passé.

Ce qui s'était vraiment passé... Elle s'assit devant son miroir. Machinalement, elle ôta les épingles de ses cheveux. Sa vision se brouilla. Elle vit sa chambre comme au travers d'une gaze. Son univers intime lui paraissait lointain, sans importance désormais.

Comme dans un état second, elle brossa ses cheveux, se dévêtit et passa sa chemise de nuit avant de se glisser sous les couvertures. Les chandelles brûlaient encore, les fleurs distillaient leur parfum.

Demain, elle l'emmènerait voir les musées, s'il le souhaitait. Ils prendraient le train pour aller à la campagne, pourquoi pas ? Ils pourraient se rendre à la tour de Londres. Il y avait tant de choses, tant de choses à voir...

Et puis, elle cessa brusquement de penser. Elle le voyait; elle se voyait, elle, et lui, ensemble.

Samir était assis à son bureau depuis près d'une heure. Il avait bu une demi-bouteille de Pernod, apéritif qu'il avait toujours aimé et qu'il avait découvert dans un café français du Caire. Il n'était pas le moins du monde ivre; l'alcool n'avait fait que calmer l'agitation qui s'était emparée de lui peu après son départ de la propriété des Stratford. Mais, lorsqu'il essayait de réfléchir soigneusement aux événements, son agitation le reprenait.

Il sursauta en entendant taper à la fenêtre. Son bureau se situait à l'arrière du musée. La seule lumière de tout le bâtiment était celle de son cabinet de travail.

Il ne voyait pas le personnage qui se tenait à l'extérieur, mais il savait de qui il s'agissait. Il fut levé avant que l'on ne frappât à nouveau. Il sortit dans le couloir et ouvrit la petite porte qui donnait sur la rue.

Dans son manteau trempé par la pluie, vêtu d'une chemise ouverte sur la poitrine, Ramsès le Grand l'attendait. Samir sortit de l'ombre. La pluie avait rendu luisants les murs de pierre et le pavé de la rue.

« Que puis-je pour vous, sire ? s'enquit Samir. Quel service puis-je vous rendre ?

– Je désire entrer, honnête homme, dit Ramsès. Si vous le permettez, j'aimerais voir les reliques de mes ancêtres et de mes enfants. »

Un frisson de plaisir parcourut Samir quand il entendit ces mots. Il sentit les larmes lui monter aux yeux. Nul n'aurait été capable de comprendre le bonheur qui l'envahissait.

« Avec plaisir, sire. Permettez-moi de vous guider. C'est un grand honneur. »

Elliott vit de la lumière dans la bibliothèque de Randolph. Il rangea sa voiture au bord du trottoir, juste à côté des anciennes écuries, en descendit, réussit à monter les marches et actionna la sonnette. Randolph vint lui ouvrir en personne. Il était en bras de chemise et son haleine sentait le vin.

« Juste Ciel, savez-vous l'heure qu'il est ? » demanda-t-il. Il fit signe à Elliott de le suivre dans la bibliothèque. C'était une pièce à la décoration surchargée, tapageuse; les murs étaient ornés de gravures représentant des chiens, des chevaux et des cartes géographiques que personne ne consultait jamais.

« Je vais vous dire la vérité tout de go. Je suis trop fatigué pour agir autrement, dit Randolph. Vous arrivez à pic pour répondre à une question de la plus grande importance.

– Et quelle est-elle ? »

Elliott vit Randolph s'installer à son bureau, monstrueux meuble d'acajou lourdement travaillé. Le plateau était recouvert de papiers et de registres comptables. Il y avait aussi des piles de factures, ainsi qu'un gros téléphone, très laid, et des boîtes de cuir renfermant des trombones et des crayons.

« Les anciens Romains... » commença Randolph. Il se cala à son fauteuil et but un peu de vin sans même penser à en proposer à Elliott. « Que faisaient-ils quand ils étaient déshonorés ? Ils se tailladaient les poignets, non ? Et ils perdaient tout leur sang avec élégance. »

Elliott l'observait. Il avait les yeux rouges, la main qui tremblotait. Il se leva en s'aidant de sa canne, s'approcha du bureau et se versa un peu de vin avant de remplir le verre de Randolph. Puis il regagna son fauteuil.

Randolph le regarda faire comme si rien de cela n'avait d'importance. Il posa les coudes sur le bureau et passa ses gros doigts ridés dans ses cheveux grisonnants.

« Si ma mémoire m'est fidèle, dit Elliott, Brutus s'est jeté sur son épée. Marc Antoine s'y est pris de même, mais il s'est raté. Il a pris une corde dans la chambre à coucher de Cléopâtre et a finalement réussi à se tuer. Quant à elle, elle a choisi le venin du serpent. Mais, oui, pour répondre à votre question, il arrivait aux Romains de se taillader les poignets. Permettez-moi cependant de vous faire observer qu'aucune somme d'argent ne peut acheter la vie d'un homme. Cessez donc de penser à tout cela. »

Randolph sourit. Elliott goûta le vin. Il était excellent. Les Stratford buvaient toujours du très bon vin.

« Vraiment ? dit Randolph. Aucune somme d'argent... Mais où vais-je trouver la somme d'argent qui empêchera ma nièce de deviner toute l'étendue de ma perfidie ? »

Le comte secoua la tête. « Si vous mettez fin à vos jours, elle comprendra tout, indubitablement.

– Oui, mais je ne serai plus là pour répondre à ses questions.

– C'est si peu de chose. Cela ne justifie pas, en tout cas, d'abréger votre existence. Vous dites des absurdités.

– Vraiment ? Elle n'épousera pas Alex. Vous le savez aussi bien que moi. Et, même si elle le faisait, elle ne se désintéresserait pas de la Stratford Shipping. Je suis au bord du gouffre.

– Mais non.

– Ah oui ? Pourquoi ?

– Attendez quelques jours et vous verrez si je n'ai pas raison. Votre nièce a de quoi se distraire. Son invité venu du Caire, ce Reginald Ramsey. Alex est désespéré, bien entendu, mais il s'en remettra. Et puis, ce Reginald Ramsey peut aussi bien que mon fils éloigner Julie de la Stratford Shipping. Vos problèmes connaîtraient alors une solution. Elle vous pardonnerait tout.

– J'ai vu cet homme ! s'écria Randolph. Je l'ai vu ce matin, quand Henry m'a fait cette scène ridicule. Vous ne voulez tout de même pas dire...

– J'ai ma petite idée sur la question. Julie et cet homme...

– Henry devrait se trouver dans cette maison !

– N'y pensez plus. Ce que vous dites n'a vraiment aucune importance.

– On dirait que tout ceci vous réjouit ! Je vous aurais cru plus perturbé que moi.

– Cela n'est pas important.

– Ah oui ? Depuis quand ?

– Depuis que je me suis mis à réfléchir, à vraiment réfléchir à ce que sont nos existences. La vieillesse et la mort nous attendent. Incapables de regarder la vérité en face, nous recherchons d'éternelles distractions.

– Elliott, je vous en prie ! Ce n'est pas à Lawrence que vous parlez ! J'aimerais partager votre noble point de vue, mais, à l'heure qu'il est, je vendrais mon âme cent mille livres. Et je connais plus d'un individu qui ferait de même.

– Pas moi, dit Elliott. De plus, je n'ai pas cent mille livres et je ne les aurai jamais. Je vous les offrirais volontiers si je les avais.

– Vraiment ?

– Oh oui. Mais permettez-moi de donner un autre tour à cette conversation. Je crois que Julie n'a pas envie d'être interrogée à propos de son ami, M. Ramsey. Elle recherche un peu d'indépendance. Ensuite, vous serez à nouveau maître du jeu.

– Vous êtes sérieux ?
– Oui. Je vais rentrer, Randolph, je suis fatigué. Ne vous tailladez pas les poignets. Buvez tout votre saoul, mais ne faites rien d'irréparable. Venez dîner chez moi demain soir. J'ai invité Julie et ce mystérieux personnage. Ne me faites pas défaut. Je peux compter sur vous ?
– A dîner, demain soir ? dit Randolph. Vous venez chez moi à une heure du matin pour me dire cela ? »
Elliott rit. Il posa son verre et se leva.
« Non, dit-il, je suis venu vous sauver la vie. Croyez-moi, elle vaut plus que cent mille livres. Le fait d'être vivant... de ne pas souffrir... Mais pourquoi expliquer tout cela ?
– Ne vous en donnez pas la peine.
– Bonne nuit, mon ami. N'oubliez pas. Demain soir. Ne me raccompagnez pas. Et allez vous coucher, cela vaut mieux. »

Muni d'une torche électrique, Samir avait rapidement montré toute la collection à Ramsès. Quoi qu'il éprouvât, le roi ne dit rien. Il examina soigneusement chaque objet volumineux – momie, sarcophage ou statue – et ne s'intéressa pratiquement pas à la multitude de reliques de petite taille qui emplissaient les vitrines.
Leurs pas résonnaient sur les dalles du sol. Le gardien était habitué aux errances nocturnes de Samir et ne les avait pas importunés.
« En Egypte, ce sont de véritables trésors, dit Samir. Les corps des rois. Ce n'est là qu'une infime partie de ce qui a été sauvé du pillage. »
Ramsès s'était arrêté. Il regardait un sarcophage ptolémaïque, une de ces curieuses créations hybrides dans lesquelles le cercueil de style égyptien était orné d'un masque grec très réaliste et non pas d'un masque stylisé, comme aux siècles précédents. Il s'agissait, dans le cas présent, du cercueil d'une femme.
« L'Egypte, dit Ramsès. Soudain, le passé m'empêche de voir le présent. Je ne puis embrasser cette époque moderne tant que je n'aurai pas dit adieu à cet âge lointain. »
Samir se prit à frissonner. Sa douce tristesse avait à nouveau cédé la place à l'effroi, à la terreur silencieuse qu'il éprouvait au contact de cet être surnaturel et pourtant bien réel.

Le roi tourna le dos aux trésors. « Aidez-moi à sortir, mon ami, dit-il. Je suis perdu dans ce labyrinthe. Je n'aime pas ce concept de musée. »

Samir marchait à grandes enjambées à ses côtés. Le faisceau de sa torche éclairait le sol.

« Sire, si vous désirez regagner l'Egypte, faites-le tout de suite. C'est le conseil que je puis vous donner, même si je sais que vous ne me le demandez pas. Emmenez Julie Stratford si vous le désirez. Mais quittez l'Angleterre.

– Pourquoi dites-vous cela ?

– Les autorités savent que les pièces ont été volées à la collection. Elles veulent récupérer la momie de Ramsès le Grand. Il y a beaucoup de bavardages et de soupçons. »

Samir lisait la menace sur le visage de Ramsès. « Maudit soit Henry Stratford, dit-il dans un souffle. Il a empoisonné son oncle, cet homme de savoir et de grande sagesse. Cet homme de sa chair et de son sang. Et il a dérobé une pièce alors qu'il gisait à terre. »

Samir s'immobilisa. C'était plus qu'il n'en pouvait supporter, mais il sut immédiatement que c'était la vérité. En voyant le corps de son ami, il avait compris qu'il se passait quelque chose de terrible. Sa mort n'avait rien de naturel. Mais il avait pris Henry Stratford pour un lâche. Lentement, il reprit son souffle. Il regarda la grande silhouette dressée à côté de lui.

« Vous avez déjà essayé de me dire cela, murmura-t-il. Et je ne voulais pas y croire.

– Je l'ai vu de mes yeux, serviteur bien-aimé, dit le roi. De même que je vous ai vu approcher le cadavre de votre ami Lawrence et vous mettre à pleurer. Ces visions se sont mêlées à mes rêves d'éveil, mais je m'en souviens parfaitement.

– Ah, cela ne peut rester sans vengeance ! » Samir en frémissait de rage.

Ramsès lui posa une main sur l'épaule. Ils reprirent lentement leur marche.

« Et cet Henry Stratford connaît mon secret, dit Ramsès. L'histoire qu'il a racontée est véridique. Car lorsqu'il a tenté par le même procédé de ravir la vie de sa cousine, je suis sorti de mon cercueil pour l'en empêcher. Oh, si seulement j'avais joui de toutes mes forces, j'en aurais fini une fois pour toutes. Je l'aurais emmailloté dans les bandelettes et l'aurais couché dans ce cercueil décoré afin que le monde entier pût contempler Ramsès. »

Samir eut un sourire amer. « Une juste récompense », dit-il à voix basse. Il sentit les larmes couler sur son visage, mais pas l'apaisement que de telles larmes apportent. « Qu'allez-vous faire à présent, sire ?

– Le tuer, naturellement. Pour le bien de Julie et le mien propre. Il n'y a pas d'autre possibilité.

– Vous attendez une occasion ?

– J'attends la permission. Julie Stratford a la conscience délicate de ceux qui n'ont pas l'habitude des effusions de sang. Elle aime son oncle et la violence lui fait horreur. Je comprends son raisonnement, mais je bous d'impatience. Et de colère. Je veux que cet Henry ne nous menace plus.

– Et moi ? Je connais votre secret, sire. Me tuerez-vous pour le protéger ? »

Ramsès s'arrêta. « Je n'exige pas l'amitié de ceux à qui je veux nuire. Mais dites-moi, sur votre honneur, qui d'autre connaît mon secret ?

– Lord Rutherford, le père du jeune homme qui courtise Julie...

– Ah, celui que l'on appelle Alex et qui a de si doux yeux.

– Oui, sire. Son père est un homme sur qui il faut compter. Il a des doutes. Et surtout, il peut croire, plus honnêtement encore que le jeune Stratford.

– Cette connaissance est un poison ! Aussi mortel que les poisons de mon tombeau. Après la fascination, il y a la rapacité, puis le désespoir. »

Ils étaient arrivés à la petite porte. La pluie tombait.

« Dites-moi pourquoi cette connaissance n'est pas pour vous un poison, demanda Ramsès.

– Je ne souhaite pas vivre à tout jamais, sire. »

Silence.

« Je sais. Je vois cela. Mais, au plus profond de moi-même, je ne le comprends pas.

– Il est étrange, sire, que je doive vous fournir des explications, vous qui savez certainement des choses que j'ignorerai toujours.

– Je vous serais reconnaissant de m'expliquer cela.

– J'ai trouvé déjà difficile de vivre jusqu'ici. J'aimais mon ami, je crains pour sa fille. je crains pour vous. Je crains d'acquérir toute connaissance qui ne me servira pas dans un but moral. »

Il y eut un nouveau silence.

« Vous êtes un homme sage, dit Ramsès. Mais ne craignez rien pour Julie. Je protégerai Julie, y compris de moi-même.

– Suivez mon conseil, partez immédiatement. Il y a des rumeurs. On découvrira bientôt que le cercueil est vide. Mais, si vous êtes parti, le calme reviendra. Soyez-en assuré.

– Oui. Je partirai. Je dois revoir l'Egypte. Je dois voir la cité moderne d'Alexandrie recouvrir les palais et les rues que je connaissais. Je dois revoir l'Egypte pour en finir avec elle et ne plus penser qu'au monde moderne. Mais quand, je ne le sais pas.

– Il vous faudra des papiers pour voyager, sire. A notre époque, on ne peut être un homme sans identité. Je peux vous obtenir ces papiers. »

Ramsès réfléchit. Puis : « Dites-moi où je peux trouver Henry Stratford.

– Je ne le sais pas, sire. Car, si je le savais, je pourrais le tuer de mes mains. Il loge chez son père quand cela lui convient. Il a aussi une maîtresse. Je vous presse de quitter l'Angleterre à présent et d'attendre le moment propice pour exercer votre vengeance. Permettez-moi de vous procurer les documents dont vous aurez besoin. »

Ramsès hocha la tête, mais ce ne fut pas par acquiescement. Il reconnaissait simplement la générosité du conseil, et Samir le savait bien.

« Samir, comment puis-je récompenser votre loyauté ? lui demanda Ramsès. Que voulez-vous que je puisse vous donner ?

– Etre à vos côtés, sire. Vous connaître. Découvrir une parcelle de votre sagesse. Vous avez éclipsé les mystères que j'aimais. Vous êtes le mystère désormais. Mais je ne demande rien, sincèrement, si ce n'est que vous partiez pour votre propre sécurité. Et que vous protégiez Julie Stratford. »

Ramsès lui adressa un sourire d'approbation.

« Trouvez-moi ces documents de voyage », dit-il.

Il plongea la main dans sa poche et produisit une pièce d'or que Samir reconnut immédiatement. Il n'avait pas besoin d'en examiner le dessin.

« Non, sire, je ne le puis pas. Ce n'est plus une monnaie,

c'est plutôt une...

– Servez-vous-en, mon ami. Il y en a beaucoup là d'où je viens. En Egypte, j'ai des trésors cachés dont je ne connais même pas la valeur. »

Samir prit la pièce, incertain de ce qu'il en ferait.

« Je vous aurai ces papiers.

– Et pour vous ? Il doit y avoir des choses nécessaires pour que vous puissiez voyager avec nous. »

Samir sentit son cœur battre plus vite. Il contempla le visage du roi, à demi plongé dans la pénombre.

« Oui, sire. Si c'est là ce que vous souhaitez, je serai heureux de vous accompagner. »

Ramsès lui adressa un petit signe de politesse. Samir ouvrit la porte. Ramsès s'inclina et sortit dans la rue.

Samir demeura longtemps immobile. Il sentait le froid et l'humidité de l'extérieur, mais il était bien incapable de faire un geste. Finalement, il referma la porte et parcourut les couloirs sombres du musée avant de déboucher dans le Salon central.

Une impressionnante statue de Ramsès le Grand se dressait là depuis des années et accueillait les visiteurs.

Elle n'avait suscité qu'un sourire amusé de la part du roi, mais Samir la regardait fixement, et son attitude était celle de l'adoration la plus muette.

L'inspecteur Trent était assis à son bureau de Scotland Yard et réfléchissait. Il était plus de deux heures. Le sergent Galton était depuis longtemps rentré chez lui. Lui-même était fatigué, mais il ne pouvait s'empêcher de ruminer tous les aspects de cette étrange affaire dont le meurtre était désormais un élément capital.

Il n'avait jamais pu s'accoutumer à l'examen des cadavres. Il s'était malgré tout rendu à la morgue afin de voir le corps de Tommy Sharples. Il avait une excellente raison : une pièce grecque très rare avait été retrouvée dans la poche de Sharples, une pièce identique aux « monnaies de Cléopâtre » de la collection Stratford. Il y avait également dans la poche de Sharples un petit carnet d'adresses où était mentionné le nom de Henry Stratford.

Henry Stratford, qui s'était enfui le matin même de la maison de sa cousine, à Mayfair, en prétendant qu'une momie était sortie de son cercueil.

Tout cela était très mystérieux.

Que Henry Stratford possédât une pièce très rare datant de l'époque de Cléopâtre ne surprenait personne. Il avait essayé de revendre une telle pièce deux jours plus tôt, c'était une certitude. Mais pourquoi aurait-il tenté de régler ses dettes avec une pièce d'or aussi précieuse ? Pourquoi le voleur qui avait assassiné Sharples ne la lui avait-il pas dérobée ?

Trent appellerait le British Museum pour en savoir plus sur cette pièce. Il le ferait tout de suite après avoir tiré du lit Henry Stratford et l'avoir questionné à propos du meurtre de Sharples.

Toute cette histoire n'avait pas de sens, il fallait l'admettre. Mais il y avait eu crime. Henry Stratford n'en était certainement pas l'auteur. Un homme de cette classe pouvait faire attendre plusieurs mois ses créditeurs. Il n'avait pas non plus le genre à plonger un couteau dans la poitrine d'un homme. Du moins Trent le croyait-il.

D'autre part, cela ne lui ressemblait pas de sortir de chez sa cousine en hurlant qu'une momie voulait l'étrangler.

Il y avait encore autre chose. Quelque chose de troublant. La manière dont Mlle Stratford avait réagi quand on lui avait rapporté les excentricités de son cousin. Elle n'avait pas paru surprise, seulement indignée. Il y avait enfin cet étrange personnage qui résidait dans sa maison et la façon dont Henry Stratford l'avait regardé. La jeune femme dissimulait quelque chose, c'était évident. Peut-être devrait-il faire un petit tour par là et bavarder un peu avec le garde.

De toute façon, il ne dormirait pas cette nuit-là.

CHAPITRE NEUF

Le petit matin. Dans le hall d'entrée de la grande demeure des Stratford, Ramsès observait le mouvement des aiguilles délicieusement ouvragées de l'horloge. La grande aiguille se posa sur le chiffre romain correspondant à douze et la petite sur celui marquant le quatre. Un carillon mélodieux retentit.

Les chiffres romains. Partout où il portait ses regards, il les voyait. Sur les pierres d'angle, aux pages des livres, sur les façades des édifices. En fait, l'art, la langue, l'esprit de Rome baignaient toute cette culture et la reliaient avec force à son passé. Même le concept de justice, qui exerçait une telle influence sur Julie Stratford, ne venait pas des barbares qui avaient jadis imposé à ces terres leurs idées de loi révélée et de vengeance tribale, mais des tribunaux et des juges de Rome tant inspirés par la raison.

Les grandes banques des changeurs d'argent ressemblaient à des temples romains. De grandes statues de marbre de personnages en costume romain se dressaient en tout lieu. Les maisons sans charme qui bordaient cette rue avaient de petites colonnes romaines et même des péristyles.

Il regagna la bibliothèque de Lawrence Stratford pour s'installer à nouveau dans le confortable fauteuil de cuir. Pour son propre plaisir, il avait disposé des bougies dans toute la pièce, et il bénéficiait maintenant du type d'éclairage qu'il aimait. Il y avait de grandes chances pour que la petite domestique pousse des cris d'horreur en découvrant la cire fondue un peu partout, mais cela n'avait pas d'importance.

Il aimait cette pièce qui avait été celle de Lawrence Stratford – ses livres, son bureau, son gramophone qui jouait « Beethoven », ce curieux ensemble de trompes et de cors qui ressemblait à une chorale de chats.

Il avait pris possession des biens de cet Anglais aux cheveux blancs qui avait violé le silence de son tombeau.

Toute la journée, il avait porté les habits lourds et encombrants de Lawrence Stratford. Maintenant, il se sentait plus à l'aise dans le « pyjama » de soie et la robe de chambre de satin de Lawrence Stratford. Ce qui l'avait le plus étonné dans le costume moderne, c'étaient les chaussures de cuir. Les pieds humains n'étaient pas faits pour endurer ce genre de protection. C'était bien plus qu'il n'en eût fallu à un soldat au cœur de la bataille. Et pourtant, même les pauvres portaient ces instruments de torture – bien que certains eussent assez de chance pour avoir à leurs semelles des trous qui permettaient à leurs pieds de respirer.

Ramsès ne put s'empêcher de rire. Après tout ce qu'il avait vu aujourd'hui, voilà qu'il philosophait sur les chaussures. Ses pieds ne lui faisaient plus mal. Pourquoi continuer à y penser ?

Il y avait tant de choses merveilleuses, tant de choses à étudier ! Depuis son retour du musée, il avait parcouru cinq ou six livres de la bibliothèque de Lawrence Stratford. Il avait lu des exposés complexes et risibles sur la « Révolution industrielle ». Il avait cherché à approfondir les idées de Karl Marx, une pure absurdité selon lui. Voilà un homme riche qui écrivait sur les pauvres sans connaître la démarche de leur esprit. Il avait longuement regardé le globe terrestre pour se souvenir du nom des continents et des pays. La Russie, voilà un pays intéressant. Quant à l'Amérique, c'était bien le plus mystérieux de tous.

Puis il avait lu Plutarque, ce menteur ! Comment ce fourbe pouvait-il oser dire que Cléopâtre avait séduit Octave ? Quelle idée monstrueuse ! Il y avait chez ce Plutarque quelque chose qui lui rappelait les vieillards en train de jacasser sur les places publiques.

Mais pourquoi penser à tout cela ? Il était en proie à une certaine confusion. Quelque chose le troublait, mais quoi ?

Il ne s'agissait pas de toutes les merveilles modernes qu'il avait découvertes depuis ce matin; pas plus que de la rude langue anglaise qu'il avait rapidement maîtrisée; ni même des siècles écoulés depuis qu'il avait fermé les yeux. Non, ce qui l'étonnait, c'était la façon dont son corps se régénérait – ses blessures qui guérissaient, ses pieds qui ne connaissaient plus la douleur, le cognac qu'il buvait et qui ne lui faisait pratiquement pas d'effet.

Les douleurs mentales l'épargneraient-elles autant que les maux physiques ?

C'était impossible. Mais, dans ce cas, comment se faisait-il que sa petite expédition au British Museum ne l'eût pas fait hurler de douleur ? En silence, il avait déambulé parmi les momies, les sarcophages et les manuscrits dérobés à toutes les dynasties de l'Egypte, même à l'époque où il avait quitté Alexandrie pour rejoindre son tombeau dans les collines. Celui qui souffrait de voir tout cela, c'était Samir, cet homme à la peau dorée et aux yeux aussi noirs que l'avaient été ceux de Ramsès. De grands yeux égyptiens, les mêmes après des siècles innombrables. Samir, son fils.

Il ne faudrait pas croire que les souvenirs n'étaient pas nets. Ils l'étaient. C'était hier, lui semblait-il, qu'il avait vu les hommes sortir le cercueil de Cléopâtre du mausolée et le descendre au cimetière romain, près de la mer. L'odeur de la mer, il lui suffisait de le désirer pour la humer à nouveau. Il entendait les pleurs tout autour de lui, il sentait les pierres crever le cuir souple de ses sandales.

Elle avait demandé à être ensevelie à côté de Marc Antoine. Il s'était fondu dans la foule, dissimulé dans les plis de son manteau, et avait écouté les pleureuses. « Notre grande reine est morte. »

Son chagrin avait été immense. Pourquoi ne pleurait-il pas aujourd'hui ? Il contemplait le buste de marbre de la reine et la douleur ne l'accablait pas.

« Cléopâtre », dit-il à voix basse. Il la revit, non pas femme sur son lit de mort, mais jeune fille venue le réveiller : *Lève-toi, Ramsès le Grand. Une reine d'Egypte t'appelle. Sors de ton profond sommeil et sois mon conseiller en cette époque d'affliction.*

Non, il n'éprouvait ni joie ni peine.

Cela voulait-il dire que sa capacité à souffrir avait été affectée par l'élixir puissant qui œuvrait dans ses veines ? A moins qu'il ne s'agît d'autre chose : il avait dormi, mais il avait tout de même pris conscience du temps qui passe. Avant même que les rayons du soleil n'éveillassent son corps, il avait compris que des centaines d'années s'étaient écoulées.

Peut-être était-il si abasourdi par tout ce qu'il avait découvert en ce XXe siècle que ses souvenirs n'avaient pas totalement recouvré leur intensité émotionnelle. La douleur lui reviendrait et il pleurerait sans pouvoir s'arrêter, au bord de la folie – incapable de saisir toute la beauté qui s'offrait à lui.

Il avait bien éprouvé un sentiment proche de la panique quand, au musée de cire, il avait découvert l'effigie vulgaire de Cléopâtre et le personnage risible d'Antoine. Cela l'avait apaisé de retrouver les rues tapageuses de Londres. Il l'avait entendue pleurer dans son souvenir : « Ramsès, Antoine se meurt. Donne-lui ton élixir ! Ramsès ! » Cette voix qui lui semblait extérieure à lui-même, il n'avait pu la faire taire. Cela le troublait de la voir si grossièrement représentée. Et son cœur avait frappé dans sa poitrine comme ces marteaux pneumatiques qui brisaient le pavé londonien.

Qu'est-ce que cela pouvait bien faire que la figurine de cire de Cléopâtre ne fût qu'une pâle image de sa beauté ? Ses propres statues ne lui ressemblaient en rien, et pourtant il avait conversé au soleil avec les artisans qui les avaient édifiées ! Personne ne s'attendait que l'art public eût quelque ressemblance avec les modèles de chair et de sang – du moins jusqu'à ce que les Romains se missent à ériger un peu partout des portraits d'eux-mêmes.

Cléopâtre n'avait rien d'une Romaine. Cléopâtre était grecque et égyptienne. Mais le plus horrible était qu'elle représentait pour les hommes du XXe siècle une chose qu'elle n'avait jamais été. Elle était devenue le symbole de la licence, alors qu'elle possédait une multitude de talents étonnants. On avait mis en lumière un défaut et oublié tout le reste.

Oui, c'était cela qui l'avait choqué au musée de cire. On se souvenait d'elle, mais pas pour ce qu'elle était. Une prostituée fardée sur une couche de soie.

La maison était silencieuse. On n'entendait que le tic-tac de l'horloge.

Un plateau de pâtisseries était posé devant lui. Il y avait aussi du cognac, des oranges et des poires dans une coupe de porcelaine. Il devrait boire et manger, car cela le calmait toujours.

Il ne voulait pas connaître une fois de plus la douleur, n'est-ce pas ? Mais cela lui faisait peur, parce qu'il ne voulait pas perdre sa vaste expérience des sentiments humains. Ce serait pareil à la mort !

Certes, s'il pensait à Julie Stratford endormie dans son lit, son esprit et son cœur vibraient à l'unisson. Il rit doucement en choisissant une pâtisserie et la dévora. Il aurait voulu dévorer Julie Stratford. Ah, cette femme splendide, cette reine moderne aux attaches fines qui n'avait pas besoin de royaume pour affirmer son caractère royal ! Si intelligente et si forte ! Il valait mieux qu'il ne pense pas trop à cela, sinon il grimperait à l'étage et enfoncerait sa porte. Il se précipiterait sur elle, lui arracherait ses vêtements, caresserait son jeune corps brûlant et la prendrait avec fougue sans qu'elle pût dire quoi que ce fût !

Non. Tu ne peux faire cela. Agis de la sorte et tu détruiras l'objet de ton désir. Julie Stratford méritait de l'humilité et de la patience. Il l'avait su dès qu'il l'avait vue déambuler dans la bibliothèque, dès qu'elle lui avait parlé dans son cercueil sans se douter qu'il l'entendait.

Julie Stratford était, de par son corps, son esprit, mais aussi sa volonté, le mystère fait femme.

Il but encore un peu de cognac. Délicieux. Il tira longuement sur son cigare. Il trancha l'orange avec son couteau et en savoura la chair juteuse.

Le cigare emplissait la pièce d'un parfum plus capiteux que l'encens. Du tabac turc, voilà ce que Julie lui avait expliqué. Il n'avait pas compris ce que cela signifiait, mais, maintenant, il savait. Il avait feuilleté un petit livre intitulé *Histoire du monde* et avait découvert beaucoup de choses à propos des Turcs et de leurs conquêtes. Il se rappelait la première phrase du chapitre consacré aux Turcs : « En un siècle et demi, l'Europe tout entière était tombée sous les coups des hordes barbares. » Les détails seraient pour plus tard.

Le gramophone s'arrêta. Il se leva, s'approcha de l'appareil et prit un autre disque. Celui-ci avait un titre étrange, *Comme un oiseau dans une cage dorée*. Pour une raison inconnue, cela lui fit penser à Julie et il eut à nouveau envie de l'étouffer de baisers. Il posa le disque sur le plateau et mit le bras en place. Une voix féminine et nasillarde s'éleva. Il rit. Il se versa un peu de cognac et vibra au son de la musique.

L'heure était venue de se mettre au travail. La nuit touchait à sa fin, les premières lueurs de l'aube apparaissaient déjà. Aux bruits de la ville qui s'éveille s'ajoutait le chant lointain des oiseaux.

Il se rendit dans la cuisine froide et obscure, y trouva un « verre », puisque c'est ainsi que l'on nommait ce genre d'objets étonnants, et l'emplit d'eau.

Puis il revint dans la bibliothèque et examina la longue rangée de pots d'albâtre. Ils paraissaient intacts. Aucun d'eux n'était fêlé. Rien ne manquait. Il y avait aussi son petit brûleur, prêt à l'usage, et ses flacons. Il n'avait besoin que d'un peu d'huile. Ou d'une bougie consumée à l'extrême.

Il repoussa sans ménagement les rouleaux et installa le petit brûleur. Il mit la bougie en place et souffla la flamme.

Il scruta à nouveau les pots. Sa main fut plus prompte que son esprit à en choisir un. Et, quand il étudia la poudre blanche, il sut que sa main ne l'avait pas trompé.

Oh, si seulement Henry Stratford avait trempé sa cuillère dans ce pot-ci ! Quel choc cela lui aurait causé de voir son oncle changé en un lion furieux lui arracher la tête !

Il comprit brusquement que ces poisons effrayaient peut-être les hommes de son temps, mais qu'ils ne dissuaderaient en rien les savants de cette époque moderne. On pouvait très bien prendre les pots, en donner le contenu à des victimes animales et, par déduction, découvrir l'élixir. Ce serait même assez simple.

Pour l'heure, seuls Samir Ibrahaim et Julie Stratford avaient connaissance de l'élixir. Ils ne divulgueraient jamais leur secret. Lawrence Stratford avait, pour sa part, traduit en partie son récit. Son carnet se trouvait quelque part, mais où ? Ramsès avait été incapable de mettre la main dessus. Il y avait aussi les papyrus.

Qu'importe. Cette situation ne pouvait durer éternellement. Il devait porter sur lui l'élixir. Naturellement, il était toujours possible que la mixture eût perdu sa virulence. La poudre reposait au fond de ce pot depuis quelque deux mille ans.

Avec le temps, le vin se changeait en vinaigre ou même en un quelconque liquide parfaitement imbuvable. Et la farine ne devait pas être plus comestible que du sable.

La main tremblante, il versa les granules dans la coupelle métallique du brûleur. Il tapota le pot pour s'assurer qu'il ne restait rien au fond. Puis il ajouta de l'eau et tourna doucement avec son doigt.

Il ralluma la bougie. Quand le mélange fut en ébullition, il réunit ses flacons – ceux qui se trouvaient sur la table, plus deux autres qui étaient dissimulés dans un coffret d'ébène.

Quatre gros flacons pourvus de bouchons d'argent.

Le changement eut lieu en quelques secondes. Le liquide bouillonnant émettait une vague lueur phosphorescente. Il avait un aspect inquiétant, et il n'était pas difficile de l'imaginer en train de brûler les lèvres de quiconque s'essaierait à le boire. Tel n'était pourtant pas son effet. Il n'avait rien fait à Ramsès quand, des siècles auparavant, il l'avait goulûment avalé, prêt à souffrir pour être immortel ! Il n'avait pas éprouvé la moindre douleur, non, pas la moindre.

Il versa soigneusement le contenu de la coupelle dans les quatre flacons. Quand elle fut moins chaude, il la lécha, puis il referma les flacons et, à l'aide de la cire de la bougie, les scella. Tous, sauf un.

Il plaça trois flacons dans la poche de sa robe de chambre. Et il emporta dans le jardin d'hiver le quatrième flacon, celui qui n'était pas bouché. Dans la pénombre, il contempla les fougères et les vignes vierges qui couraient dans la serre.

Il choisit une fougère en pot et versa un peu d'élixir dans le terreau humide. Il fit de même avec un bougainvillier, dont les fleurs rouges étaient rares et fragiles parmi le feuillage sombre.

Mettre plus de quelques gouttes par pot serait de la folie. Quand il eut fait le tour du jardin d'hiver, le flacon était encore à moitié plein. Si la magie était encore efficace, il le saurait dans quelques instants. Il se tourna vers le plafond de verre, teinté par la faible lueur du soleil. Le dieu Râ dispensait ses premiers rayons.

Les feuilles des fougères se mirent à bruire, à s'allonger; de tendres pousses se déroulaient. Le bougainvillier frémissait sur ses tuteurs, çà et là apparaissaient de grosses fleurs rouges. La serre tout entière était le théâtre d'une croissance accélérée de toutes ses plantes. Ramsès ferma les yeux et frissonna.

Comment avait-il pu jamais croire que l'élixir avait perdu ses vertus ? Pourquoi cette substance, une fois créée, seraitelle moins immortelle que lui-même ?

Il mit le flacon dans sa poche. Il ouvrit la porte de service et sortit dans l'aube pluvieuse.

Henry avait une telle migraine qu'il ne distinguait pas les visages des deux inspecteurs. Il rêvait encore de cette créature, de cette momie, quand ils l'avaient réveillé. Terrorisé, il avait pris son arme et en avait relevé le chien avant de la fourrer dans sa poche.

Il avait ouvert la porte. S'ils avaient l'intention de le fouiller...

« Tout le monde connaissait Tommy Sharples ! » dit-il. La colère prenait le pas sur la peur. « Tout le monde lui devait de l'argent ! C'est pour ça que vous me réveillez au point du jour ? »

Il regardait d'un air stupide le dénommé Galton, celui qui brandissait la pièce à l'effigie de Cléopâtre ! Comment avait-il pu être si imprudent ? S'enfuir en laissant la pièce dans la poche de Sharples !

« Vous avez déjà vu cela auparavant, monsieur ? »

Reste calme. Il n'y a pas la moindre preuve contre toi. Sers-toi de ton indignation, ainsi que tu as toujours su le faire.

« Elle provient de la collection de mon oncle. La collection Ramsès. Comment vous l'êtes-vous procurée ? Elle devrait être au coffre à cette heure.

– Une question se pose à nous, dit celui qui s'appelait Trent. Comment M. Sharples l'avait-il en sa possession ? Et pourquoi l'avait-il sur lui quand il a été tué ? »

Henry se passa les mains dans les cheveux. Si au moins sa migraine pouvait se calmer. Si au moins il pouvait s'absenter une minute, boire un verre et mettre de l'ordre dans ses idées.

« Reginald Ramsey ! s'écria-t-il en regardant Trent droit dans les yeux. C'est bien comme ça qu'il s'appelle, hein ? Cet égyptologue, celui qui réside chez ma cousine. Juste Ciel, mais qu'est-ce qui se passe dans cette maison ?

– M. Ramsey ?

– Vous l'avez interrogé, n'est-ce pas ? D'où vient-il, cet homme ? » Son visage s'empourprait tandis que les deux policiers le considéraient en silence. « Est-ce que je dois faire votre travail à votre place ? D'où il vient, ce salaud ? Et qu'est-ce qu'il fait dans la maison de ma cousine ? »

Ramsès marchait depuis une heure. Il faisait froid. Les imposantes demeures de Mayfair avaient cédé la place aux taudis des pauvres. Il foulait des rues étroites, en terre battue, semblables aux ruelles des villes du passé – Rome ou Jéricho. Des charrettes avaient laissé leurs traces dans la boue. Cela sentait le purin.

De temps à autre, quelque pauvre hère le regardait sous le nez. Il n'aurait certainement pas dû sortir dans sa robe de chambre de satin. Mais cela importait peu. Il était redevenu Ramsès l'Errant. Ramsès le Damné qui traversait cette époque. L'élixir n'avait rien perdu de sa vigueur. Et la science de ce siècle n'était pas plus prête à l'accueillir que celle des autres époques.

Regarde ces malheureux, ces mendiants couchés dans la rue. Sens la puanteur de cette cabane, avec sa porte ouverte comme une bouche qui aspire de l'air pur.

Un clochard s'approcha de lui.

« Vous auriez pas une petite pièce, monseigneur ? J'ai rien mangé depuis deux jours. Une petite pièce... »

Ramsès poursuivit son chemin. Ses pantoufles étaient souillées par les caniveaux.

Ce fut alors le tour d'une jeune femme de l'aborder. Elle toussait de manière déchirante.

« Vous voulez vous donner du bon temps, mon prince ? J'ai une belle petite chambre. »

Oh oui, il aurait volontiers eu recours à ses services, et la fièvre la rendait encore plus excitante. Elle bomba le torse et s'obligea à lui sourire malgré la douleur qui lui déchirait la poitrine.

« Pas aujourd'hui, ma jolie », murmura-t-il.

Il semblait que cette rue, car c'était bien d'une rue qu'il s'agissait et non pas d'un cloaque, l'avait conduit à un champ de ruines. Des bâtisses calcinées, puant la fumée, se dressaient tels des fantômes.

Là aussi campaient des pauvres. Un bébé pleurait quelque part. La faim, certainement.

Il continua de marcher. Il entendait la cité revenir à la vie autour de lui. Ce n'étaient pas des voix humaines qu'il percevait, mais des bruits de machines. Un sifflet de train dans le lointain. Un moteur de véhicule automobile qui lui fonçait dessus !

Il se jeta contre le mur. Il s'en voulait. Dans ce genre de circonstance, il était si vulnérable.

Il regarda quelque chose au milieu de la chaussée et se rendit finalement compte qu'il s'agissait d'un pigeon mort, un de ces gros oiseaux gris qu'il avait vus dans tout Londres et qui nichaient sous les fenêtres. Celui-ci avait été heurté par le véhicule et l'une de ses ailes avait été broyée par une roue.

Le vent qui soufflait dans ses plumes lui donnait comme un semblant de vie.

Soudain, un souvenir, très ancien mais encore très vivant, l'arracha au présent et le replongea cruellement dans une autre époque, un autre pays.

Il se tient dans l'antre de la prêtresse hittite. Vêtu pour le combat, la main sur le pommeau de son glaive de bronze, il regarde les colombes blanches qui décrivent des cercles au soleil.

« Elles sont immortelles ? » lui demande-t-il. Il lui parle dans la langue rude et gutturale des Hittites.

Elle a un rire de folle. « Elles mangent, mais elles n'ont pas besoin de nourriture. Elles boivent, mais elles n'ont pas besoin d'eau. C'est le soleil qui leur conserve leur force. Ôte-le et elles dormiront, mais elles ne mourront pas, mon roi. »

Il scrute son visage si vieux, si ridé. Son rire l'irrite.

« Où est l'élixir ? lui demande-t-il.

– Tu crois donc que c'est une grande chose ? » Comme ses yeux brillent quand elle s'approche de lui ! « Que se passerait-il si le monde était empli d'êtres qui ne meurent pas ? De leurs enfants, et des enfants de leurs enfants ? Cet antre recèle un terrible secret, *le secret de la fin du monde* ! »

Il tire son glaive. « Donne-le-moi ! » rugit-il.

Elle n'a pas peur. Elle sourit.

« Et s'il te tue, mon farouche Egyptien ? Nul être humain ne l'a jamais bu. Nul homme, nulle femme et nul enfant. »

Mais il a déjà vu l'autel et la coupe contenant le liquide blanc. Il a vu la tablette posée à côté et recouverte de minuscules lettres semblables à des coins.

Il s'avance vers l'autel. Il lit les mots. Est-ce là la formule de l'élixir de vie ? Des ingrédients communs que lui-même aurait pu réunir sur les rives et dans les champs de sa terre natale ? Quelque peu incrédule, il confie la formule à sa mémoire sans imaginer un seul instant qu'il ne l'oubliera jamais.

A deux mains, il s'empare de la coupe et boit. Le rire de la prêtresse retentit dans le lointain, les parois immenses de l'antre lui font écho.

Et puis il se retourne en s'essuyant les lèvres du revers de la main. Ses yeux s'écarquillent, son visage frémit, son corps se raidit comme lorsqu'il se trouve sur son char de guerre et qu'il lève son glaive pour entraîner ses hommes au combat. La prêtresse a reculé d'un pas. Qu'a-t-elle vu ? La chevelure de Ramsès paraît agitée d'une brise légère, ses cheveux gris tombent pour être remplacés par des cheveux bruns; ses yeux noirs prennent la couleur du saphir – surprenante transformation qu'il constatera par lui-même lorsqu'il se verra dans le miroir.

Comme il se sent léger et puissant ! Il pourait s'envoler !

« Alors, prêtresse, qu'est-ce que tu vois ? La vie ou la mort ? »

Mais revoici subitement les rues de Londres, comme si tout cela ne s'était produit que quelques heures auparavant ! Cet instant était si vivant dans sa mémoire, il entendait encore le battement des ailes des colombes. Pourtant sept cents ans s'étaient écoulés entre ce jour et celui où il était entré au tombeau pour son premier long sommeil. Et deux mille depuis qu'on l'avait éveillé pour le ramener à la tombe quelques années plus tard.

Oui, revoici Londres, et le XXe siècle. Il éprouva un tremblement violent. A nouveau, le vent humide et porteur de fumées vint caresser les plumes du pigeon gris qui gisait dans la rue. Il s'avança vers l'oiseau, s'agenouilla et le prit dans ses mains. Ah, créature fragile ! Si pleine de vie l'instant d'avant, et maintenant outre vide, bonne au rebut, même si le duvet blanc voletait encore sur son poitrail.

Oh, comme le vent glacé le faisait souffrir, comme la vue de cet oiseau mort lui déchirait le cœur !

Il tint l'oiseau dans sa main droite et, de la gauche, se saisit du flacon d'élixir à demi entamé. Il dégagea le bouchon d'un coup de pouce et fit couler quelques gouttes dans le bec.

Il ne s'écoula pas une seconde avant que l'oiseau ne réagît. Les minuscules yeux ronds s'entrouvrirent, les ailes claquèrent violemment. Il le lâcha et l'oiseau s'envola avant de tournoyer sous un ciel chargé de plomb.

Il le regarda jusqu'à ce qu'il eût disparu. Immortel désormais. Capable de voler à tout jamais.

Un autre souvenir lui revint, silencieux et vif comme un assassin. Le mausolée; les salles de marbre, les piliers et la longue silhouette de Cléopâtre qui se presse à ses côtés alors qu'il s'éloigne toujours plus du corps sans vie de Marc Antoine, allongé sur la couche dorée.

« Tu peux le faire revenir ! lui crie-t-elle. Tu sais que tu le peux. Il n'est pas trop tard, Ramsès. Donne-nous ton élixir, à Marc Antoine et à moi-même ! Ramsès, ne te détourne pas de moi ! » Ses longs ongles lui déchirent le bras.

Fou de rage, il se retourne et la gifle violemment. Hébétée, elle s'écroule, secouée de sanglots. Comme elle est frêle, presque hagarde, avec ces halos noirs sous ses yeux.

L'oiseau avait disparu dans le ciel de Londres. Le soleil brillait un peu plus fort derrière les nuages menaçants.

Sa vision se troubla, son cœur se mit à battre sauvagement dans sa poitrine. Il pleurait, sans pouvoir se retenir. O dieux, comment avait-il pu croire que la douleur lui serait pour toujours épargnée ?

Il s'était éveillé après des siècles dans une torpeur bienveillante, et maintenant cette torpeur s'évanouissait, la chaleur de son amour et de son chagrin l'envahirait pleinement bientôt.

Il contempla le flacon au creux de sa main. Il fut tenté de le briser, de laisser son contenu se répandre dans cette rue sordide. Il emporterait les autres flacons loin de Londres et verserait l'élixir dans les champs, avec les seules fleurs pour témoins.

Mais pourquoi agiter de si vaines pensées ? *Il connaissait le secret de la fabrication de l'élixir.* Il avait mémorisé les mots inscrits sur la tablette. Il ne pouvait détruire ce qui était à jamais gravé dans son esprit.

Samir descendit du fiacre et parcourut à pied les cinquante derniers mètres, les mains enfoncées dans les poches, le col relevé pour se protéger du vent. Arrivé à la maison qui marquait le coin de la rue, il gravit les marches et frappa.

Une femme entièrement vêtue de noir entrebâilla la porte avant de faire entrer le visiteur. Ce dernier pénétra dans une pièce encombrée où deux Egyptiens fumaient et lisaient les journaux du matin; les étagères et les tables étaient chargées de produits d'origine égyptienne. Un papyrus et une grosse loupe reposaient sur la table.

Samir se pencha sur le papyrus. Rien d'intéressant. Il aperçut, posée contre un mur, une longue momie jaune dont les bandelettes étaient assez bien conservées.

« Ah, Samir, ne t'inquiète pas, lui dit le plus grand des deux hommes, un certain Abdel. Nous ne vendons que du faux. Tout ceci est l'œuvre de Zaki, tu le sais bien. Il n'y a que celle-ci... » L'homme indiqua la momie. « Elle est tout à fait authentique, mais indigne de toi. »

Cela n'empêcha pas Samir d'étudier de plus près la momie.

« C'est le rebut d'une collection privée, dit Abdel. Ce n'est pas pour toi. »

Samir hocha la tête et se retourna vers Abdel.

« J'ai appris par hasard que certaines pièces rares datant de la reine Cléopâtre ont fait leur apparition, dit Abdel sur un ton enjoué. Ah, si je pouvais mettre la main sur l'une d'elles !

– J'ai besoin d'un passeport, Abdel, dit Samir. Des papiers officiels. Très rapidement. »

Abdel ne répondit pas immédiatement. Il vit avec intérêt Samir glisser la main dans sa poche.

« Il me faudrait aussi de l'argent. »

Samir exhiba la pièce d'or à l'effigie de Cléopâtre.

Abdel s'en empara et l'examina.

« De la discrétion, mon ami, lui dit Samir. De la rapidité et de la discrétion. Abordons les détails, veux-tu ? »

Oscar était de retour. Cela risquait de poser un problème, se dit Julie. Rita pouvait fort bien se mettre à jacasser. Heureusement qu'Oscar ne l'écoutait jamais. Il la prenait pour une folle.

Julie descendait l'escalier quand elle trouva son majordome en train de refermer la porte d'entrée. Il tenait un gros bouquet de roses, et il lui tendit l'enveloppe qui les accompagnait.

« Cela vient d'arriver, mademoiselle, dit-il.

– Oui, je sais. »

Avec soulagement, elle vit que cela émanait d'Elliott, pas

d'Alex, et elle se hâta de lire le mot.

« Appelez le comte de Rutherford, Oscar. Dites-lui que je ne pourrai dîner chez lui ce soir. Je le rappellerai personnellement un peu plus tard. »

Il allait s'éloigner quand elle tira l'une des roses du bouquet. « Mettez-les dans la salle à manger, Oscar », dit-elle. Elle huma le parfum des fleurs et en caressa les pétales du bout des doigts. Qu'allait-elle faire avec Alex ? Il était certainement trop tôt pour prendre une décision, mais chaque jour qui passait rendait les choses encore plus difficiles.

Ramsès. Où était-il ? La porte de la chambre de son père était ouverte, mais le lit n'avait pas été défait.

Elle courut jusqu'au jardin d'hiver. Avant même d'en atteindre la porte, elle vit le magnifique bougainvillier chargé de fleurs rouges.

Dire qu'hier elle n'avait pas même remarqué ces merveilles ! Et les fougères... Magnifiques ! Et les lys qui s'étaient ouverts un peu partout.

« Quel miracle ! » dit-elle.

Elle vit Ramsès assis dans un fauteuil en rotin. Il était déjà vêtu de manière splendide en prévision des aventures qui l'attendaient. Cette fois-ci, il n'avait commis aucune erreur. Comme il était beau et noble ! Sa chevelure paraissait plus ample et ses grands yeux bleus étaient emplis d'une sombre mélancolie quand il la regarda. Alors son visage s'illumina et il lui adressa son sourire le plus irrésistible.

Elle éprouva une crainte momentanée. Il semblait au bord des larmes. Il se leva et s'approcha d'elle afin de lui effleurer le visage du bout des doigts.

« Quel miracle que *tu es*! » dit-il.

Le silence se fit. Elle aurait voulu se jeter à son cou. Elle le regarda intensément, puis tendit la main et lui caressa le visage.

A sa grande surprise, il se recula et la baisa au front de manière assez solennelle.

« Je veux aller en Egypte, Julie. Tôt ou tard, je devrai retourner en Egypte. Que ce soit maintenant. »

Comme il avait l'air las et misérable en disant cela. Ses yeux paraissaient plus grands et plus sombres. Oui, elle avait raison – il était sur le point de pleurer.

« Oui, dit-elle, nous irons en Egypte, toi et moi ensemble...

– Ah, c'est ce que j'espérais. Julie, cette époque ne pourra jamais m'appartenir tant que je n'aurai pas dit adieu à l'Egypte, car l'Egypte est mon passé.

– Je comprends.

– Je veux l'avenir ! » Sa voix n'était plus qu'un murmure. « Je veux... » Il s'arrêta, incapable de poursuivre. Il plongea la main dans sa poche et en ressortit une poignée de pièces d'or.

« Pouvons-nous acheter un navire avec cela, Julie, une embarcation qui nous conduira de l'autre côté de la mer ?

– Laisse-moi faire, lui dit-elle. Nous partirons. Assieds-toi et prends ton petit déjeuner. Je sais que tu es affamé, tu n'as pas besoin de me le dire. »

Il rit malgré lui.

« Je m'occupe de cela tout de suite. »

Elle alla dans la cuisine. Oscar préparait le plateau du petit déjeuner. Cela sentait bon le café, la cannelle et les petits pains qui sortent du four.

« Oscar, téléphonez immédiatement à l'agence de Thomas Cook. Faites réserver deux billets pour Alexandrie pour M. Ramsey et moi-même. Voyez si nous pouvons partir aujourd'hui. Dépêchez-vous, je vais servir le petit déjeuner. »

Il était abasourdi.

« Mais, mademoiselle Julie, les...

– Allez-y, Oscar, appelez tout de suite, il n'y a pas de temps à perdre. »

Elle emporta le lourd plateau dans le jardin d'hiver. A nouveau, la splendeur des fleurs la surprit, l'émerveilla. Les orchidées pourpres étaient aussi belles que les lys jaunes.

« Dire que je n'avais rien remarqué, dit-elle. Tout est en fleurs. Comme c'est beau... »

Il se tenait près de la porte et la regardait de son air triste.

« Oui, c'est très beau... »

CHAPITRE DIX

La maison était en émoi. Rita était complètement affolée à l'idée de partir en Egypte. Oscar devait rester pour s'occuper de la demeure. Il aidait les cochers à descendre les malles dans l'escalier.

Randolph et Alex avaient une discussion plus qu'animée avec Julie et tentaient de la persuader de ne pas se rendre en Egypte.

Pendant ce temps, l'énigmatique M. Reginald Ramsey était attablé dans le jardin d'hiver et engloutissait un formidable repas tout en buvant verre sur verre. En même temps, il lisait le journal, ou plutôt deux journaux à la fois, si Elliott ne se trompait pas. De temps à autre, il prenait un livre dans la pile posée à même le sol, le feuilletait à toute allure comme pour y rechercher quelque détail important et le rejetait négligemment à terre.

Elliott était installé dans le fauteuil de Lawrence, dans le salon égyptien, et il assistait, silencieux, à cette scène. Il jetait parfois un coup d'œil à Julie, dans l'autre salon, et parfois à M. Ramsey, qui se savait observé, mais s'en moquait bien.

L'autre témoin silencieux était Samir Ibrahaim, perdu parmi la profusion de feuillages du jardin d'hiver.

Julie avait appelé Elliott plus de trois heures auparavant. Il était entré immédiatement en action. Et il savait plus ou moins ce qui allait se passer, alors même que tout se jouait dans le salon.

« Tu ne peux tout de même pas partir en Egypte avec un homme dont tu ne sais rien, dit Randolph qui s'efforçait de ne pas hausser le ton. Tu ne peux entreprendre un tel voyage sans un chaperon adéquat.

– Je ne le permettrai pas, Julie, ajouta Alex, pâle et exaspéré. Je ne vous laisserai pas partir seule.

– Arrêtez, je vous en prie, leur dit Julie. Je suis adulte et je m'en vais. Je saurai prendre soin de moi. Et puis Rita sera tout le temps avec moi. Ainsi que Samir, le meilleur ami de père. Je ne pourrais avoir de meilleure protection que Samir.

– Ni l'un ni l'autre ne font un compagnon de choix, et tu le sais fort bien. Je trouve cela tout à fait scandaleux.

– Oncle Randolph, le bateau part à quatre heures. Il est temps de quitter la maison. Nous avons des affaires à régler, n'est-ce pas ? Je vous ai fait préparer un pouvoir par un avoué afin que vous puissiez diriger librement la Stratford. »

Silence. On touchait enfin au cœur du problème, se dit Elliott. Il entendit Randolph s'éclaircir la voix.

« Je suppose que c'est nécessaire, ma chérie. »

Alex chercha à prendre la parole, mais Julie lui fit poliment signe de se taire. Y avait-il d'autres papiers que Randolph désirait lui faire signer ? Il pourrait les lui adresser à Alexandrie et elle les lui renverrait par retour du courrier.

Satisfait de constater que Julie partirait en temps prévu, Elliott se leva et se dirigea vers le jardin d'hiver.

Ramsey dévorait des quantités surhumaines de nourriture. Il prit l'un des trois cigares qu'il avait allumés et tira dessus, puis revint à son pudding, son rosbif et ses tartines beurrées. Une histoire de l'Egypte moderne était ouverte devant lui, au chapitre intitulé « Le massacre des mamelouks ». Son doigt parcourait les lignes à toute allure.

Elliott se rendit soudain compte qu'il était entouré par la végétation. Il fut presque surpris par la taille de la fougère derrière lui; un immense et lourd bougainvillier bloquait en partie la porte. Seigneur, que s'était-il donc passé ici ? Chaque plante semblait vouloir sortir de son pot, et le lierre courait partout au plafond.

Elliott chercha à dissimuler son étonnement, bien que personne ne le regardât en cet instant, et cueillit une belle-de-jour bleu et blanc. Il la contempla longuement, puis il leva les yeux et son regard rencontra celui de Ramsey.

Samir sortit de son état méditatif. « Lord Rutherford, permettez-moi... » Puis il s'arrêta comme s'il ne savait quoi dire.

Ramsey se leva et s'essuya soigneusement les doigts à la

serviette de lin.

D'un air absent, le comte glissa la belle-de-jour dans sa poche et lui tendit la main.

« Reginald Ramsey, dit-il. C'est un grand plaisir. Je suis un vieil ami de la famille Stratford. Je suis un peu égyptologue, à ma façon. C'est mon fils, Alex, qui doit épouser Julie. Peut-être le saviez-vous ? »

L'homme ne le savait pas. Ou peut-être ne comprenait-il pas. Le rouge lui monta aux joues.

« Epouser Julie ? » dit-il à voix basse. Puis, avec une feinte gaieté : « Il a beaucoup de chance, votre fils. »

Le comte regardait la table chargée de mets – il ne pouvait s'en empêcher – et la végétation luxuriante qui filtrait les rayons du soleil. Il observa l'homme qui se tenait devant lui, l'un des plus beaux qu'il eût jamais vus, certainement. Et ses yeux, ah ! des yeux qui devaient rendre folles les femmes. Ajoutez à cela un sourire charmeur, et l'on obtenait un mélange détonnant.

Le silence devenait gênant.

« Ah, le carnet », dit Elliott. Il chercha dans son manteau. Samir le reconnut immédiatement, c'était évident.

« Ce Journal appartenait à Lawrence, expliqua Elliott. Il contient des informations très intéressantes sur la tombe de Ramsès. Des notes sur un papyrus laissé par le pharaon, semble-t-il. Je l'ai emporté l'autre soir. Je dois le remettre en place. »

Le visage de Ramsès se figea brusquement.

Elliott se tourna, s'appuya sur sa canne et se dirigea péniblement vers le bureau de Lawrence.

Ramsey l'accompagna.

« Vos douleurs aux jambes, lui demanda Ramsey, existe-t-il une... médecine moderne pour cela ? Il y avait un vieux remède égyptien. L'écorce de saule. Il fallait la faire bouillir.

– Oui, répondit Elliott en le regardant droit dans les yeux. A notre époque, nous appelons cela de l'aspirine. » Il sourit. « Où vous trouviez-vous pendant toutes ces années pour ne pas avoir connaissance de l'aspirine, mon cher ? Nous la produisons de manière synthétique, et ce mot vous est familier, j'en suis persuadé. »

Ramsey ne se troubla pas et se contenta de plisser un peu les yeux.

« Je ne suis pas un scientifique, Lord Rutherford, répondit-il. Je suis plutôt un observateur, un philosophe. Ainsi donc vous appelez cela aspirine. Je suis très heureux de l'apprendre. Peut-être ai-je passé trop de temps dans des pays lointains. » Il leva les sourcils d'un air presque amusé.

« Les anciens Egyptiens avaient des médecines bien plus puissantes que l'écorce de saule, n'est-ce pas ? » poursuivit Elliott. Il regarda les pots d'albâtre alignés sur la table. « Des médecines puissantes – des élixirs, pour ainsi dire – qui pourraient venir à bout de maux autrement plus sérieux que mes douleurs aux jambes.

– Les médecines puissantes ont leur prix, répliqua Ramsès avec calme. Leurs dangers, dirais-je plutôt. Mais vous êtes un homme hors du commun, Lord Rutherford, et je suis certain que vous ne croyez pas à ce que vous avez lu dans le carnet de votre ami Lawrence.

– Mais si, j'y crois. Parce que, voyez-vous, je ne suis pas moi-même un scientifique. Peut-être sommes-nous tous deux philosophes, vous et moi. Je me pique d'être une sorte de poète, car c'est surtout en rêve que je me laisse aller à l'errance. »

Les deux hommes se dévisagèrent en silence pendant un instant.

« Un poète, répéta Ramsey dont le regard semblait vouloir prendre la mesure de son interlocuteur. Je vous comprends, mais vous dites des choses très inhabituelles. »

Elliott s'efforçait de ne pas céder. Il sentait la sueur tremper sa peau sous sa chemise. Le visage de cet homme était si bienveillant...

« J'aimerais vous connaître, lui avoua soudain Elliott. J'aimerais... apprendre... beaucoup de vous. » Il hésita. Les yeux bleus le fixaient avec une telle intensité. « Peut-être au Caire ou à Alexandrie aurons-nous le temps de parler. Nous pourrons peut-être faire plus ample connaissance à bord.

– Vous venez en Egypte ?

– Oui. » Il se rendit dans le salon et se plaça à côté de Julie, qui venait de tendre un document signé à son oncle. « Oui, reprit Elliott d'une voix forte afin que tout le monde l'entendît. Alex et moi partons tous les deux. J'ai réservé des places sur le même navire dès que Julie m'a contacté. Nous ne pouvons tout de même pas la laisser partir seule, n'est-ce pas, Alex ?

– Elliott, je vous ai dit non, dit Julie.

– Père, je ne savais pas...

– Je sais, ma chère, dit Elliott, mais je ne puis me satisfaire d'une réponse négative. En outre, c'est peut-être pour moi la dernière occasion de revoir l'Egypte. Et Alex ne s'y est jamais rendu. Vous ne nous refuserez pas ce plaisir. Y a-t-il une raison pour laquelle nous ne puissions partir tous ensemble ?

– Oui, je suppose que je devrais voir ce pays, dit Alex, complètement perdu.

– Ta malle est déjà chargée, dit Elliott. Allons, dépêchons-nous ou nous allons tous rater le bateau. »

Julie le regardait avec une fureur silencieuse.

Ramsey eut un petit rire.

« Ainsi, nous allons tous en Egypte. Je trouve cela passionnant. Nous bavarderons à bord, Lord Rutherford, comme vous semblez le souhaiter. »

Randolph tapota la poche de son manteau où il avait rangé le pouvoir.

« Voilà qui résout tous les problèmes, n'est-ce pas ? Fais un agréable voyage, ma chérie. » Il embrassa tendrement sa nièce sur la joue.

Ce rêve, à nouveau, mais il ne pouvait s'éveiller. Il se tourna dans le lit de Daisy, le nez enfoui dans l'oreiller odorant bordé de dentelle. « Ce n'est qu'un rêve, murmura-t-il, il va cesser. » Mais il voyait la momie marcher sur lui en traînant derrière elle ses bandelettes souillées. Il sentit les doigts se refermer sur sa gorge.

Il voulut crier, mais cela lui fut impossible. Il suffoquait, les linges crasseux l'étouffaient.

Il se tourna à nouveau, repoussant les couvertures. Il tendit le bras et sentit des doigts qui l'enserraient.

Il ouvrit les yeux et découvrit le visage de son père.

« Oh ! mon Dieu », murmura-t-il.

Il retomba sur l'oreiller. Le rêve le retint prisonnier encore un instant, puis Henry frissonna et regarda son père penché au-dessus de lui.

« Père, gémit-il, qu'est-ce que vous faites ici ?

– Ce serait plutôt à moi de te poser cette question. Sors de ce lit et va t'habiller. Ta malle t'attend dans un fiacre qui va te conduire aux docks P & O. Tu pars en Egypte.

– Pas question ! »

Randolph ôta son chapeau et s'assit à côté du lit. Henry tendit la main pour prendre ses cigares et ses allumettes, mais son père l'en empêcha.

« Tu vas m'écouter. J'ai à nouveau les choses en main et j'ai bien l'intention de ne pas me laisser déposséder. Ta cousine Julie et son mystérieux ami égyptien partent cet après-midi pour Alexandrie. Elliott et Alex les accompagnent. Tu seras également du voyage, comprends-tu ? Tu es le cousin de Julie et, par conséquent, le seul compagnon qui lui convienne. Tu veilleras à ce qu'il n'y ait pas le moindre bouleversement, que rien ne vienne empêcher le mariage de Julie et d'Alex Savarell. Tu veilleras aussi à ce que... cet homme ne nuise en rien à la fille unique de mon frère.

– Cet homme ! Vous êtes fou si vous croyez que je vais...

– Je te coupe les crédits et je te déshérite si tu ne m'obéis pas ! » Randolph baissa le ton et se pencha vers son fils. « Je suis sérieux, Henry. Je t'ai toujours accordé tout ce que tu me demandais, mais si tu ne fais pas tout ce que j'exige de toi, je te fais chasser du conseil d'administration de la Stratford Shipping. Je supprimerai ton salaire et tes revenus personnels. Tu vas prendre ce bateau. Tu surveilleras ta cousine et tu feras en sorte qu'elle ne s'enfuie pas avec cet Egyptien à la beauté scandaleuse ! Tu m'informeras régulièrement de tout ce qui se passe. »

Randolph tira une enveloppe de son gilet et la déposa sur la table de chevet. Il y avait une grosse somme d'argent à l'intérieur. Henry s'en aperçut tout de suite. Son père se leva.

« Et ne me câble pas du Caire que tu es sans le sou. Reste à l'écart des tables de jeu et des danseuses du ventre. J'attends une lettre ou un télégramme dans moins d'une semaine. »

Hancock était hors de lui.

« Elle part pour l'Egypte ! cria-t-il dans le téléphone. La collection est toujours chez elle ! Comment peut-elle nous faire ça ? »

Il fit signe de se taire à l'employé de bureau qui était venu le trouver. Puis il raccrocha violemment le récepteur noir.

« Monsieur, les reporters sont encore là, c'est toujours à

propos de la momie.

– Je me fiche de la momie ! Cette femme part en voyage et laisse le trésor dans son salon comme s'il s'agissait d'une collection de poupées ! »

Elliott se tenait à côté de Julie et de Ramsey. Accoudé au bastingage, il regardait Alex embrasser sa mère au pied de la passerelle.

« Je ne suis pas ici pour jouer les mères poules » dit Elliott à Julie. Alex embrassa à nouveau sa mère, puis se hâta de monter à bord. « Je veux seulement être à vos côtés au cas où vous désireriez quelque chose. Ne vous en affligez pas, je vous en prie. »

Mon Dieu, il était vraiment sérieux. L'expression du visage de Julie lui était douloureuse.

« Mais pourquoi Henry vient-il avec nous ? Je ne veux pas de sa compagnie. »

Henry était arrivé quelques instants auparavant sans un mot aimable pour qui que ce fût. Il était aussi pâle et aussi lamentable que la veille.

« Oui, je sais, soupira Elliott, mais c'est votre cousin, ma chère, et...

– Elliott, je vous en prie. Vous savez que j'aime Alex, je l'ai toujours aimé, mais un mariage avec moi n'est peut-être pas l'idéal pour lui. J'ai toujours été très claire à ce sujet.

– Je sais, Julie, je sais. Mais votre ami... » Il fit un geste en direction de Ramsey, qui se montrait extrêmement intéressé par l'activité portuaire. « Comment ne pas nous inquiéter ? Que devons-nous faire ? »

Elle ne pouvait pas lui résister. Cela n'était pas nouveau, d'ailleurs. Une nuit, plusieurs mois auparavant, alors qu'elle avait bu trop de champagne et beaucoup trop dansé, elle avait confié à Elliott qu'elle était plus amoureuse de lui qu'elle ne l'était d'Alex. S'il avait été libre et lui avait demandé sa main, l'affaire eût été réglée sur-le-champ. Bien entendu, Alex avait cru qu'elle plaisantait, mais il y avait eu dans son regard quelque chose qui avait énormément flatté Elliott. Ce regard, il l'entrevoyait en ce moment précis, mais lui-même n'était pas le moins du monde sincère.

« Très bien, Elliott », dit-elle. Elle l'embrassa sur la joue. Il aimait cela. « Je ne veux pas faire de mal à Alex. »

Le sifflet à vapeur retentit avec force. C'était le dernier appel des passagers. Les visiteurs quittaient les salles de réception et redescendaient à terre.

Soudain, Ramsey arriva sur eux à toute allure. Il prit Julie par le bras et la fit tournoyer comme s'il ne sentait pas sa force. Elle le regarda sans comprendre.

« Julie, les vibrations ! Je dois voir ces moteurs. »

Le visage de Julie s'adoucit. On eût dit contagieuse l'excitation de l'Egyptien.

« Mais bien sûr. Elliott, excusez-moi, je dois conduire Rams... je veux dire M. Ramsey dans la salle des machines, si cela est possible, bien entendu.

– Si vous me permettez », dit Elliott en faisant signe à un jeune officier en uniforme immaculé qui venait de déboucher sur le pont.

Alex défaisait déjà ses malles quand Elliott entra dans le petit salon qui séparait leurs cabines respectives.

« C'est plutôt agréable, non ? » dit Elliott en portant son regard sur le mobilier. C'était Edith qui s'était chargée de faire les réservations.

« Vous avez l'air fatigué, père. Je vais demander qu'on nous apporte le thé. »

Le comte se laissa glisser dans un petit fauteuil mordoré. Du thé, c'était une bonne idée. Mais quel était ce parfum ? Y avait-il des fleurs dans la cabine ? Il n'en voyait pas. Il n'y avait que la bouteille de champagne dans son seau et les verres disposés sur le plateau d'argent.

Et puis il se souvint. C'était la belle-de-jour qu'il avait cueillie dans le jardin d'hiver.

« Rien ne presse, Alex », murmura-t-il. Il fouilla dans sa poche, trouva la fleur et l'approcha de son nez. Les pétales ridés se défroissèrent et la fleur apparut dans toute sa splendeur. Il l'écrasa dans sa main.

Alex parlait à nouveau, mais Elliott ne l'entendait pas. Il se contentait de regarder stupidement la belle-de-jour.

Il leva les yeux pour voir Alex reposer le téléphone.

« Le thé sera là dans dix minutes, dit Alex. Mais qu'y a-t-il, père ? Vous êtes blanc comme un...

– Non, ça va, ce n'est rien. Je vais aller me reposer. Appelle-moi quand le thé sera servi. »

Il se leva, les doigts toujours refermés sur la fleur.

Quand il eut fermé la porte de sa cabine, il s'y appuya. La sueur lui coulait dans le dos. Il ouvrit la main. Les pétales avaient retrouvé toute leur vigueur et la fleur semblait plus belle que jamais. Il la regarda longuement. A la base de la fleur, un fragment de feuille verte se déroula lentement.

Il se tourna vers le miroir. Le comte de Rutherford, homme grisonnant et quelque peu handicapé, mais toujours assez beau malgré ses cinquante-cinq ans. Il lâcha sa canne et passa sa main gauche dans ses cheveux.

Il entendit Alex l'appeler. Le thé était servi. Il tira son portefeuille et écrasa à nouveau la fleur avant de la ranger dans l'étui de cuir. Puis il se pencha lentement et ramassa sa canne.

C'est dans un semi-brouillard, semble-t-il, qu'il regardait son fils lui verser du thé.

« Vous savez, père, dit Alex, je commence à croire que tout va s'arranger. J'ai bien regardé Ramsey. Il est beau, je vous l'accorde, mais il est trop vieux pour elle, non ? »

Comme c'était amusant, ce grand palais de métal qui flottait sur les eaux. Et ces petites boutiques, cette salle de banquet et cette salle de bal où joueraient des musiciens !

Et ses appartements ! Jamais, alors qu'il était roi, il n'en avait eu de si beaux à bord d'un vaisseau ! Il riait tout seul alors que les stewards sortaient des malles les affaires de Lawrence Stratford.

Samir referma la porte dès qu'ils furent partis, puis il sortit de son manteau une grosse somme d'argent.

« Cela satisfera vos moindres désirs pendant longtemps, sire, mais vous ne devez pas tout montrer en même temps.

– Oui, mon loyal ami. On pratiquait déjà ainsi lorsque je m'éclipsais du palais étant enfant. » Il rit à nouveau avec exubérance. Il ne pouvait s'en empêcher. Le paquebot abritait même une bibliothèque et un petit cinéma, sans compter toutes les merveilles dissimulées sous le pont. Et les membres de l'équipage, hommes doux et élégants aux manières de gentlemen, lui avaient dit qu'il pouvait se rendre où bon lui semblait.

« Votre pièce de monnaie valait beaucoup plus, sire, mais je ne pouvais pas vraiment me permettre de discuter.

– N'y pensez plus, Samir. Quant à votre estimation de Lord Rutherford, vous étiez dans le vrai. Il croit. Je dirais même qu'il sait.

– Mais c'est Henry Stratford qui offre le plus de dangers. Une chute depuis le pont quand le navire est en haute mer ne serait que justice.

– Cela n'est pas sage. La paix de l'esprit de Julie en serait affectée. Plus j'apprends de choses sur cette époque et mieux j'en comprends les complexités, ses concepts de justice extrêmement développés. Ils sont romains, et plus que cela encore. Nous devons surveiller les activités de M. Henry Stratford. Quand sa présence sera devenue vraiment pénible aux yeux de sa cousine, sa mort sera peut-être le moindre de deux maux. Vous n'aurez pas à vous en occuper, je veillerai moi-même à cela.

– Bien, sire. Mais si, pour quelque raison, vous ne voulez plus accomplir cette tâche, je serai plus qu'heureux de tuer cet homme de mes mains. »

Ramsès rit doucement. Comme il l'aimait, celui-là ! Téméraire et honnête, patient, si intelligent.

« Nous devrions peut-être le tuer tous les deux, Samir, dit-il. Mais, en attendant, je meurs de faim. Quand participerons-nous à ce grand banquet sur des nappes roses parmi les palmiers en pot ?

– Très bientôt, sire, mais je vous en prie... faites attention.

– Ne vous inquiétez pas, Samir, dit Ramsès en lui prenant la main. J'ai déjà reçu des instructions de la part de la reine Julie. Je ne dois manger qu'un plat de poisson, un plat de volaille et un plat de viande. Pas tous en même temps, bien entendu. »

Ce fut au tour de Samir de rire.

« Etes-vous encore malheureux ? lui demanda Ramsès.

– Non, sire, je suis très heureux. Ne soyez pas déçu par mon allure ténébreuse. J'en ai plus vu dans ma vie que je ne l'aurais jamais rêvé. Quand Henry Stratford sera mort, je n'exigerai plus rien d'autre. »

Ramsès hocha la tête. Avec Samir, son secret serait à tout jamais protégé, il le savait, même s'il ne pouvait pleinement comprendre cette qualité de sagesse et de résignation. Il n'en avait jamais pris la pleine mesure à l'époque où il était un simple mortel. Il le pouvait encore moins aujourd'hui.

CHAPITRE ONZE

C'était une somptueuse salle à manger de première classe, déjà bondée de messieurs distingués, en chemise blanche et tenue de soirée, et de dames en robes à décolleté. Quand Julie entra et voulut s'asseoir, Alex se leva pour l'y aider. Henry et Elliott, déjà installés de l'autre côté de la table, se levèrent également. Julie adressa un signe de tête à Elliott, mais fut bien incapable de regarder son cousin.

Elle se tourna vers Alex et plaça la main sur la sienne. Malheureusement, elle ne pouvait s'empêcher d'entendre Henry jacasser à l'oreille d'Elliott. Il parlait d'Alex, ce pauvre imbécile qui s'était révélé incapable d'interdire à Julie d'entreprendre ce voyage.

Alex avait les yeux rivés sur son assiette et paraissait complètement perdu. Le moment et l'endroit étaient-ils propices à l'aveu ? Julie sentait qu'elle devait faire preuve d'honnêteté dès le début; sinon, les choses risqueraient d'empirer pour Alex, et elle devait veiller à ce qu'il n'en fût pas ainsi.

« Alex, dit-elle à voix basse, je resterai peut-être en Egypte. Je ne sais pas encore quels sont mes projets. Vous savez, mon chéri, je me dis parfois que vous méritez une compagne qui soit aussi bonne que vous. »

Il ne fut pas surpris par ces mots. Il prit seulement quelques secondes avant de répondre. « Comment pourrais-je vouloir meilleure amie que vous ? Je vous suivrais dans les jungles du Soudan si c'était là le but de votre voyage.

– Vous ne savez pas ce que vous dites. »

Il se pencha vers elle et sa voix se changea en un murmure des plus intimes. « Je vous aime, Julie, et vous m'êtes plus précieuse que tout ce que je possède. Je me battrai pour vous,

Julie, c'est là ce que vous attendez de moi. »

Que pouvait-elle lui rétorquer qui ne le blessât pas ? Brusquement, il leva les yeux. Ramsès et Samir étaient là.

Julie en resta bouche bée. Ramsès resplendissait dans la chemise blanche de son père et son habit sombre. Quand il prit un siège, chacun de ses gestes parut plus noble et plus gracieux que tous ceux des Anglais qui l'entouraient. Il respirait la vigueur et le bien-être. Son sourire était positivement radieux.

Il découvrit alors les épaules dénudées et le décolleté plongeant de Julie. Il était fasciné. Alex s'en aperçut et prit un air outragé. Samir, qui s'était assis à la droite du comte, était en alerte.

Elle devait faire quelque chose. Sans la quitter du regard comme s'il n'avait jamais vu de femme avant elle, Ramsès s'installa à la gauche de Julie.

Elle s'empressa de lui déplier sa serviette tout en lui disant à voix basse : « Mettez ça sur vos genoux. Et arrêtez de me regarder comme ça. C'est une robe du soir, tout à fait convenable. » Puis, se tournant vers Samir : « Ah, Samir, je suis heureuse que vous puissiez faire ce voyage avec nous.

– Eh oui, nous voilà tous réunis, s'empressa de dire Elliott pour meubler le silence. Nous dînons tous ensemble ainsi que je l'avais prévu. N'est-ce pas formidable ? »

Julie se mit à rire. Elle était heureuse qu'Elliott fût venu, finalement. Il aplanirait les difficultés. Il faisait cela de manière instinctive, presque malgré lui. Le charme étonnant qui se dégageait de sa personne y était pour beaucoup.

Julie n'osait pas regarder Henry dans les yeux, mais elle sentait bien qu'il était terriblement mal à l'aise. Il était déjà en train de boire. Son verre était rempli.

Les serveurs apportèrent le sherry, puis le potage. Ramsès s'était emparé du pain. Il en avait arraché un gros morceau qu'il dévorait à belles dents.

« Dites-moi, monsieur Ramsey, l'interrogea Elliott, comment avez-vous trouvé Londres ? Votre séjour vous a-t-il satisfait ? Vous n'êtes pas resté longtemps avec nous. »

Pourquoi diable Ramsès souriait-il ?

« J'ai trouvé cette ville très impressionnante, dit-il avec un enthousiasme immédiat. Un curieux mélange de richesses insolentes et d'inextricable pauvreté. Je ne comprends pas comment tant de machines peuvent produire tant de choses pour si peu d'individus et si peu de choses pour un si grand nombre...

– Monsieur, vous remettez en cause toute la Révolution industrielle, dit Alex avec un rire nerveux qui témoignait de son malaise. Ne me dites pas que vous êtes marxiste. Il est plutôt rare que nous rencontrions des radicaux dans notre... notre cercle.

– Je ne suis pas marxiste, je suis égyptien, dit Ramsès.

– Certes, vous l'êtes, monsieur Ramsey, dit Elliott sur un ton apaisant. Nous savons bien que vous n'êtes pas marxiste. Quelle idée ridicule ! Vous connaissiez bien notre Lawrence au Caire ?

– Notre Lawrence. Je ne l'ai connu que brièvement. » Ramsès regardait Henry. Julie prit une cuillerée de potage et lui donna un léger coup de coude afin de lui montrer comment manger convenablement. Mais il ne s'intéressait pas vraiment à elle. Il prit du pain, le trempa dans le potage et se mit à manger sans pouvoir détacher les yeux de Henry.

« La mort de Lawrence m'a causé un grand choc. Je suis sûr qu'il en a été de même pour vous tous, dit-il en trempant un autre morceau de pain. Un marxiste est une sorte de philosophe, n'est-ce pas ? Je me souviens d'un certain Karl Marx, j'ai découvert cette personne dans la bibliothèque de Lawrence. Un fou. »

Henry n'avait pas touché à son potage. Il but un peu de scotch et fit signe au serveur.

« Cela n'a aucune importance, dit vivement Julie.

– Oui, la mort de Lawrence nous a causé un très grand choc, dit sobrement Elliott. Je suis certain qu'il avait encore au moins dix ans devant lui, peut-être même vingt. »

Ramsès continuait de plonger d'énormes morceaux de pain dans le potage. Henry le regardait, horrifié, mais prenait bien garde de ne pas croiser son regard. Tout le monde était plus ou moins fasciné par l'attitude de Ramsès, qui acheva le pain et le potage avant d'engloutir son sherry et de s'essuyer les lèvres.

« Encore à manger, dit-il. Cela arrive ?

– Oui, lui dit Julie, mais ne te presse pas.

– Vous étiez l'ami intime de Lawrence ? demanda Ramsès à Elliott.

– Absolument.

– Oui, euh, s'il était là, parmi nous, il nous parlerait de sa chère momie, dit Alex avec un rire nerveux. En fait, pourquoi faites-vous ce voyage, Julie ? Pourquoi vous rendre en Egypte alors que la momie attend à Londres qu'on daigne l'examiner ? Je ne comprends pas très bien, vous savez...

– Cette collection a ouvert un certain nombre de domaines de recherche, dit Julie. Nous voulons aller à Alexandrie, puis au Caire, peut-être...

– Oui, bien sûr », dit Elliott. Il était évident qu'il voulait voir la réaction de Ramsès quand le serveur lui apporta le poisson, une tranche très fine accompagnée d'une délicate sauce à la crème. « Cléopâtre, reprit-il, votre mystérieux Ramsès II prétend l'avoir aimée et perdue. Cela s'est passé à Alexandrie, n'est-ce pas ? »

Julie n'avait pas vu venir le coup. Ramsès non plus. Très pâle subitement, il regardait fixement le comte.

« Eh bien, oui, c'est un aspect de la question, dit Julie. Mais nous nous rendrons également à Louxor et à Abou Simbel. J'espère que vous êtes tous en état de faire ce voyage diffi-cile. Naturellement, si vous ne souhaitez pas poursuivre...

– Abou Simbel, dit Alex, c'est bien là que se dressent les statues colossales de Ramsès II ? »

Ramsès coupa la tranche de poisson en deux et la mangea avec les doigts. Un étrange sourire était apparu sur les lèvres d'Elliott, mais Ramsès ne l'avait pas remarqué. Il s'intéressait à nouveau à Henry. Julie n'en pouvait plus.

« Tu sais, on trouve un peu partout des statues de Ramsès le Grand, dit Elliott en regardant Ramsès saucer avec du pain. Ramsès a laissé plus de monuments à lui-même que tous les autres pharaons.

– Ah oui, c'est celui-là, dit Alex. L'égocentrique. J'ai appris cela à l'école.

– L'égocentrique ! dit Ramsès en faisant la grimace. Du pain ! » lança-t-il au serveur. Puis, s'adressant à Alex : « Qu'est-ce qu'un égocentrique, je vous prie ?

– Aspirine, marxisme, égocentrisme, fit Elliott. Ces concepts vous sont inconnus, monsieur Ramsey ? »

Henry devenait vraiment agité. Il avait bu son deuxième verre de scotch et était maintenant affalé contre le dossier de sa chaise.

« Vous savez, dit allégrement Alex, ce type était un drôle de fanfaron. Il a construit un peu partout des monuments à sa propre gloire. Il se vantait sans arrêt de ses victoires, de ses femmes et de ses fils ! Quand on voit cette momie, on ne dirait pas !

– Mais de quoi parlez-vous ? dit Julie.

– Y a-t-il eu dans toute l'histoire un roi d'Egypte qui ait remporté autant de victoires, dit Ramsès avec chaleur, joui de tant de femmes et engendré autant de fils ? Vous comprendrez certainement qu'en érigeant de si nombreuses statues, le pharaon donnait à son peuple exactement ce qu'il attendait.

– Ah, voilà qui est nouveau ! » dit Alex d'un air sarcastique. Il posa ses couverts. « Vous n'allez tout de même pas nous dire que les esclaves aimaient être fouettés à mort et travailler sous un ciel de plomb pour ériger ces temples et ces statues colossales !

– Des esclaves fouettés à mort sous un soleil de plomb ? dit Ramsès. Mais que dites-vous là ? Cela n'existe pas ! » Il se tourna vers Julie.

« Alex, ce n'est qu'une théorie, dit-elle, nous ne savons pas exactement comment les monuments ont été construits...

– Moi, je le sais, fit Ramsès.

– A chacun sa théorie ! dit Julie en haussant le ton et en faisant discrètement signe à Ramsès.

– Mais enfin, reprit Alex, cet homme a fait construire d'un bout à l'autre de l'Egypte d'énormes statues le représentant. Vous n'allez tout de même pas me dire que les gens n'auraient pas été plus heureux à cultiver des...

– Vous êtes bien étrange, jeune homme ! dit Ramsès. Que savez-vous du peuple d'Egypte ? Des esclaves, vous parlez d'esclaves quand vos taudis sont pleins d'enfants qui meurent de faim. Le peuple voulait ces monuments. Il était fier de ses temples. Quand le Nil était en crue, il était impossible de travailler dans les champs, et les monuments sont devenus la passion de la nation. Les travaux forcés n'existaient pas, ils n'étaient pas nécessaires. Le pharaon était pareil à un dieu et il devait faire exactement ce que le peuple attendait de lui.

– Vous voyez les choses de manière un peu sentimentale », dit Elliott. Il était en réalité fasciné.

Henry était livide et ne bougeait plus sur sa chaise. Il

n'avait pas touché à son nouveau verre de whisky.

« Pas le moins du monde, répliqua Ramsès. Le peuple d'Egypte était fier de Ramsès le Grand. Il a repoussé les ennemis; il a défait les Hittites; il a préservé la paix en Haute et Basse-Egypte tout au long des soixante-quatre années de son règne ! Quel autre pharaon a jamais offert pareille tranquillité au pays du grand fleuve ? Vous savez ce qui est arrivé par la suite, n'est-ce pas ?

– Reginald, dit Julie dans un souffle, est-ce que cela a tant d'importance ?

– Apparemment, cela en a pour l'ami de votre père, dit Elliott. Je soupçonne les anciens rois d'être de parfaits tyrans, d'avoir battu à mort leurs sujets s'ils ne travaillaient pas à ces absurdes monuments. Prenez les pyramides, par exemple. Comment ont-ils...

– Vous n'êtes pas si stupide, Lord Rutherford, dit Ramsès. Vous êtes... comment dit-on ?... taquin ? Les Anglais étaient-ils fouettés dans la rue quand ils construisaient St Paul's ou l'abbaye de Westminster ? La Tour de Londres, est-ce là l'œuvre d'esclaves ?

– Nul ne connaît la réponse, dit humblement Samir. Peut-être devrions-nous essayer...

– Il y a bien du vrai dans ce que vous dites, l'interrompit Elliott. Mais, pour ce qui est du grand Ramsès, vous devez admettre que c'était un dirigeant faisant preuve d'un manque de modestie exceptionnel. La stèle qui vante ses exploits est risible.

– Monsieur... tenta de dire Samir.

– Ce n'est pas du tout cela, dit Ramsès. C'était le style de l'époque, la façon dont le peuple voulait que ses chefs se présentent. Ne comprenez-vous pas que le véritable maître était le peuple ? Pour que le peuple soit grand, son chef se devait d'être grand ! Le roi était l'esclave des hommes du peuple lorsque leurs souhaits, leurs besoins, leur bien-être étaient en jeu !

– Vous n'allez tout de même pas nous faire croire que Ramsès était un martyr ! » ricana Alex. Julie ne l'avait jamais vu aussi agressif.

« Peut-être un esprit moderne ne peut-il comprendre aisément un esprit ancien, concéda Elliott. Je me demande si le contraire est vrai. Si un homme de cette époque, ramené à la vie, pourrait saisir nos valeurs.

– Vous n'êtes pas si difficiles à comprendre, dit Ramsès. Vous avez appris à vous exprimer trop bien pour que quoi que ce soit demeure voilé ou mystérieux. Vos journaux et vos livres racontent tout. Cependant vous n'êtes pas différents de vos lointains ancêtres. Vous voulez l'amour, vous voulez le confort, vous voulez la justice. C'est ce que voulait aussi le paysan égyptien quand il partait cultiver son champ. C'est ce que veulent aussi les travailleurs de Londres. Et, comme toujours, les riches sont jaloux de ce qu'ils possèdent. L'avidité continue d'engendrer le crime. »

Il posa impitoyablement les yeux sur Henry. Julie implorait Samir du regard.

« Vous parlez de ce siècle comme si vous n'aviez rien à voir avec lui ! dit Alex.

– Ce que vous voulez nous faire comprendre, dit Elliott, c'est que nous ne sommes ni meilleurs ni pires que les anciens Egyptiens. »

Henry voulut prendre son verre et le renversa. Il se rabattit sur le vin. Son visage blafard était trempé de sueur. Sa lèvre inférieure tremblait.

« Non, ce n'est pas ce que je veux dire, dit Ramsès d'un air pensif. Vous êtes meilleurs. D'un millier de façons. Mais vous êtes toujours humains. Vous n'avez pas encore trouvé toutes les réponses. L'électricité, le téléphone, ce sont là des objets magiques. Mais les pauvres meurent de faim. Les hommes tuent pour avoir ce que leur refuse leur propre travail. Comment partager la magie, les richesses, les secrets, voilà bien le problème.

– Ah, je vous disais bien que c'était du marxisme, fit Alex. A Oxford, on nous a appris que Ramsès II était un tyran sanguinaire.

– Calme-toi, Alex », lui dit Elliott. Il s'adressa à Ramsès. « En quoi cela vous intéresse-t-il, ces questions d'avidité et de pouvoir ?

– Oxford ? Qu'est-ce qu'Oxford ? » demanda Ramsès en jetant un coup d'œil à Alex. Puis il se retourna brusquement vers Henry, qui sursauta. Il s'accrochait à la table comme s'il allait perdre l'équilibre. Pendant ce temps, les serveurs avaient desservi le poisson et déposaient sur la table le poulet rôti aux pommes de terre. Quelqu'un versa à boire à Henry.

Il but sans attendre.

« Tu vas te rendre malade, lui dit Elliott.

– Eh, une minute, fit Alex. Vous n'avez *jamais* entendu parler d'Oxford ?

– Non, de quoi s'agit-il ?

– Oxford, égocentrisme, aspirine, marxisme, récita Elliott. Vous avez la tête dans les nuages, monsieur Ramsey.

– Oui, comme les statues colossales ! dit Ramsès avec un sourire.

– Il n'empêche que vous êtes marxiste, reprit Alex.

– Alex, monsieur Ramsey n'a rien d'un marxiste ! dit Julie, incapable de contenir sa colère. Et si ma mémoire est bonne, votre matière de prédilection à Oxford était le sport, n'est-ce pas ? Les courses de bateaux et le football ? Vous n'avez jamais étudié l'histoire de l'Egypte et le marxisme, me semble-t-il !

– Oui, ma chérie, je ne connais rien de l'ancienne Egypte, reconnut-il. Mais il y a ce poème, monsieur Ramsey, ce poème que Shelley a consacré à Ramsès le Grand. Vous le connaissez certainement. Voyons voir, un de mes maîtres me l'a fait apprendre par cœur...

– Nous devrions peut-être reparler du voyage, dit Samir. Il fera très chaud à Louxor. Peut-être souhaiterez-vous ne pas pousser plus loin que...

– Oui, et des raisons de ce voyage, dit Elliott. Vous désirez vérifier les déclarations de *la momie* ?

– Quelles déclarations ? fit Julie. Je ne vois pas de quoi...

– Vous savez bien, c'est vous-même qui m'en avez parlé. Il y a aussi le carnet de notes de votre père. La momie prétend qu'elle est immortelle et qu'elle a aimé Cléopâtre. »

Ramsès baissa les yeux vers son assiette. Adroitement, il s'empara d'un morceau de poulet et n'en fit que deux bouchées.

« Le musée devra examiner ces textes, dit Samir. Il est trop tôt pour tirer des conclusions.

– Le musée apprécie-t-il que vous ayez bouclé la collection dans votre demeure de Mayfair ? demanda Elliott.

– Franchement, dit Alex, toute cette histoire m'a paru des plus absurdes. Du romantisme échevelé, oui. Un être immortel, qui vit mille ans avant de tomber tragiquement amoureux de Cléopâtre. Cléopâtre !

– Je vous demande pardon », dit Ramsès. Il dévora le reste du poulet et s'essuya les doigts à sa serviette. « Dans votre célèbre Oxford, on vous a certainement appris des choses ignobles sur Cléopâtre. »

Alex rit de bon cœur.

« Il n'y a pas besoin d'aller à Oxford pour entendre des choses ignobles sur Cléopâtre. Chacun sait que c'était une catin, un panier percé, une tentatrice, une hystérique !

– Alex, je ne veux plus entendre ces enfantillages ! lui lança Julie.

– Vous avez des opinions sur beaucoup de choses, jeune homme, dit Ramsès en lui adressant un sourire glacé. Quelle est votre passion à présent ? Qu'est-ce qui vous intéresse ? »

Il y eut un instant de silence. Julie ne put s'empêcher de remarquer l'expression étrange qu'avait prise le visage d'Elliott.

« Eh bien, dit Alex, si vous étiez un immortel – un immortel qui a jadis été un grand roi –, tomberiez-vous amoureux d'une femme comme Cléopâtre ?

– Répondez à la question, Alex, lui dit Julie. Quelle est votre passion ? Ce n'est ni l'histoire ni l'égyptologie ni même la politique. Qu'est-ce qui peut vous donner envie de vous lever le matin ? » Elle sentait le sang lui monter aux joues.

« Oui, je serais tombé amoureux de Cléopâtre, dit Ramsès. Elle aurait charmé un dieu. Lisez entre les lignes de votre Plutarque. La vérité y réside.

– Et quelle est la vérité ? s'enquit Elliott.

– Que c'était un esprit brillant. Son don pour les langues et l'art de gouverner défiait la raison. Les plus grands hommes de l'époque lui ont rendu hommage. Son âme était royale, au plein sens du mot. Pourquoi croyez-vous que votre William Shakespeare a écrit sur elle ? Pourquoi vos écoliers connaissent-ils son nom ?

– Oh, le droit divin, maintenant ! dit Alex. Vous étiez plus intéressant lorsque vous professiez la théorie marxiste.

– Et quelle est-elle, je vous prie ?

– Alex, dit sèchement Julie, vous ne reconnaîtriez pas un marxiste à deux pas !

– Vous devez comprendre, monseigneur, dit Samir. Nous autres, Egyptiens, prenons très au sérieux notre histoire. Cléopâtre était à tout point de vue une reine exceptionnelle.

– Voilà qui est bien dit, approuva Ramsès. Avec une Cléopâtre à sa tête, l'Egypte viendrait à bout de la puissance britannique. Elle chasserait vos soldats, soyez-en sûrs.

– Ah, un révolutionnaire à présent ! Et le canal de Suez ? Je suppose qu'elle dirait : "Non, merci, je n'en veux pas". Car vous savez ce qu'est le canal de Suez, n'est-ce pas ? Eh bien, c'est le financement britannique qui a réalisé ce petit miracle, mon ami. J'espère que vous me comprenez.

– Mais oui, cette petite tranchée que vous avez creusée entre la mer Rouge et la Méditerranée. Avez-vous battu vos esclaves à mort pour qu'ils fassent les travaux ?

– Ah, touché, je dois le reconnaître. La vérité est que je n'en ai pas la moindre idée. » Alex reposa sa fourchette et se cala au dossier de sa chaise. Il sourit à Henry. « Ce dîner m'a littéralement épuisé. »

Henry avait le regard vitreux et paraissait ne plus rien comprendre.

« Dites-moi, monsieur Ramsey, lui demanda Elliott. Votre opinion personnelle, je vous prie. Cette momie est-elle vraiment celle de Ramsès le Grand ? Un immortel qui aurait vécu jusqu'à l'époque de Cléopâtre ? »

Alex rit doucement et parut consulter Henry.

« Et *vous*, Lord Rutherford, qu'en pensez-vous ? lui dit Ramsès. Vous avez lu les notes de votre ami Lawrence. Y a-t-il un être immortel dans le cercueil exposé dans la maison de Julie ?

– Non », répondit Elliott avec un sourire.

Julie osa un regard en direction de Samir.

« Bien sûr que non ! fit Alex. Et il serait temps qu'on le proclame. Quand on l'emmènera au musée pour l'analyser, on découvrira que ce n'était autre qu'un scribe à l'imagination débordante.

– Pardonnez-moi, dit Julie, mais je suis lasse de tout cela. Nous serons très bientôt en Egypte, parmi les momies et les monuments. Faut-il poursuivre ?

– Pardonnez-moi, ma chère, dit Elliott en prenant un petit morceau de poulet. J'ai beaucoup apprécié votre conversation, monsieur Ramsey. Je trouve absolument fascinant votre point de vue sur l'ancienne Egypte.

– Oh ? L'époque contemporaine me passionne vraiment, Lord Rutherford. Les Anglais tels que vous-même m'intriguent beaucoup. Et, comme vous le disiez, vous étiez un bon ami de Lawrence, n'est-ce pas ?

– Nous avions des divergences, Lawrence et moi, reconnut-il. Mais je peux dire que oui, nous étions de très bons amis. Et nous nous accordions sur une chose : nous espérions que nos enfants feraient très bientôt un beau mariage.

– Elliott, je vous en prie, dit Julie.

– Mais nous n'avons pas à discuter de cela, vous et moi. Il y a d'autres sujets que j'aimerais aborder avec vous. D'où vous venez, qui vous êtes vraiment. Toutes ces questions que je me pose à moi-même quand je me regarde dans le miroir. »

Ramsès rit, mais il était furieux, Julie s'en rendait bien compte.

« Vous trouverez probablement mes réponses brèves et décevantes. Quant au mariage de Julie avec votre fils, Lawrence pensait que cela ne regardait qu'elle. Attendez, comment avait-il dit cela ? » Il se tourna une fois de plus vers Henry. « L'anglais est plutôt nouveau pour moi, mais ma mémoire est infaillible. Ah oui. " Quant au mariage, il peut attendre. " Ce sont bien là ses paroles, n'est-ce pas, mon cher Henry ? »

Les lèvres de Henry remuèrent, mais elles n'émirent qu'un vague gémissement. Alex avait le visage rouge de colère. Julie se devait d'arrêter cela, mais comment ?

« Oui, il est certain que vous avez été très intime avec le père de Julie, dit Alex d'un air un peu triste. Plus même que nous ne le pensions. Y a-t-il autre chose que Lawrence vous aurait fait savoir avant de mourir ? »

Ce pauvre Alex !

« Oui », dit Ramsès. Julie lui prit la main et la serra très fort, mais il ne parut pas s'en rendre compte. « Il pensait que son neveu était un salopard. » Il posa les yeux sur Henry. « J'ai raison, n'est-ce pas ? " Petit salopard ! " Ce sont bien là ses dernières paroles ? »

Henry se leva et sa chaise se renversa sur la moquette. Les yeux rivés sur Ramsès, la bouche ouverte, il balbutiait des paroles incohérentes.

« Monsieur Ramsey, vous exagérez ! s'écria Alex.

– Vraiment ? dit Ramsès.

– Henry, vous êtes ivre, mon vieux, dit Alex. Je vais vous raccompagner à votre cabine.

– N'en faites rien, je vous en prie », murmura Julie.

Elliott les observait. Difficilement, Henry quitta la table et se dirigea vers la porte du restaurant.

Alex ne pouvait détacher les yeux de son assiette. Il avait le visage empourpré.

« Monsieur Ramsey, je pense qu'il y a quelque chose que vous devriez comprendre, dit Alex.

– De quoi s'agit-il, jeune homme ?

– Le père de Julie avait son franc-parler, surtout avec ceux qu'il aimait. » Une idée lui traversa l'esprit. « Vous... vous n'étiez pas là quand il est mort, n'est-ce pas ? Je croyais que Henry était seul avec lui. »

Elliott demeura silencieux.

« Eh bien, j'ai l'impression que ce voyage va être fort instructif, dit platement Alex. Je dois avouer...

– Il va être exécrable, oui ! » Julie n'en pouvait plus. « Maintenant écoutez-moi. Vous tous. Je ne veux plus entendre parler de ce mariage ou de la mort de mon père ! » Elle se leva. « Pardonnez-moi, mais je vais vous laisser. Je serai dans ma cabine au cas où vous auriez besoin de moi. » Elle se tourna vers Ramsès. « On ne doit plus parler de tout cela, je pense que c'est clair ? »

Elle prit sa pochette et sortit lentement de la salle sans se préoccuper des regards posés sur elle.

« Oh, c'est épouvantable », entendit-elle Alex dire derrière elle. Puis il fut à ses côtés. « Je suis sincèrement désolé, ma chérie, croyez-moi. La conversation a pris un tour...

– Je veux retrouver ma cabine, je viens de le dire. » Et elle pressa le pas.

Un cauchemar. Tu vas te réveiller, tu vas te retrouver à Londres. Tout ira bien. Rien ne se sera produit. Tu as fait ce qu'il convenait de faire. Cette créature est un monstre qui doit être détruit.

Debout au bar, il attendait un verre de scotch qui paraissait ne devoir jamais arriver quand il leva les yeux et le vit – lui, cet être, cette créature qui n'était pas humaine –, debout dans l'encadrement de la porte.

Il émit une sorte de grognement et s'engagea dans le petit couloir moquetté qui conduisait au pont. Un claquement de porte derrière lui : la créature le suivait. Il fit volte-face, le visage fouetté par le vent, et faillit tomber sur les marches de l'escalier métallique. La créature n'était qu'à quelques mètres de lui, ses grands yeux bleus vitreux le fixaient intensément. Il monta les marches quatre à quatre et s'élança sur le pont désert.

Où allait-il ainsi ? Comment pourrait-il lui échapper ? Il poussa une porte et se retrouva dans une autre coursive. Des nombres qu'il ne reconnaissait pas sur les portes polies des cabines. Il regarda derrière lui : la créature était toujours là.

« Va au diable. » Sa voix n'était qu'un murmure. Il revint sur le pont. Le vent était si humide qu'on eût dit qu'il pleuvait. Il ne savait même pas où il allait. Il s'agrippa un instant au bastingage et contempla la mer grisâtre qui bouillonnait.

Non ! Ecarte-toi du bastingage. Il courut jusqu'à ce qu'il trouvât une autre porte et s'y engouffrât. Il sentait une vibration juste derrière lui, il entendait la créature respirer. Son arme, où diable l'avait-il fourrée ?

Il fouilla dans sa poche. La créature avait abattu sur lui une main large et chaude. Le pistolet lui échappa et tomba à terre. En gémissant, il se plaqua au mur, mais l'autre le tenait par le col de sa veste. Le hublot de la porte laissait passer une affreuse lumière qui éclairait par instants le visage de la créature.

« Un pistolet, me semble-t-il, dit Ramsès. J'ai lu des choses à ce sujet alors que j'aurais dû m'intéresser à Oxford, à l'égocentrisme, à l'aspirine et au marxisme. Cela tire de petits projectiles de métal, suite à l'intense combustion qui se produit dans une chambre, non ? C'est très intéressant, mais cela ne sert pas à grand-chose quand on a affaire à moi. Si vous aviez tiré, des gens seraient venus et vous auraient demandé ce qui se passe.

– Je sais qui vous êtes ! Je sais d'où vous venez !

– Vraiment ? Dans ce cas, vous vous rendez compte que moi aussi je sais qui vous êtes. Et ce que vous avez fait ! Je n'hésiterais pas un seul instant à vous jeter dans les chaudières à charbon qui alimentent ce magnifique navire et nous emportent sur les eaux froides de l'Atlantique. »

Le corps de Henry se convulsait. Il luttait de tous ses muscles, mais ne parvenait pas à se débarrasser de la main qui lui broyait l'épaule.

« Ecoute-moi, insensé que tu es. » La créature se rapprocha, il sentait son souffle lui caresser le visage. « Fais du mal à Julie et je te tue. Fais-la pleurer et je te tue ! Fais-la *froncer les sourcils* et je te tue ! Tu ne vis que pour le bien-être de l'âme de Julie. Cela s'arrête là. Et souviens-toi de mes paroles. »

La main le libéra. Il s'écroula à terre et serra les dents. Il ferma les yeux quand il se rendit compte que son caleçon était humide et sentit sa propre odeur. Ses intestins l'avaient trahi.

La créature le contemplait, à demi dissimulée dans l'ombre, puis elle rangea le pistolet dans sa poche et s'éloigna pour bientôt disparaître.

La nausée. Les ténèbres.

Quand il se réveilla, il était couché dans la coursive. Personne n'était passé par là, semblait-il. Tremblant, étourdi, il se remit sur pied et se dirigea vers sa cabine. Une fois là, il se rendit aux toilettes pour vomir. Ce n'est qu'après qu'il se débarrassa de ses vêtements souillés.

Elle était en train de pleurer quand il entra. Rita était partie dîner en compagnie des autres domestiques. Il ne prit même pas la peine de frapper. Il ouvrit la porte et se glissa dans la cabine. Elle ne le regarda pas. Elle tenait son mouchoir contre ses yeux, mais ses pleurs paraissaient ne pas vouloir s'arrêter.

« Je suis désolé, ma reine. Ma douce reine. Crois-moi, je suis sincèrement désolé. »

Elle découvrit la tristesse de son visage. Derrière lui, une lampe projetait sa lumière dorée dans sa chevelure brune.

« Ne parlons plus de tout cela, dit-elle d'un air désespéré. N'en parlons plus. Je sais ce qu'il a fait et cela m'est insupportable, mais n'en parlons plus. Je ne désire qu'une chose, que nous soyons ensemble en Egypte. »

Il s'assit sur la couchette à côté d'elle, la prit par la nuque et la fit tourner vers lui. Elle ne lui résista pas et s'abandonna complètement quand il l'embrassa et lui transmit sa formidable chaleur. Elle baisa son visage, ses joues, ses pommettes où la chair était si tendue, ses yeux clos enfin. Elle sentit les mains de Ramsès se refermer sur ses épaules et elle comprit qu'il faisait doucement glisser sa robe du soir, découvrant progressivement ses seins.

Elle s'écarta, honteuse. Elle l'avait poussé à cela, et elle ne le voulait pas.

« Non, je t'en prie », dit-elle tandis que les larmes coulaient à nouveau.

Sans le regarder, elle remonta ses manches de satin. Quand leurs regards se rencontrèrent enfin, elle ne lut que de la patience dans les yeux de Ramsès, et sur ses lèvres ce timide sourire qu'un peu de tristesse venait toutefois tempérer.

Il tendit la main vers elle et elle se raidit, mais il se contenta de lisser sa robe et de remettre de l'ordre dans son collier de perles. Puis il lui baisa le bout des doigts.

« Viens avec moi, dit-il doucement tout en lui embrassant l'épaule. Le vent est frais. On joue de la musique au salon. J'aimerais que nous dansions ensemble sur cette musique. Ah, ce palais flottant ! C'est un paradis. Viens avec moi, ma reine.

– Mais Alex... dit-elle. Si Alex... »

Il lui embrassa la gorge, puis encore une fois la main, dans la paume cette fois. Une douce chaleur l'envahit. Rester dans cette cabine serait de la folie, à moins, évidemment... Non, elle ne pouvait laisser les choses se dérouler ainsi, tant qu'elle ne le souhaiterait pas de toute son âme.

« Allons-y », dit-elle d'un air résigné.

Il l'aida à se lever. Il lui prit son mouchoir et lui essuya les yeux comme si elle n'était qu'une enfant. Il lui jeta enfin sur les épaules son étole de fourrure blanche.

Ils déambulèrent sur le pont éventé, pénétrèrent dans la coursive et enfin dans la grande salle de bal, au riche décor constitué de boiseries dorées et de panneaux de satin, de vitraux et de palmiers en pots.

Il gémit en découvrant l'orchestre. « Oooh, Julie, cette musique, murmura-t-il. Elle m'ensorcelle. »

C'était une valse de Strauss, là encore, mais, cette fois-ci, les musiciens étaient assez nombreux et le son plus puissant et plus riche.

Alex n'était pas en vue, Dieu merci. Elle se tourna vers Ramsès et le laissa lui prendre la main.

Il l'entraîna dans la valse, et plus rien n'eut d'importance. Il n'y avait plus d'Alex, plus de Henry, et son père n'avait pas connu une mort atroce qui méritât la vengeance.

Loin de là, tapi dans l'ombre profonde du bar, Elliott les regardait danser. Ils en étaient à leur troisième valse, et Julie riait tandis que Ramsès l'entraînait sur la piste sans se soucier des autres couples.

Personne ne semblait leur en vouloir. Chacun respecte les amoureux.

Elliott termina son whisky et se leva.

Une fois arrivé devant la porte de la cabine de Henry, il frappa et ouvrit. Henry était assis sur sa couchette. Enveloppé dans une robe de chambre verte, pieds et jambes nus, il tremblait comme s'il avait très froid.

Elliott s'étonna de sa propre colère. Sa voix lui parut rauque et peu familière.

« Qu'est-ce qu'a vu notre roi d'Egypte ? demanda-t-il. Qu'est-ce qui s'est passé dans ce tombeau quand Lawrence est mort ? »

Henry se tourna brusquement vers le mur comme pour lui échapper, mais Elliott l'obligea à le regarder dans les yeux.

« Regarde-moi, misérable lâche. Réponds à ma question. Qu'est-ce qui s'est passé dans le tombeau ?

– J'essayais d'obtenir ce que vous vouliez ! » gémit Henry. Il avait les yeux cernés et une trace sombre sur le cou. « Je... je m'efforçais de le persuader de conseiller à Julie d'épouser Alex.

– Ne me mens pas ! » dit Elliott. Sa main serra sa canne de marche, il paraissait prêt à s'en servir comme d'une cravache.

« Je ne sais pas ce qui s'est passé, gémit Henry. Ou ce qu'elle a vu ! La créature... elle était couchée dans son cercueil. Qu'est-ce qu'elle a pu voir ? Oncle Lawrence discutait avec moi. Il était bouleversé. La chaleur... Je ne sais pas ce qui est arrivé. Soudain il est tombé à terre. »

Il s'effondra, la tête dans les mains. « Je ne voulais pas lui faire de mal, sanglota-t-il. Oh ! mon Dieu, je ne voulais pas ! J'ai fait ce qu'il fallait, c'est tout. » Il avait les doigts crispés.

Elliott le regardait. S'il avait été son fils, la vie n'aurait eu aucun sens. Et si ce personnage misérable lui mentait... Mais il n'en savait rien. Il ne le saurait jamais.

« D'accord, fit Elliott. Tu m'as tout dit, au moins ?

– Oui ! Oh ! mon Dieu, il faut que je quitte ce navire !

– Cette créature, comme tu dis... pourquoi te mépriset-elle ? Pourquoi a-t-elle essayé de te tuer ? Pourquoi veut-elle t'humilier ainsi ? »

Il y eut un instant de silence, rompu seulement par les sanglots nerveux de Henry. Puis il releva la tête. Ses yeux creux l'imploraient.

« Je l'ai vue revenir à la vie, dit Henry. Avec Julie, je suis le seul à savoir qui elle est vraiment. Elle veut me tuer ! » Il s'arrêta de parler comme s'il craignait de ne plus pouvoir se maîtriser. « Je vais te dire autre chose... » Il retomba sur la couchette. « Elle est d'une force surnaturelle, elle pourrait tuer quelqu'un à mains nues. Pourquoi elle m'a épargné la première fois qu'elle s'en est prise à moi, je l'ignore. Mais elle pourrait bien y arriver la prochaine fois. »

Le comte ne répondit pas. Il quitta la cabine et se rendit sur le pont. Le ciel était noir et les étoiles resplendissantes.

Il demeura longuement appuyé au bastingage, puis il alluma un petit cigare. Il lui fallait tirer les choses au clair.

Samir Ibrahaim savait que cette créature était immortelle. Il voyageait avec elle. Julie savait, elle aussi, et elle n'avait plus sa tête. Quant à lui-même, le mystère le fascinait à un point tel qu'il avait laissé entendre à Ramsey qu'il était également dans le secret.

Ramsey éprouvait de l'affection pour Samir Ibrahaim. Il éprouvait également quelque chose pour Julie Stratford, mais quoi au juste ? Mais envers lui ? Quel était son sentiment ? Avait-il pour lui le même mépris que pour Henry ?

Elliott ne pouvait qu'attendre. Et faire de son mieux pour protéger Alex, ce misérable Alex qui n'avait même pas réussi à dissimuler son ressentiment au cours du repas. Il allait devoir faire comprendre à son fils qu'il allait perdre son amour d'enfance, car il était plus qu'évident que c'était ainsi que les événements allaient tourner.

La vérité était toute simple : cette histoire le passionnait, elle le réjouissait. Il se sentait rajeunir, quelle que fût l'issue de cette aventure. Il ne s'était pas senti aussi bien depuis des années. Quand il passait en revue les souvenirs heureux de son existence, il ne voyait qu'une époque où le seul fait d'être en vie fût aussi fantastique. Il faisait ses études à Oxford. Il avait vingt ans. Il aimait Lawrence Stratford, et Lawrence Stratford l'aimait. Le souvenir de Lawrence balaya tout. Il saurait la vérité, quoi que cela dût lui coûter.

CHAPITRE DOUZE

Au quatrième jour, Elliott comprit que Julie ne prendrait plus ses repas dans la salle à manger, mais dans sa cabine, et que Ramsey lui tiendrait certainement compagnie.

Henry avait également disparu. Ivre, hébété, il restait enfermé dans sa cabine et n'en sortait que pour aller jouer aux cartes avec les hommes d'équipage. Le bruit courait qu'il gagnait beaucoup. Mais toutes sortes de bruits couraient toujours sur Henry. Tôt ou tard, il perdrait, car c'était là sa destinée.

Elliott se rendait également compte que Julie faisait de son mieux pour se montrer aimable avec Alex. Par tous les temps, ils passaient l'après-midi sur le pont. Après le dîner, il leur arrivait de danser ensemble. Ramsey n'était jamais loin, et il les observait avec sérénité, bien qu'il fût visiblement toujours prêt à remplacer Alex dans les bras de Julie.

Lors des brèves excursions à terre qu'Elliott ne pouvait physiquement se permettre, Julie, Samir, Ramsey et Alex s'étaient toujours déplacés en groupe. Alex en revenait toujours légèrement indisposé : il n'aimait pas beaucoup les étrangers. Julie et Samir étaient enchantés. Quant à Ramsey, il s'enthousiasmait de tout ce qu'il découvrait et était aux anges lorsqu'il trouvait un cinéma ou une librairie anglaise.

Elliott appréciait l'attitude de Julie à l'égard de son fils. De toute évidence, ce paquebot n'était pas l'endroit idéal pour apprendre la vérité, et Julie l'avait bien compris. Il se pouvait toutefois qu'Alex eût déjà compris qu'il avait perdu la première grande bataille de sa vie. La vérité était qu'Alex était un garçon trop gentil et trop agréable pour révéler ses sentiments. Pour Elliott, il était probable qu'Alex ne se connût pas lui-même.

Pour Elliott, le principal intérêt de cette traversée consistait à connaître Ramsey, à l'observer, à saisir des détails qui échappaient à ses compagnons. Heureusement pour lui, c'était un être étonnamment social.

Pour l'heure, Ramsey, Elliott, Samir et Alex jouaient au billard, ce qui permit à Ramsey d'aborder tous les sujets et de poser toutes sortes de questions.

La science moderne, en particulier, l'intéressait, et Elliott se prit à disserter pendant des heures sur les théories cellulaires, le système circulatoire, les germes et autres agents infectieux. Ramsey trouvait fascinant le concept d'inoculation.

Presque tous les soirs, Ramsey se rendait à la bibliothèque pour étudier Darwin et Malthus, ainsi que des ouvrages de vulgarisation traitant de l'électricité, du télégraphe, de l'automobile et de l'astronomie.

L'art moderne le passionnait. Il était sincèrement intrigué par les pointillistes et les impressionnistes. Les romanciers russes – Tolstoï et Dostoïevski venaient d'être traduits en anglais – le bouleversaient. Sa vitesse de lecture et de compréhension avait quelque chose de magique.

Le sixième jour, Ramsey se procura une machine à écrire. Avec la permission du capitaine, il l'emprunta au secrétariat du bord. Il s'empressa de taper une liste de ce qu'il voulait faire. Elliott put y jeter un coup d'œil. Il avait écrit, entre autres choses : « Visiter le Prado à Madrid; voler en aéroplane dès que possible. »

Elliott finit par se rendre compte d'une chose : Ramsey ne dormait jamais. Il n'en avait pas besoin. A toute heure de la nuit, Elliott le trouvait en train de faire quelque chose. S'il n'était pas au cinéma, à la bibliothèque ou dans sa cabine, il était en compagnie des officiers dans la passerelle de commandement. Il ne fallut que deux jours à Ramsey pour les connaître tous par leurs noms. Il en allait pratiquement de même pour tous les hommes d'équipage. Son pouvoir de séduction était indéniable.

Un matin, Elliott entra dans la salle de bal pour découvrir une poignée de musiciens en train de jouer pour Ramsey. Ce dernier dansait, seul, sur un rythme lent et primitif, semblable à ceux qu'affectionnent les hommes dans les tavernes grecques. La silhouette de ce danseur solitaire en chemise à manches longues, ouverte sur la poitrine, avait quelque chose de déchirant. Elliott ne pouvait assister en catimini à un spectacle aussi poignant. Il s'éloigna sur le pont et s'enferma dans sa propre solitude.

Elliott trouvait remarquable qu'Alex, son propre fils, ne vît en Ramsey que quelqu'un d'« amusant » et d'original, mais en aucun cas fascinant. Qui d'ailleurs Alex trouvait-il fascinant ? Il entretenait d'excellentes relations avec des dizaines de passagers. Il passait du bon temps, semblait-il, ainsi qu'il l'avait toujours fait, en toute circonstance.

Samir était, pour sa part, de nature taciturne, et il n'intervenait jamais, même quand le ton de la conversation montait entre Elliott et Ramsey. Son attitude à l'égard de Ramsey confinait cependant à la dévotion religieuse. Il était devenu le serviteur dévoué de cet homme, c'était clair à présent.

Julie et Samir étaient mal à l'aise quand Ramsey poussait des cris du cœur tels que : « Julie, nous devons nous hâter de nous débarrasser du passé. Il y a tant de choses à découvrir. Les rayons X, Julie, sais-tu ce que c'est ? Et nous devons aller au pôle Nord en aéroplane ! »

Ces remarques amusaient la galerie. Les autres passagers étaient charmés et séduits par Ramsey, mais ils ne voyaient pas en lui un personnage à l'intelligence exceptionnelle, plutôt un individu légèrement retardé. Sophistiqués à l'extrême et ne devinant jamais la raison de ses étranges exclamations, ils le traitaient avec tendresse et indulgence.

Ce n'était pas le cas d'Elliott, qui le questionnait sans relâche. « Les batailles de l'ancien temps, à quoi ressemblaient-elles vraiment ? Nous connaissons les bas-reliefs du temple de Ramsès III...

– Un homme très brillant, un digne homonyme...

– Qu'avez-vous dit ?

– C'était un digne homonyme de Ramsès II, c'est tout. Poursuivez, je vous en prie.

– Est-ce qu'un pharaon se battait effectivement ?

– Mais bien entendu ! Monté sur son char de combat à la tête de ses troupes, il était un symbole en action. Au cours d'une bataille, le pharaon pouvait briser deux cents crânes de sa propre masse; il pouvait parcourir le terrain et achever blessés et mourants. Quand il se retirait sous sa tente, ses bras ruisselaient de sang jusqu'à hauteur du coude. Mais n'oubliez pas que tout cela, on l'attendait de lui. Si le pharaon tombait... eh bien, on mettait un terme à la bataille. »

Silence.

Ramsey reprit : « Vous ne voulez pas entendre parler de cela, n'est-ce pas ? Et pourtant la guerre moderne est terrible. Ce récent conflit en Afrique... les hommes étaient soufflés par le canon. Et la guerre de Sécession aux Etats-Unis, quelle horreur ! Les choses changent, c'est vrai, mais elles ne changent pas vraiment.

– C'est exact. Vous-même, vous pourriez faire cela, fracasser des dizaines de crânes ? »

Ramsey sourit. « Vous êtes brave, n'est-ce pas ? Lord Elliott, comte de Rutherford. Oui, je pourrais faire cela, et vous-même le pourriez si vous étiez pharaon. Oui, vous feriez cela. »

Le navire fendait la mer grise. Le littoral de l'Afrique se profilait dans le lointain. La croisière touchait à sa fin.

La soirée avait été parfaite. Alex s'était retiré assez tôt, et Julie était restée danser avec Ramsès pendant plusieurs heures. Elle avait aussi bu un peu trop de vin.

Ils se tenaient dans la coursive, à l'entrée de sa cabine, et elle se sentait une fois de plus déchirée, partagée entre le désir de céder et la volonté de résister.

Elle fut totalement désemparée quand Ramsès la fit tournoyer, la pressa contre lui et l'embrassa plus sauvagement que d'habitude. Elle se dégagea, les larmes aux yeux, la main levée comme pour le frapper.

« Pourquoi essaies-tu de me forcer ? » dit-elle.

Le regard de Ramsès avait quelque chose d'effrayant.

« J'ai faim, dit-il d'un ton qui n'avait plus rien de courtois. Faim de toi, de tout. De nourriture et de boisson, de soleil et de vie. Mais surtout de toi. Et cela me fait souffrir. J'en ai assez.

– Mon Dieu... » dit-elle à voix basse. Elle se couvrit le visage de ses mains. Pourquoi lui résistait-elle ? Elle n'en savait rien.

« C'est l'effet que ça me fait, cette potion dans mes veines, dit-il. Je n'ai besoin de rien, mais rien ne me rassasie. Seul l'amour, peut-être. C'est pourquoi j'attends. » Il parla plus doucement. « J'attends que tu m'aimes, si c'est là ce qui est nécessaire. »

Elle ne put s'empêcher de rire.

« Ah, malgré toute ta grande sagesse, tu prends le problème à l'envers. Ce qu'il faut, c'est que *toi* tu m'aimes. »

Il blêmit. Puis il hocha la tête. Il semblait ne pas trouver ses mots. Il eût été impossible à Julie de dire ce qu'il pensait en cet instant.

Elle ouvrit la porte et entra dans sa cabine avant de se laisser tomber sur la couchette. Elle se cacha la tête dans les mains. Comme cette scène était infantile ! Sincère, pourtant, vraiment sincère. Elle se mit à pleurer doucement en espérant que Rita ne l'entendrait pas.

Vingt-quatre heures, lui avait dit l'homme de barre, et nous accosterons à Alexandrie.

Il était appuyé au bastingage, le regard perdu dans le brouillard qui recouvrait la mer.

Il était quatre heures. Le comte de Rutherford était invisible. Samir dormait depuis déjà longtemps quand il passa à la cabine. Il avait le pont pour lui tout seul.

Il aimait cela. Il aimait le grondement sourd des moteurs, à l'intérieur de la coque d'acier. Il aimait la puissance pure de ce vaisseau.

Il tira un cigare, l'un de ceux que lui avait donnés le comte de Rutherford, et l'alluma soigneusement en protégeant la flamme de sa main. Il ferma les yeux et savoura le vent, puis il s'autorisa à repenser à Julie Stratford, maintenant qu'elle était en sécurité dans sa cabine.

Mais le visage de Julie Stratford devint flou. Ce fut Cléopâtre qu'il vit. *Vingt-quatre heures, et nous accosterons à Alexandrie.*

Il revit la salle de conférence du palais, la longue table de marbre et la jeune reine – jeune comme l'était aujourd'hui Julie Stratford – en conversation avec ses ambassadeurs et ses conseillers.

Il l'observait depuis l'antichambre. Il avait été longtemps absent. Il était allé au nord et à l'est, dans des royaumes inconnus de lui au cours des siècles précédents. La nuit d'avant, il était revenu et il s'était directement rendu dans sa chambre.

Toute la nuit ils avaient fait l'amour; les fenêtres étaient ouvertes sur la mer; elle avait aussi faim de lui que lui d'elle;

car bien qu'il eût eu une centaine de femmes au cours des mois précédents, il n'aimait que Cléopâtre.

L'audience touchait à sa fin. Il la regarda congédier ses courtisans. Elle quitta son trône et s'avança vers lui – cette grande femme aux formes magnifiques, au cou long et gracile, aux longs cheveux coiffés à la romaine.

Il y avait sur son visage un air de défi qu'accentuait son port de menton altier.

C'est seulement lorsqu'elle eut tiré les rideaux qu'elle lui sourit et posa sur lui ses yeux sombres.

Il y avait eu une époque de sa vie où seuls les êtres aux yeux sombres étaient connus de lui; lui seul avait les yeux bleus, car il avait bu l'élixir. Il s'était alors rendu dans des contrées lointaines, des pays dont les Egyptiens ignoraient tout; et là il avait rencontré des mortels aux yeux pâles, mais, curieusement, les yeux bruns étaient toujours les seuls dans lesquels il pouvait lire instantanément.

Les yeux de Julie Stratford étaient grands et brun foncé, pleins de douceur et de compréhension, comme ceux de Cléopâtre.

« Quelles sont mes leçons pour cet après-midi ? » lui avait-elle demandé en grec, la seule langue qu'ils utilisaient quand ils s'adressaient l'un à l'autre. Son regard trahissait l'intimité qu'ils partageaient.

« C'est très simple, dit-il. Déguise-toi et viens avec moi te promener parmi ton peuple. Tu verras ce qu'aucune reine n'a jamais vu. Voilà ce que je te demande. »

Alexandrie. Qu'en resterait-il demain ? C'était une cité grecque aux rues pavées et aux maisons blanchies à la chaux. Des marchands y commerçaient avec le monde entier, qu'ils fussent tisserands ou joailliers, souffleurs de verre ou fabricants de papyrus. Des milliers d'échoppes et d'ateliers se dressaient non loin du port.

Ils avaient parcouru le bazar, vêtus de ces capes informes que l'on porte habituellement lorsque l'on ne veut pas être reconnu. Deux voyageurs du temps. Et il lui avait parlé de tant de choses – de ses voyages en Gaule, de ce long périple qui l'avait mené aux Indes. Il avait chevauché des éléphants et vu des tigres féroces de ses yeux. Il était revenu par Athènes afin d'entendre les philosophes.

Et qu'avait-il appris ? Que Jules César, le général romain,

s'apprêtait à conquérir le monde et qu'il prendrait l'Egypte si Cléopâtre ne l'arrêtait pas ?

Quelles avaient été les pensées de la jeune reine ce jour-là ? L'avait-elle laissé parler sans saisir le conseil désespéré qu'il voulait lui donner ? Qu'avait-elle vu des hommes du peuple qui l'entouraient ? Des femmes et des enfants qui travaillaient aux lavoirs et dans les filatures ? Des marins de toute nation en quête de bordel ?

Ils s'étaient rendus à la grande université pour y écouter les maîtres qui enseignaient sous les portiques.

Ils s'étaient finalement arrêtés sur une place. Cléopâtre avait bu à l'écuelle d'un puits.

« Elle a le même goût », avait-elle dit avec un sourire.

Il se souvenait de tout : le bruit de l'écuelle qui plonge dans l'eau, l'écho entre les parois de pierre du puits, le brouhaha venu des docks et, tout au bout de cette ruelle étroite, les mâts des navires telle une forêt qui aurait perdu ses feuilles.

« Qu'attends-tu réellement de moi, Ramsès ? lui avait-elle demandé.

– Que tu sois une reine d'Egypte bonne et avisée. Je te l'ai déjà dit. »

Elle lui avait pris le bras et l'avait forcé à la regarder.

« Tu veux plus que cela. Tu me prépares à quelque chose de plus important.

– Non », dit-il, mais c'était un mensonge, le premier qu'il lui eût jamais dit. Il avait éprouvé une douleur cuisante, quasi insupportable. *Je suis seul, ma bien-aimée, je suis seul, bien plus que tout mortel ne pourrait l'être*. Mais cela, il ne le lui avait pas avoué. Il était là, devant elle, et il savait que l'être immortel qu'il était ne pouvait vivre sans elle.

Que s'était-il passé ensuite ? Un autre soir d'amour, avec la mer qui passe lentement de l'azur à l'argent puis au noir sous la pleine lune. Autour d'eux, c'étaient les meubles dorés, les lampes suspendues et le parfum de l'huile chaude; au loin, dans une alcôve, un jeune garçon jouait de la harpe en chantant une ancienne mélopée dont il ne comprenait pas les mots, mais dont Ramsès ne saisissait que trop bien le sens.

Un souvenir à l'intérieur du souvenir. Son palais de Thèbes, alors qu'il n'était qu'un mortel qui redoutait la mort et l'humiliation. Son harem de cent femmes faites pour le plaisir et qui ne lui apportaient que souffrance.

« Combien d'amants as-tu eus depuis mon départ ? avait-il demandé à Cléopâtre.

– Oh, j'ai connu beaucoup d'hommes, avait-elle répondu d'une voix grave, mais aucun d'eux ne fut mon amant. »

Les véritables amants viendraient plus tard. Jules César se présenterait. Puis celui qui l'éloignerait de toutes les choses qu'il lui avait enseignées. « C'est pour l'Egypte », dirait-elle en pleurant. Mais non, ce n'était pas pour l'Egypte. L'Egypte était Cléopâtre en cette époque. Et Cléopâtre était faite pour Antoine.

Le jour se levait. Au-dessus de la mer, le brouillard s'était dispersé et les eaux bleu sombre étincelaient. Un soleil pâle brillait à l'horizon. Et, aussitôt, il en sentit l'action sur lui-même. Il sentit une onde d'énergie le traverser.

Son cigare était éteint depuis bien longtemps. Il le jeta par-dessus bord et en prit un autre dans son porte-cigarettes en or.

Un bruit de pas résonna sur le pont d'acier.

« Plus que quelques heures, sire. »

Une allumette enflammée lui fut présentée.

« Oui, mon loyal ami, dit-il en aspirant la fumée. Nous nous éveillons de ce navire comme d'un rêve. Qu'allons-nous donc faire de ces deux-là qui connaissent mon secret, le jeune vaurien et le vieux philosophe qui, avec tout son savoir, est peut-être le plus dangereux ?

– Les philosophes sont-ils si dangereux, sire ?

– Lord Rutherford a foi dans l'invisible, Samir. Et ce n'est pas un couard. Il veut le secret de la vie éternelle. Il comprend ce qu'elle est vraiment, Samir. »

Pas de réponse. Rien que cette perpétuelle expression de mélancolie.

« Je vais vous révéler un autre petit secret, mon ami, poursuivit-il. J'en suis venu à beaucoup apprécier cet homme.

– Je l'ai constaté, sire.

– C'est un homme intéressant », dit Ramsès. A son grand étonnement, il entendit sa voix se briser. Il lui fut pénible d'achever sa phrase, mais il y parvint tout de même : « J'aimerais lui parler. »

Hancock était assis à son bureau du musée et levait les yeux vers l'inspecteur Trent de Scotland Yard.

« Si je comprends bien, nous n'avons pas le choix. Il nous faut un mandat de la cour pour pénétrer dans la maison et examiner la collection. Naturellement, si tout était en ordre et s'il ne manquait aucune pièce...

– Nous en possédons déjà deux, monsieur. Je crois qu'il n'y a plus rien à espérer. »

DEUXIÈME PARTIE

CHAPITRE PREMIER

Le Grand Hôtel Colonial était un ensemble assez disparate d'arcades mauresques, de sols de mosaïque, de paravents de laque et de sièges en rotin en forme de corolle. Ses larges vérandas donnaient sur le sable éclatant des plages et, au-delà de celles-ci, sur le bleu infini de la Méditerranée.

Des Européens et des Américains aisés, vêtus de blanc en toute occasion, peuplaient son hall immense et ses salons. Un orchestre jouait de la musique viennoise dans l'un des bars, un jeune pianiste américain se consacrait au ragtime dans un autre. Les ascenseurs de cuivre installés non loin du grand escalier semblaient sans cesse en mouvement.

Il est certain que Ramsey eût apprécié cet établissement... en un autre lieu. Dans l'heure qui suivit leur arrivée, Elliott se rendit compte que la ville moderne qu'était Alexandrie le choquait profondément.

Sa vitalité parut immédiatement sapée. Il ne dit rien pendant le thé et demanda la permission d'aller se promener.

Le soir même, au dîner, quand on aborda le sujet du départ précipité de Henry Stratford pour Le Caire, il se montra presque hargneux.

« Julie Stratford est une femme adulte, dit-il en la regardant. Il est ridicule de croire qu'elle a besoin de la compagnie d'un alcoolique dissolu. Ne sommes-nous pas, ainsi que vous le dites, des gentlemen ?

– Je le suppose, dit Alex. Néanmoins c'est son cousin, et c'est par la volonté de son oncle si...

– Son oncle ne le connaît pas ! » déclara Ramsey.

Julie coupa court à ces propos. « Je suis heureuse que Henry nous ait laissés. Nous le retrouverons cependant au

Caire. Et Henry au Caire sera pénible. Dans la Vallée des Rois, il sera intolérable.

– Tout à fait exact, soupira Elliott. Julie, je suis désormais votre gardien. Officiellement.

– Elliott, ce voyage est bien trop éprouvant. Vous devriez aller nous attendre au Caire. »

Alex allait protester quand Elliott lui fit signe de se taire. « C'est hors de question, ma chère, et vous le savez bien. En outre, je veux revoir Louxor et Abou Simbel, peut-être pour la dernière fois. »

Elle le regarda d'un air pensif. Elle savait qu'il disait la vérité. Il ne pouvait la laisser voyager seule avec Ramsey, même si c'était une chose qu'elle désirait ardemment. Et il voulait revoir ces monuments. Elle avait pourtant l'impression qu'il avait une idée derrière la tête.

« Quand allons-nous prendre le steamer sur le Nil ? demanda Alex. Combien de temps avez-vous besoin de passer dans cette ville, mon vieux ? dit-il à Ramsey.

– Pas très longtemps, dit Ramsey d'un air lugubre. Il ne reste plus grand-chose d'intéressant de la période romaine. »

Après avoir englouti trois plats sans toucher à son couteau ni à sa fourchette, Ramsey s'éclipsa avant que les autres eussent terminé.

Le lendemain, il était évident que Ramsey était assez maussade. Il ne dit presque rien au cours du déjeuner, déclina l'invitation qu'on lui fit de jouer au billard et partit faire un tour. En vérité, il déambulait à toute heure du jour et de la nuit; il avait totalement abandonné Julie à Alex. Même Samir ne semblait pas bénéficier de ses confidences.

C'était un homme seul en proie à un conflit.

Elliott l'observait. Et il prit une décision. Par le truchement de son majordome, Walter, il engagea un jeune Egyptien, un employé de l'hôtel dont le travail consistait à balayer les marches de l'escalier, afin qu'il suivît Ramsey. C'était très risqué, et Elliott n'était pas très fier de lui, mais cette obsession le consumait.

Pour l'heure, il était installé dans un confortable fauteuil de rotin couleur bleu paon et lisait les journaux anglais tout en surveillant les allées et venues. De temps à autre, le jeune garçon venait lui faire son rapport dans un anglais approximatif.

Ramsey marchait. Ramsey contemplait la mer pendant des heures. Ramsey parcourait les environs de la ville. Ramsey entrait dans des cafés européens, où il ne faisait que boire d'extraordinaires quantités de café égyptien. Ramsey s'était également rendu dans un bordel dont il avait stupéfait la vieille tenancière en prenant chacune des femmes entre le coucher et le lever du soleil.

Elliott sourit en apprenant cela. Ainsi, il faisait l'amour avec la même intensité que tout le reste, avec voracité. Cela voulait dire que Julie ne l'avait pas admis dans son intimité. Du moins l'espérait-il.

Les ruelles étroites de la vieille ville, puisque c'était ainsi qu'on l'appelait. En réalité, elle n'avait pas plus de quelques siècles, et nul ne savait que c'était là que, jadis, se dressait la grande bibliothèque. Et que, plus bas, sur la colline, les maîtres de l'université enseignaient à des centaines de disciples.

Cette ville, qui avait jadis été l'académie du monde, était désormais une station balnéaire. L'hôtel était construit sur l'emplacement même de son palais. Là, il l'avait prise dans ses bras et l'avait suppliée de mettre un terme à sa folle passion pour Marc Antoine.

« Ne vois-tu pas que cet homme va échouer ? lui avait-il dit. Si Jules César n'avait pas été assassiné, tu aurais été impératrice de Rome. Cet homme ne t'offrira jamais cela. Il est faible, corrompu; il n'a pas assez de fougue. »

Pour la première fois, il avait entrevu la passion sauvage qui la dévorait. Elle aimait Marc Antoine. Elle se moquait du reste. L'Egypte, Rome, que lui importait ? Quand avait-elle cessé d'être reine pour devenir une simple mortelle ? Il n'en savait rien. Il ne savait qu'une chose : ses rêves, ses vastes projets s'évanouissaient.

« Pourquoi te préoccupes-tu de l'Egypte ? lui avait-elle demandé. Je devrais être impératrice de Rome ? Ce n'est pas là ce que tu attends de moi. Tu veux que je boive ta potion magique, qui selon toi me rendra aussi immortelle que toi. Tu fais fi de ma vie mortelle ! Tu tuerais ma vie mortelle et mon amour mortel, admets-le ! Eh bien, je ne peux pas mourir pour toi !

– Tu ne sais pas ce que tu dis ! »

Ah, fais taire les voix du passé ! N'écoute que la mer qui roule sur la grève. Va là où s'étendait le vieux cimetière romain, où ils l'ont conduite pour qu'elle repose aux côtés de Marc Antoine.

Il se souvint de la procession. Il entendit les lamentations. Pis encore, il la revit en ses derniers instants. « Laisse-moi. Antoine m'appelle de la tombe. Je veux être avec lui. »

Aujourd'hui, il ne restait plus aucune trace d'elle, hormis ce qu'il avait conservé dans son cœur. Et ce que racontaient les légendes. A nouveau, il perçut le bruit de la foule qui se pressait dans les ruelles étroites pour voir son cercueil entrer dans le tombeau de marbre.

« Notre reine est morte libre.

– Elle a trompé Octave.

– Elle n'était pas l'esclave de Rome. »

Oui, mais elle eût pu être immortelle !

Les catacombes. Le seul endroit où il ne s'était pas aventuré. Pourquoi avait-il prié Julie de l'y accompagner ? Comme il était devenu faible pour lui demander son aide !

Il lisait l'inquiétude sur son visage. Elle était si adorable dans sa longue robe jaune pâle. Les femmes modernes lui avaient toutes paru vêtues de manière extravagante, dans un premier temps, mais, maintenant, il découvrait tout ce qu'il y avait de séduisant dans leur tenue. Leurs manches bouffantes resserrées au niveau des poignets, leurs tailles minces, leurs jupes flottantes, tout cela lui semblait normal à présent.

Il regretta brusquement de se trouver ici. S'ils pouvaient être en Angleterre, plus loin encore, en Amérique !

Mais les catacombes... oui, il fallait qu'il voie les catacombes avant de partir. Ils s'y rendirent donc en compagnie d'un groupe de touristes et écoutèrent la voix soporifique du guide qui leur parlait des premiers Chrétiens et des rites plus anciens pratiqués dans ces chambres de pierre.

« Tu es déjà venu ici, lui dit Julie. Cet endroit a beaucoup d'importance pour toi.

– Oui », répondit-il dans un souffle. Il la tenait par la main. Oh, s'ils pouvaient quitter l'Egypte à tout jamais ! Pourquoi toutes ces souffrances ?

Le petit groupe s'immobilisa. Ramsès scruta la paroi. Et il vit le petit passage. Les autres s'ébranlèrent après qu'on leur eut rappelé qu'ils ne devaient pas s'éloigner du guide. Il retint Julie puis, quand le silence fut revenu, il alluma sa torche électrique et pénétra dans le passage.

Etait-ce bien le même ? Il n'en savait rien. Il se souvenait seulement de ce qui s'était passé.

La même odeur de pierre humide, les inscriptions latines sur le mur.

Ils débouchèrent dans une grande salle.

« Regarde, dit-elle. Une fenêtre a été taillée dans la roche ! C'est stupéfiant. Il y a aussi des crochets dans le mur, tu les vois ? »

Sa voix paraissait très lointaine. Il voulut lui répondre, mais en vain.

Dans la pénombre, il regardait la grande pierre rectangulaire qu'elle lui montrait du doigt. Elle parla d'un autel.

Non, ce n'était pas un autel, mais une couche. Une couche sur laquelle il avait reposé pendant trois cents ans jusqu'à ce que l'on vînt ouvrir la fenêtre. Des chaînes avaient tiré les lourds volets de bois, le soleil était tombé sur lui et lui avait ouvert les paupières.

Il entendit la voix juvénile de Cléopâtre :

« Par tous les dieux, c'est vrai, il est vivant ! » Son cri qui résonne sous les voûtes, le soleil qui l'inonde.

« Ramsès, lève-toi ! s'écria-t-elle. Car voici qu'une reine d'Egypte t'appelle. »

Il avait senti des picotements dans ses membres, des frémissements sous sa peau et dans sa chevelure. Plongé dans sa torpeur, il s'était redressé et avait vu la jeune femme aux cheveux bruns qui lui tombaient sur les épaules. Et le vieux prêtre tremblant, les mains jointes comme en une prière.

« Ramsès le Grand, avait-elle dit, une reine d'Egypte requiert ton conseil. »

De doux rayons de soleil où volettent des poussières. Le bruit des voitures à moteur sur les boulevards de la moderne Alexandrie.

« Ramsès ! »

Il se retourna. Julie Stratford le regardait.

« Ma beauté », murmura-t-il. Il la prit dans ses bras, tendrement. Ce n'était pas de la passion, mais de l'amour. Oui, de l'amour. « Ma belle Julie... »

Au salon, ils prirent un goûter dînatoire. Ce petit rite le faisait rire. Manger des scones, des œufs, des sandwiches au concombre, et ne pas appeler cela un repas ! Mais pourquoi s'en plaindrait-il ? Il pouvait manger trois fois plus que les autres et avoir encore faim au dîner.

Il appréciait cet instant, seul avec elle, sans Alex ni Samir ni Elliott.

Il admirait le défilé des ombrelles légères et des chapeaux à plumes, ainsi que les grandes automobiles découvertes qui s'arrêtaient devant la porte de service.

Ces gens ne ressemblaient pas à ceux de son époque. Le mélange racial était différent. Elle lui avait dit qu'il constaterait le même phénomène en Grèce lorsqu'ils se rendraient dans ce pays. Il y avait tant d'endroits où aller ! Eprouvait-il du soulagement ?

« Tu t'es montrée si patiente avec moi, dit-il en souriant. Tu ne me demandes pas d'explication. »

Elle avait l'air radieuse, mais, Dieu merci, elle ne portait plus de robe amplement décolletée depuis leur première nuit en mer. La vue de sa chair nue le rendait fou.

« Tu me diras des choses quand tu jugeras le moment venu, dit-elle. Te voir souffrir m'est insupportable. »

Il but son thé, breuvage qu'il n'appréciait pas vraiment. « Tout a disparu sans laisser de trace. Le mausolée, le phare, la bibliothèque. Tout ce qu'Alexandre a construit, tout ce que Cléopâtre a construit. Dis-moi, pourquoi les pyramides de Guizeh sont-elles toujours debout ? Pourquoi mon temple se dresse-t-il toujours à Louxor ?

– Tu aimerais les voir ? » Elle lui prit la main. « Es-tu prêt à oublier cette ville ?

– Oui, il est temps de partir, n'est-ce pas ? Et quand nous aurons tout vu, nous quitterons ce pays. Toi et moi... Si tu veux rester avec moi, naturellement. »

Le comte venait de sortir de l'ascenseur avec son fils et Samir.

« J'irai avec toi jusqu'au bout du monde », lui dit-elle.

Il soutint son regard pendant un long moment. Savait-elle ce qu'elle disait ? Non. Mais lui, savait-il ce qu'elle disait ? Qu'elle l'aimait, oui. Mais l'autre grande question n'avait jamais été posée, n'est-ce pas ?

Ils avaient remonté le cours du Nil pendant la majeure partie de l'après-midi. Le soleil écrasait de toute sa force les tentes rayées de l'élégant steamer. La bourse de Julie et la grande autorité d'Elliott leur apportaient tout ce qu'il y avait de plus luxueux. Les cabines de la petite embarcation étaient aussi agréables que celles du paquebot qu'ils avaient pris en Angleterre. Le salon et la salle à manger étaient plus que confortables. Le chef était européen; la domesticité était égyptienne, à l'exception de Walter et de Rita, évidemment.

Le plus extraordinaire était que ce bateau n'abritait qu'eux seuls. Ils ne le partageaient avec personne d'autre. Et ils constituaient à présent, au grand étonnement de Julie, un groupe tout à fait sympathique.

Henry s'était enfui comme un lâche dès leur arrivée en Egypte. Il allait préparer leur arrivée au Caire. Quel prétexte ridicule ! Chacun savait que c'était l'hôtel Shepheard's qui s'occuperait de tout. Ils avaient envoyé un câble avant même le départ de leur croisière en direction du sud et d'Abou Simbel. Ils ne savaient pas combien de temps cela leur demanderait, mais cela importait peu : le Shepheard's, ce digne représentant de la qualité britannique à l'étranger, savait attendre.

La saison lyrique allait débuter, leur dit-on. Le concierge devait-il leur réserver des loges ? Julie avait dit oui. Car elle n'imaginait pas comment ce voyage allait se terminer.

Elle ne savait qu'une chose : Ramsès était de bonne humeur et appréciait de voyager sur le Nil. Il avait passé des heures sur le pont du steamer à admirer les palmiers et les sables dorés du désert qui s'étendait de part et d'autre du large ruban brun du fleuve.

Julie savait que ces palmiers étaient les mêmes que ceux représentés sur les parois des tombeaux. Que les paysans au visage buriné captaient l'eau de la même manière que leurs lointains ancêtres. Ou encore que la plupart des embarcations qu'elle voyait passer n'avaient pas changé depuis l'époque de Ramsès le Grand.

Le vent et le soleil étaient éternels.

Mais elle avait quelque chose à faire, et cela ne pouvait plus attendre. Assise au salon, elle regardait Samir et Elliott jouer aux échecs. Quand Alex avait abandonné sa partie de solitaire pour se rendre sur le pont, elle l'avait suivi.

C'était presque le soir. Il faisait frais pour la première fois et le ciel prenait une profonde couleur bleue très proche du violet.

« Vous êtes adorable, lui dit-elle. Et je ne veux pas vous faire du mal. Mais je ne veux pas non plus vous épouser.

– Je le sais, dit-il. Je le sais depuis longtemps. Mais je continue à faire celui qui l'ignore, ainsi que je l'ai toujours fait.

– Alex, je vous en prie, ne...

– Non, ma chérie, ne me donnez pas de conseil. Laissez-moi agir à ma guise. Après tout, c'est le privilège des femmes que de changer d'avis, n'est-ce pas ? Non, ne dites rien. Vous êtes libre. Vous l'avez toujours été, d'ailleurs. »

Elle retint son souffle. Une sensation de douleur s'éveilla au creux de son ventre pour irradier dans tout son corps. Elle en aurait pleuré, mais ce n'était pas l'endroit pour cela. Elle lui donna un baiser rapide sur la joue avant de s'éloigner sur le pont et de regagner sa cabine.

Dieu merci, Rita ne s'y trouvait pas. Elle s'allongea sur la couchette et pleura doucement, la tête dans l'oreiller. Puis, épuisée, elle sombra dans un demi-sommeil, avec pour dernière pensée : Puisse-t-il ne jamais apprendre que je ne l'ai jamais aimé. Puisse-t-il toujours croire que c'est un rival qui m'a arrachée à lui.

Il faisait sombre au-dehors quand elle ouvrit les yeux. Rita avait apporté une petite lampe. Elle se rendit alors compte que Ramsès se trouvait dans la cabine et qu'il la regardait.

Elle n'en éprouva pas de colère, encore moins de peur.

Et, soudain, elle comprit qu'elle était encore en train de rêver. Elle se réveilla vraiment, pour trouver la pièce allumée, mais vide. Oh, si seulement il avait été là. Son corps se languissait de lui. Elle se moquait bien de savoir ce qu'étaient le passé ou l'avenir. Seul Ramsès lui importait, et cela il ne pouvait l'ignorer.

Quand elle arriva dans la salle à manger, il était en pleine conversation avec les autres. La table était couverte de plats exotiques.

« Peut-être aurions-nous dû vous réveiller, ma chère. Nous n'en étions pas sûrs, dit Elliott en se levant pour lui reculer sa chaise.

– Ah, Julie, dit Ramsès, ces plats indigènes sont tout simplement délicieux ! » Plein d'entrain, avec des gestes délicats, comme toujours, il prenait du shish kebab, des feuilles de vigne et des mets épicés dont elle ne connaissait pas le nom.

« Attendez une minute, dit Alex. Vous voulez dire que vous n'avez jamais mangé de cela auparavant ?

– Eh bien, non, dans ce ridicule hôtel de couleur rose, on ne nous a servi que de la viande et des pommes de terre, si je me souviens bien, dit Ramsès. C'est tout à fait exquis, ce poulet à la cannelle.

– Attendez, reprit Alex. Vous n'êtes pas né en Egypte ?

– Alex, je vous en prie, dit Julie, je crois que monsieur Ramsey tient à rester secret sur ses origines. »

Ramsès se mit à rire. Il but un verre de vin. « C'est vrai, je vous l'avoue. Mais puisque vous voulez le savoir, je suis... égyptien, oui.

– Mais dans ce cas...

– Alex, voyons », dit Julie.

Alex haussa les épaules. « Vous êtes bien énigmatique, Ramsey !

– J'espère que je ne vous ai pas offensé, Alexander.

– Appelez-moi encore ainsi et je vous...

– Allons, allons », dit Elliott en tapotant la main de son fils.

Non, Alex n'était pas offensé. Il se tourna vers Julie et lui adressa un sourire discret et empreint de tristesse dont elle lui serait à tout jamais reconnaissante.

Louxor. Le soleil de midi était écrasant. Ils attendirent la fin de l'après-midi avant de débarquer et de s'engager dans le vaste complexe de temples. Ramsès n'éprouvait pas le besoin de rester seul, c'était évident pour chacun. Il déambulait parmi les piliers et levait parfois la tête, mais, surtout, il semblait perdu dans ses réflexions.

Elliott avait refusé de manquer cette visite, aussi pénible dût-elle être. Alex donnait le bras à son père. Samir marchait à côté du comte de Rutherford avec qui il semblait avoir une discussion animée.

« La douleur s'efface, n'est-ce pas ? demanda Julie.

– Quand je te regarde, je ne la sens plus du tout, répondit Ramsès. Julie est aussi belle en Egypte qu'elle l'était à Londres.

– Ces ruines étaient déjà là la dernière fois où tu es venu ici ?

– Oui, et elles étaient recouvertes de sable au point que seuls les chapiteaux des colonnes étaient visibles. L'allée de sphinx était totalement ensevelie. Mille ans s'étaient écoulés depuis que j'avais foulé ce sol en simple mortel. J'étais un fou, qui croyait que le royaume d'Egypte s'identifiait au monde civilisé, que la vérité ne pouvait résider au-delà de ses frontières. » Il s'arrêta et l'embrassa sur le front, avant de jeter un regard coupable en direction du petit groupe qui allait les rejoindre. Non, pas coupable, seulement plein de ressentiment.

Elle lui prit la main et ils poursuivirent leur chemin.

« Un jour, je te raconterai tout, reprit-il. Je te raconterai tellement de choses que tu en auras assez. Je te dirai comment nous nous vêtions et comment nous nous parlions; comment nous mangions et comment nous dansions; à quoi ressemblaient ces temples et ces palais quand les peintures de leurs murs étaient encore fraîches; comment je venais ici, à l'aube, à midi et au couchant, pour accueillir les dieux et prononcer les prières que le peuple attendait. Mais viens, il est temps pour nous de franchir le fleuve et de voir le temple de Ramsès III. Je tiens à m'y rendre. »

Il fit signe à l'un des Egyptiens enturbannés qui étaient sur son chemin. Il voulait qu'une calèche les emmène. Julie fut heureuse d'être momentanément débarrassée des autres.

Mais quand ils eurent traversé le fleuve et atteint l'immense temple dépourvu de toit, aux trois rangées de piliers, il sombra dans un étrange silence. Il contempla les scènes de bataille des bas-reliefs, où le roi chevauchait en tête de ses troupes.

« Il fut mon premier disciple, dit-il. Celui que je suis venu trouver après des siècles d'errance. J'étais revenu en Egypte pour y mourir, mais rien ne pouvait me tuer. J'ai alors conçu ce que je devais faire. Me rendre dans la demeure royale, en devenir le gardien, y enseigner. Il m'a cru, celui qui portait le même nom que moi, ce descendant lointain. Quand je lui parlais de l'histoire, des contrées lointaines, il m'écoutait.

– Et l'élixir, il n'en a pas voulu ? » demanda Julie.

Ils étaient seuls parmi les ruines de la grande salle, au milieu des colonnes immenses. Le vent du désert s'était beaucoup rafraîchi et faisait voleter les cheveux de Julie. Ramsès la prit par la taille.

« Je ne lui ai jamais avoué que j'avais été un mortel, dit-il. Tu vois, je ne l'ai jamais confié à personne. J'ai appris au cours des dernières années de ma vie de mortel ce dont un secret était capable. Je l'ai vu faire un traître de mon propre fils, Mineptah. Certes, il n'a pas réussi à m'emprisonner et à m'arracher mon secret. Je lui ai donné mon royaume avant de quitter l'Egypte pour plusieurs siècles. Mais je savais ce que la connaissance pouvait faire. Ce n'est que plusieurs siècles plus tard que je l'ai révélé à Cléopâtre. »

Il s'arrêta de parler. De toute évidence, il ne tenait pas à poursuivre. La douleur éprouvée à Alexandrie le tenaillait à nouveau. Ils regagnèrent la calèche en silence.

« Julie, hâtons-nous de faire ce voyage, dit-il. Demain, la Vallée des Rois, et ensuite départ pour le sud. »

Ils partirent à l'aube, quand la chaleur était encore supportable.

Julie prit le bras d'Elliott. Ramsès parlait avec beaucoup d'esprit et répondait aux questions que lui posait Elliott. Ils prirent leur temps pour marcher parmi les tombeaux et les monuments. Les touristes pullulaient déjà, de même que les photographes et les marchands ambulants; vêtus de *djellabas* crasseuses, ces derniers vendaient bibelots et fausses antiquités avec une assurance étonnante.

Julie souffrait de la chaleur. Son grand chapeau de paille ne lui était pas d'un grand secours. Il lui fallait s'arrêter, reprendre son souffle. L'odeur nauséabonde des excréments de chameaux lui était odieuse.

Un marchand s'approcha d'elle et elle posa les yeux sur une main noircie, aux doigts recroquevillés comme les pattes d'une araignée.

Elle ne put s'empêcher de pousser un hurlement.

« Va-t'en ! lui dit Alex. Ces indigènes sont insupportables.

– Main de momie ! cria le marchand. Main de momie, pas chère, madame, très ancienne !

– Sûrement ! dit Elliott en riant. Elle vient probablement d'un atelier du Caire. »

Mais Ramsès regardait le marchand et la main qu'il tenait. Le marchand s'immobilisa soudain, son visage reflétait la terreur. Ramsès lui arracha la main et l'autre, surpris, tomba à genoux avant de s'écarter.

« Que se passe-t-il ? demanda Alex. Vous ne voulez tout de même pas de cette horreur. »

Ramsès regardait toujours la main et les morceaux de lin qui y étaient accrochés.

Julie ne comprenait pas très bien ce qui se passait. Etait-il outragé par un tel sacrilège ? Ou avait-il une autre idée en tête ? Un souvenir lui revint à l'esprit : elle revit la momie dans son cercueil, dans la bibliothèque de son père. Cet être vivant qu'elle aimait, il avait été cette chose ! Il lui semblait qu'un siècle se fût écoulé depuis.

Elliott observait la scène.

« Que se passe-t-il, sire ? » dit Samir à voix basse.

Elliott l'avait-il entendu ?

Ramsès prit des pièces et les jeta dans le sable. L'homme s'en empara et s'enfuit sans demander son reste. Puis Ramsès tira son mouchoir, enveloppa soigneusement la main et la rangea dans sa poche.

« Que disiez-vous ? » fit Elliott. Il reprenait la conversation comme s'il ne s'était rien passé. « Vous souteniez que le thème dominant de notre époque était le changement ?

– C'est bien cela », dit Ramsès en soupirant. Il paraissait voir la vallée sous un angle tout à fait différent. Il fixait du regard les portes ouvertes des tombes, les chiens couchés au soleil.

Elliott poursuivit :

« Vous disiez aussi que le thème dominant des temps anciens était que les choses ne changeaient jamais et demeuraient toujours en l'état. »

Julie distinguait de subtils changements sur son visage, elle y percevait l'ombre du désespoir. Cela ne l'empêcha pas de répondre à Elliott.

« Oui, le concept de progrès n'existait pas. Il faut dire que le concept de temps n'était pas clairement défini. On comptait les années à partir de la naissance de chaque roi, comme vous le savez. Pas en siècles, comme aujourd'hui. Je ne suis pas sûr que le simple Egyptien ait eu la notion des siècles. »

Abou Simbel. Ils arrivèrent enfin au plus grand des temples consacrés à Ramsès. L'excursion à terre avait été brève à cause de la chaleur, mais, maintenant, le vent de la nuit rafraîchissait le désert.

Julie et Ramsès empruntèrent l'échelle de corde qui les mena au canot. Elle resserra le châle qui lui couvrait les épaules. La lune était étonnamment basse sur les eaux resplendissantes du fleuve.

Aidés d'un unique serviteur indigène, ils montèrent sur les chameaux qui les attendaient et se dirigèrent vers le grand temple où se dressaient les plus majestueuses statues de Ramsès connues à ce jour.

Cette promenade à dos de chameau avait quelque chose d'enivrant, et Julie riait aux éclats. Elle n'osait pas regarder à terre, cependant, et elle fut heureuse de faire halte. Ramsès l'aida à descendre.

Le serviteur emmena les bêtes. Ils restèrent seuls, Ramsès et elle-même, sous le ciel étoilé. Le vent du désert gémissait doucement. Au loin, elle vit la lumière de leur campement.

Ils pénétrèrent dans le temple et passèrent entre les jambes gigantesques du dieu-pharaon. S'il y avait des larmes dans les yeux de Ramsès, Julie ne les vit pas, mais elle l'entendit qui soupirait. Sa main tremblait doucement.

Ils marchèrent, la main dans la main, fascinés par les grandes statues.

« Où es-tu allé, murmura-t-elle, quand ton règne a touché à sa fin ? Tu as confié le trône à Mineptah et puis tu es parti...

– Je suis allé dans le monde entier, aussi loin que je l'ai osé. J'ai vu les grandes forêts de Britannia. Les hommes étaient vêtus de peaux de bêtes et se cachaient dans les arbres pour tirer leurs flèches de bois. Je suis allé en Orient et j'y ai découvert des villes dont il ne reste plus rien. J'ai alors compris que l'élixir agissait sur mon cerveau autant que sur mes membres. Ces langues que je pouvais apprendre en quelques jours... Comment dirais-tu ? Je m'adaptais, oui, c'est cela. Mais, inévitablement, vint la... confusion.

– Que veux-tu dire ? » Ils s'étaient arrêtés de marcher. La douce lumière des étoiles baignait le visage de Ramsès.

« Je n'étais plus Ramsès, je n'étais plus le roi. Je n'avais pas de nation.

– Je comprends.

– Je me suis dit que le monde était tout ce qui importait et que je n'avais besoin que d'une chose, voyager. Mais ce n'était pas vrai. Il me fallait revenir en Egypte.

– C'est alors que tu as voulu mourir.

– Je suis allé trouver le pharaon, Ramsès III, et je lui ai dit que j'avais été envoyé auprès de lui pour être son gardien. J'ai fait cela après avoir eu la certitude qu'aucun poison ne pourrait me tuer. Même le feu ne pouvait me faire mourir, bien qu'il eût pu m'infliger d'insupportables souffrances. J'étais immortel. Une seule dose d'élixir m'avait rendu immortel !

– C'est terrible », soupira-t-elle. Il y avait cependant des choses qu'elle ne comprenait pas, et elle n'osait pas lui poser de questions. Patiemment, elle attendait qu'il parlât de lui-même.

« Il y en eut bien d'autres après mon brave Ramsès III. De grandes reines et de grands rois. Je venais les trouver quand bon me semblait. J'étais une légende – le fantôme humain qui ne s'adresse qu'aux maîtres de l'Egypte. Mon apparition était perçue comme une grande bénédiction. Naturellement, j'avais aussi ma vie secrète. Je parcourais les rues de Thèbes à la recherche de femmes ou de compagnons avec qui boire dans les tavernes.

– Mais personne ne savait *qui* tu étais, personne ne connaissait ton secret ? » Elle secoua la tête. « Je ne comprends pas comment tu as pu supporter cela.

– Je ne l'ai plus supporté, dit-il d'un air découragé, le jour où j'ai rédigé ces textes que ton père a trouvés dans la chambre close. Mais, avant cela, j'étais un homme brave, Julie, et j'étais aimé. Tu dois comprendre cela. »

Il s'arrêta comme pour écouter le vent.

« J'étais adoré, reprit-il. J'étais le gardien de la maison royale, le protecteur du seigneur, celui qui châtiait les méchants. J'étais loyal non pas au roi, mais au royaume.

– Les dieux ne connaissent-ils jamais la solitude ? »

Il se mit à rire.

« Tu connais la réponse, mais tu ne perçois pas toute la puissance de la potion qui a fait de moi ce que je suis. Moi-même je ne comprends pas tout. Oh, la folie de ces premières années où je l'expérimentais tel un médecin ! Comprendre le monde, c'est notre rôle, n'est-ce pas ? Et même les choses simples nous échappent.

– Je ne te contredirai pas sur ce point.

– Lors des moments les plus difficiles, j'ai fait confiance au changement. Je le comprenais, contrairement à tous ceux qui m'entouraient. Mais, en fin de compte, j'étais las... j'étais épuisé. »

Il la prit par les épaules et, ainsi enlacés, ils sortirent du temple. Le vent était retombé. Ramsès tenait chaud à Julie, il parlait d'une voix très douce. Il se souvenait.

« Les Grecs étaient arrivés. Alexandre, bâtisseur de cités, inventeur de nouveaux dieux. Je ne souhaitais que ce sommeil pareil à la mort. Cependant j'avais peur, comme eût eu peur n'importe quel mortel.

– Oui », dit-elle. Elle frissonna.

« Je suis allé au tombeau, dans le noir. L'absence de lumière m'affaiblirait avant de me plonger dans un profond sommeil dont je ne pourrais me réveiller. Toutefois, les prêtres qui servaient la maison royale sauraient où je reposerais, et aussi que le soleil pourrait me ressusciter. Ils confieraient ce secret à chaque nouveau maître de l'Egypte, en leur précisant bien qu'ils ne pourraient m'éveiller que pour le bien de leur pays. Malheur à qui ferait appel à moi pour satisfaire sa curiosité ou avec des intentions inavouables, car ma vengeance serait terrible. »

Ramsès se retourna pour contempler à nouveau les statues colossales.

« Tu étais conscient pendant ton sommeil ?

– Je n'en sais rien. Je me le demande. J'ai rêvé, oh oui ! j'ai rêvé. Parfois, j'étais sur le point de m'éveiller, j'en suis sûr. Mais je n'avais nullement la force de tirer sur la chaîne qui ouvrirait les lourds volets de bois et permettrait le passage du soleil. Peut-être savais-je ce qui se passait dans le monde extérieur, parce que cela ne m'étonna pas quand je l'appris, plus tard. J'étais devenu une légende – Ramsès le Damné; Ramsès l'Immortel, qui dort en attendant d'être éveillé par un roi ou une reine d'Egypte. Je crois bien que personne n'y croyait plus. Et puis, un jour...

– Elle est venue.

– Elle fut la dernière reine à régner sur l'Egypte. La seule aussi à qui j'ai jamais dit la vérité.

– Mais, Ramsès, a-t-elle vraiment refusé ton élixir ? »

Il hésita avant de répondre. « D'une certaine façon, elle l'a refusé. Elle ne comprenait pas vraiment de quoi il s'agissait. Ensuite, elle m'a supplié d'en donner à Marc Antoine.

– Je vois.

– Marc Antoine était un homme qui avait détruit sa propre vie, mais aussi celle de la reine. Elle ne savait pas ce qu'elle me demandait. Elle ne comprenait pas quel impact auraient eu un roi égoïste et sa reine. Quant à la formule, cela aussi ils l'auraient voulu. Antoine n'eût-il pas aimé commander des armées immortelles ?

– Seigneur ! »

Ramsès s'arrêta de marcher. Ils étaient à quelque distance du temple. Il se retourna pour voir à nouveau les géants de pierre.

« Pourquoi as-tu couché ton histoire par écrit ? » lui dit-elle. Elle ne pouvait s'empêcher de lui demander cela.

« Par lâcheté, mon amour, par lâcheté. Et aussi parce que j'ai rêvé que quelqu'un viendrait, qui déchiffrerait mon étrange secret et, ainsi, m'en déchargerait ! J'ai échoué, mon amour. Ma force m'a abandonné. je me suis réfugié dans la rêverie et j'ai abandonné mon récit... comme une offrande au destin. Je ne connaîtrai plus jamais la force. »

Elle jeta les bras autour de son cou, mais il ne la regarda pas. Il ne s'intéressait qu'aux statues. Ses yeux étaient pleins de larmes.

« Peut-être ai-je rêvé qu'on me réveillerait encore une fois... dans un monde nouveau. Parmi des êtres nouveaux et sages. Peut-être ai-je rêvé de quelqu'un qui... relèverait le défi. » Sa voix se brisa. « Je ne serais plus alors un errant solitaire. Ramsès le Damné redeviendrait Ramsès l'Immortel. »

On eût dit que ses propres paroles le surprenaient. Enfin il posa les yeux sur Julie, lui baisa la main et, la prenant par les épaules, la souleva pour l'embrasser.

Elle s'abandonna de toute son âme. Elle s'appuya contre sa poitrine quand il la porta vers la tente, près du feu de camp. Les étoiles brillaient au-dessus des dunes plongées dans l'ombre. Le désert était semblable à une grande mer paisible au milieu de laquelle se dressait ce sanctuaire de chaleur où elle entrait à présent.

L'odeur de l'encens et des chandelles de cire. Il la posa doucement sur des coussins de soie, sur un tapis au motif floral compliqué. Les flammes dansantes des chandelles lui firent fermer les yeux. Des parfums flottaient dans l'air. C'était, pour eux deux, une retraite discrète.

« Je t'aime, Julie Stratford, lui murmura-t-il à l'oreille. Ma reine anglaise. Ma beauté éternelle. »

Ses baisers la paralysaient. Elle était allongée sur le dos, les yeux clos, et elle le laissait ouvrir son chemisier et dénouer son corset. Il lui ôta ses dessous et elle reposa ainsi, nue, devant lui, tandis qu'il se débarrassait de ses propres vêtements.

Son allure était royale, sa poitrine resplendissait à la lumière et son sexe était prêt à l'honorer. Puis elle sentit qu'il s'allongeait sur elle. Des larmes lui vinrent aux yeux, des larmes de soulagement. Un doux gémissement s'échappa de ses lèvres.

« Tu es le premier, murmura-t-elle. Et je serai à toi pour toujours. »

Il la pénétra doucement et la petite douleur qu'elle en éprouva fut aussitôt supplantée par la montée de sa passion. Elle l'embrassait sauvagement, elle léchait le sel et la sueur de son cou, de son visage, de ses épaules.

Quand la première vague de plaisir la balaya, elle cria comme si elle allait mourir.

Elliott avait vu le canot s'éloigner. A l'aide de ses jumelles, il avait repéré la lumière du feu de camp, là-bas, dans les dunes, ainsi que le serviteur et les chameaux.

Il s'était précipité sur le pont sans se servir de sa canne, de crainte de faire du bruit, et avait tourné le bouton de la porte de la cabine de Ramsès.

La cabine n'était pas verrouillée et il y était entré.

Ah, cette créature a fait de moi un intrus et un voleur, se dit-il, mais il ne s'arrêta pas pour autant. Il ne savait pas combien de temps il avait devant lui. Seule la lune éclairait l'intérieur de la cabine. Il fouilla la penderie pleine de vêtements soigneusement accrochés, les tiroirs de la commode, la malle qui ne contenait rien. Pas la moindre formule secrète. A moins qu'elle ne fût bien cachée.

Il abandonna sa quête. Il se tenait à côté du petit secrétaire et regardait les livres de biologie posés là. Quand quelque chose de noir et de laid, posé sur le buvard du sous-main, attira son regard et le glaça de terreur. Mais ce n'était que la main de momie.

Comme il se sentait ridicule. Comme il avait honte. Il ne pouvait malgré tout s'empêcher de contempler cet objet. Son cœur battait fort dans sa poitrine, il se sentait le souffle coupé.

Finalement il quitta la cabine et referma la porte derrière lui.

Un intrus et un voleur, se répéta-t-il. Prenant appui sur sa canne d'argent, il regagna lentement le salon.

C'était presque l'aube. Ils avaient abandonné la chaleur de la tente plusieurs heures auparavant et étaient entrés dans le temple désert, n'emportant avec eux qu'un grand drap de soie. Ils avaient fait l'amour dans le sable, de nombreuses fois. Puis il s'était allongé sur le dos et avait admiré les étoiles.

Les mots étaient superflus. Il n'y avait plus que la chaleur de son corps nu contre celui de Julie et la soierie qui les enveloppait.

Le soleil allait se lever. Elliott somnolait dans un fauteuil. Il entendit le canot accoster, le glissement des cordages, les pas furtifs des deux amants sur le pont de bois. Le silence, enfin.

Quand il ouvrit les yeux, son fils était là, dans l'ombre. Dépenaillé comme s'il ne s'était pas déshabillé pour se coucher, mal rasé. Il vit son fils prendre une cigarette dans le coffret d'ivoire et l'allumer.

Alex s'aperçut de sa présence. Pendant quelques instants, ni l'un ni l'autre ne parlèrent. Puis Alex adressa un franc sourire à son père.

« Cela nous fera du bien de retrouver Le Caire et un semblant de civilisation, dit Alex.

– Tu es un brave garçon, mon fils. »

Ils devaient tous être au courant, se dit-elle. Elle reposait auprès de Ramsès sous les chaudes couvertures de son lit. Le petit vapeur descendait le fleuve en direction du Caire.

Ils étaient malgré tout fort discrets. Ramsès ne venait la trouver que lorsqu'il n'y avait personne alentour. Ils n'échangeaient pas de marques d'affection. Ils s'abandonnaient cependant à cette liberté qu'ils s'étaient offerte. Jusqu'à l'aube, ils faisaient l'amour, au rythme sourd des moteurs du navire.

Que demander de plus ? Elle souhaitait être débarrassée de tous ceux qu'elle aimait, sauf de lui. Elle désirait être sa fiancée. Elle savait qu'elle prendrait sa décision lors de leur arrivée au Caire. Et elle ne reverrait plus jamais l'Angleterre, pas avant très longtemps en tout cas, pas avant que Ramsès ne le voulût.

Quatre heures. Ramsès se tenait près du lit. Elle était si adorable... Il tira sur elle la couverture de peur qu'elle ne prît froid.

Il prit sa ceinture, la palpa afin de vérifier la présence des quatre flacons, et s'en ceignit.

Il n'y avait personne sur le pont. La lumière était allumée dans le salon. Il regarda à travers les stores et vit Elliott qui dormait dans un grand fauteuil de cuir, un livre ouvert sur les genoux, un verre à demi rempli de vin à côté de lui.

Ramsès regagna sa cabine, ferma la porte à clef et tira les stores. Puis il s'assit à son secrétaire, alluma la lampe et contempla la main de momie aux doigts recroquevillés, aux ongles jaunis pareils à de l'ivoire.

Aurait-il le cran d'aller jusqu'au bout ? N'avait-il pas, en des siècles lointains, pratiqué assez d'expériences ? Il voulait savoir. Il se dit qu'il pourrait attendre de bénéficier d'un laboratoire, de matériel, d'avoir maîtrisé des disciplines telles que la chimie ou la physique.

Mais non, il voulait savoir, tout de suite. L'idée lui était venue à l'esprit dans la Vallée des Rois à l'instant même où il avait vu la main ratatinée, semblable à du cuir. Ce n'était pas un faux. Il le savait. Il l'avait compris à la minute même où il avait examiné le fragment d'os qui faisait saillie hors du poignet tranché.

Il repoussa les ouvrages de biologie. Il plaça la main sous la lampe et ôta soigneusement les bandelettes de lin. Et là, il distingua la marque de l'embaumeur – les mots égyptiens qui indiquaient que le travail avait été effectué plusieurs dynasties avant l'époque où il avait vécu.

Ne fais pas cela. Il plongea malgré tout la main dans sa chemise et en tira le flacon déjà entamé qu'il ouvrit machinalement d'un coup de pouce.

Il versa l'élixir sur la chose, sur les doigts, dans la paume.

Rien.

Etait-il déçu ou soulagé ? Il n'en savait rien. Longtemps, il regarda par la fenêtre de sa cabine. Le jour se levait.

Grâce aux dieux, la potion ne faisait pas effet sur un objet aussi ancien. L'élixir avait ses limites.

Il alluma un cigare dont il savoura la fumée et se versa un peu de cognac.

La pièce s'éclaircissait autour de lui. Il eût aimé retrouver la couche tiède de Julie et s'y blottir. Mais c'était impossible en plein jour, il en était conscient. De plus, il aimait assez le jeune Savarell pour ne pas lui faire délibérément de la peine. Quant à Elliott, il ne voulait pas non plus le blesser. Il s'en fallait de très peu pour qu'une véritable amitié ne liât les deux hommes.

Quand il entendit les autres marcher sur le pont, il referma le flacon et le rangea dans sa ceinture. Il se préparait à changer de vêtements quand un bruit le fit sursauter.

La cabine était parfaitement éclairée. Il n'osa pas se retourner. Et, à nouveau, ce bruit, ce *grattement* !

Le sang battait à ses tempes. Il se décida enfin à regarder. La main était vivante, la main remuait ! Posée sur le dos, elle se débattait comme un gros insecte retourné, avant de se redresser et de gratter le buvard de ses cinq doigts pareils à des pattes !

Il recula, pétri d'horreur. La main avançait sur le bureau, maladroitement, et bascula pour tomber à terre.

Ses lèvres murmurèrent une prière en égyptien. Dieux du monde souterrain, pardonnez mon blasphème ! Il tremblait violemment. Il décida de la ramasser, mais n'y parvint pas.

Comme un dément, il parcourut la cabine du regard. Le plateau repas devait être encore là. Il devait bien y avoir un couteau !

Il s'en saisit et planta la lame dans la main avant de la ramener sur le secrétaire. A de nombreuses reprises, il frappa la main, tranchant la chair, séparant les os. Du sang giclait des blessures multiples. Grands dieux ! Les lambeaux continuaient de s'agiter fébrilement et prenaient, à la lumière du jour, la couleur rose de la chair vivante.

Il courut jusque dans la petite salle de bains et en rapporta une serviette de toilette dans laquelle il jeta les débris ensanglantés. Il referma la serviette et l'écrasa à plusieurs reprises avec le pied de la lampe. La serviette ensanglantée paraissait grouiller sur le secrétaire.

Il éclata en sanglots. O Ramsès, fou que tu es ! N'y a-t-il donc pas de limites à ta folie ?

Se saisissant de la serviette, il se précipita sur le pont du steamer et jeta le tout dans les eaux noires du fleuve. Essoufflé, le cœur battant la chamade, il s'adossa à la paroi de bois du navire. Son regard se perdit dans le lointain, dans ces dunes lointaines qu'éclairait le pâle violet du matin.

Les années s'effacèrent. Il entendit les cris et les lamentations à l'intérieur du palais. Il entendit son intendant hurler avant même que de forcer les portes de la salle du trône.

« Cela les tue, mon roi. Ils vomissent du sang !

– Rassemble tous les morceaux et brûle-les ! avait-il crié. Les arbres, les boisseaux de grain ! Vite, jette le tout dans le fleuve ! »

La folie. Le désastre.

Mais il n'était qu'un homme de son époque, après tout. Que savaient les magiciens des cellules, des microscopes et des médicaments ?

Il ne pouvait malgré tout s'empêcher d'entendre ces cris, les cris de ces centaines d'hommes et de femmes qui sortaient de leurs maisons et se rassemblaient sur la place, devant le palais.

« Ils se meurent, mon roi, criait-on. C'est la viande. Elle les empoisonne.

– Fais abattre les derniers animaux.

– Mais, mon roi...

– Taillade-les, fais jeter les morceaux dans le fleuve ! »

Il regarda les eaux sous le flanc du navire. Quelque part, en amont, les doigts et les fragments de main vivaient toujours. Quelque part, au fond de la vase, le grain vivait. Les morceaux épars des animaux vivaient !

Je te le dis, c'est un secret horrible, un secret qui pourrait bien amener la fin du monde !

Il regagna sa cabine, ferma la porte à clef et s'écroula sur son secrétaire en pleurant.

Il était midi quand il revint sur le pont. Julie était installée dans un transatlantique et lisait une histoire qui semblait beaucoup l'amuser. Elle notait dans la marge les choses qu'elle ne manquerait pas de lui demander.

« Ah, tu es enfin réveillé », dit-elle. Puis, voyant l'expression de son visage, elle lui demanda : « Que se passe-t-il ?

– J'en ai assez de cet endroit. Je veux visiter les pyramides, les musées, ce qu'il convient de visiter, et puis je m'en irai.

– Oui, je comprends. » Elle lui fit signe de s'installer à côté d'elle. « Moi aussi, je veux m'en aller. » Elle lui donna un baiser sur les lèvres.

« Oui, embrasse-moi encore, cela me fait tant de bien ! »

Elle s'exécuta sans se faire prier.

« Nous serons au Caire dans quelques jours, je te le promets.

– Quelques jours ! Ne pouvons-nous prendre une barque à moteur ? Ou, pourquoi pas, le train, et oublier les visites ? »

Elle soupira, les yeux baissés. « Ramsès, dit-elle, tu dois me pardonner, mais Alex tient absolument à voir l'opéra du Caire. Elliott aussi. Je leur ai plus ou moins promis de... »

Il gémit.

« Et puis, je tiens aussi à leur dire au revoir, ajouta-t-elle. A leur expliquer que je ne rentrerai pas en Angleterre. Il me faut du temps pour cela. Tu comprends ?

– Certainement. Cet opéra ? C'est une chose nouvelle ? Quelque chose que je devrais voir, peut-être.

– Oui, dit-elle. Enfin, l'histoire se passe en Egypte, mais elle a été écrite par un Italien il y a cinquante ans de cela, spécialement pour l'opéra du Caire. Cela devrait te plaire.

– Il y a beaucoup d'instruments.

– Et beaucoup de voix ! dit-elle en riant.

– Bien. Je me rends. » Il s'inclina et lui baisa la main avant de lui embrasser la gorge. « Ensuite, tu seras à moi, ma beauté – à moi seul ?

– Oui, je te le jure sur mon âme », murmura-t-elle.

Cette nuit-là, quand il refusa de retourner à Louxor, le comte lui demanda si son voyage en Egypte était une réussite, s'il avait trouvé ce qu'il y recherchait.

« Je crois que oui, dit-il en levant à peine la tête du livre de géographie qu'il étudiait. Je crois que j'ai trouvé l'avenir. »

CHAPITRE DEUX

C'était une ancienne maison de mamelouks, une sorte de petit palais, et Henry appréciait assez cet endroit bien qu'il ne sût pas grand-chose sur les mamelouks, à l'exception du fait qu'ils avaient jadis gouverné l'Egypte.

Cela n'avait d'ailleurs pas grande importance. Pour l'heure et depuis plusieurs jours, il était heureux dans cette petite maison encombrée d'objets exotiques et de meubles victoriens. Il avait pratiquement tout ce qu'il désirait.

Malenka ne cessait de lui préparer de délicieux plats épicés qu'il appréciait tout particulièrement quand il en avait assez de boire et dont il raffolait lorsqu'il était ivre et que toute autre nourriture lui paraissait insipide.

Elle le pourvoyait en alcools qu'elle allait se procurer dans le quartier anglais du Caire. Avec ses gains au jeu, elle lui achetait son gin préféré, du scotch et du cognac.

Il gagnait gros depuis une dizaine de jours. Il faut dire qu'il s'adonnait aux cartes entre midi et la fin de l'après-midi. Il n'avait pas de mal à bluffer ces Américains qui prenaient tous les Britanniques pour des fillettes. Le Français, il devait l'avoir à l'œil : c'était un fieffé coquin, certes, mais il ne trichait pas. Il réglait toujours ses dettes, même si Henry ne comprenait pas comment un individu aussi louche pouvait se procurer de l'argent.

La nuit, Malenka et lui faisaient l'amour dans ce grand lit victorien qu'elle aimait tant. Elle trouvait beaucoup de classe à cette couche au dosseret d'ébène et à l'immense moustiquaire. Qu'elle ait donc ses petits rêves. Pour le moment, il l'aimait. Il se moquait bien de savoir s'il reverrait un jour Daisy Banker. En fait, il avait plus ou moins dans l'idée de ne jamais revenir en Angleterre.

Dès que Julie et sa suite arriveraient, il partirait pour l'Amérique. Il s'était dit que son père pourrait être d'accord avec ce projet et lui assurer un petit revenu à la condition qu'il restât là-bas, à New York ou même en Californie.

San Francisco, voilà une ville qui lui convenait ! On l'avait complètement reconstruite après le tremblement de terre. Il avait le sentiment qu'il y réussirait. Et cela ne serait pas plus mal s'il pouvait emmener Malenka avec lui. En Californie, qui verrait que la peau de la jeune femme était un peu plus foncée que la sienne ?

Sa peau. Il aimait la peau de Malenka. Douce, soyeuse Malenka. Parfois, il quittait son petit palais pour aller la voir danser au club européen. Il aimait cela. Qui sait ? Peut-être deviendrait-elle célèbre en Californie, avec lui comme manager, bien entendu. Cela rapporterait un peu d'argent, et quelle femme ne voudrait pas quitter pour l'Amérique cette ville grouillante de monde ? Elle apprenait l'anglais en écoutant des disques qu'elle avait achetés dans le quartier britannique.

Cela le faisait rire que de l'entendre répéter ces phrases absurdes : « Puis-je vous offrir du sucre ? Puis-je vous offrir de la crème ? » Elle parlait assez bien, il fallait le reconnaître. Et elle connaissait la valeur de l'argent. Sans cela, elle n'aurait pas réussi à conserver cette demeure héritée de son demi-frère.

Il allait devoir jouer serré avec son père. C'était pour cela qu'il n'avait pas encore quitté Le Caire. Son père devait croire qu'il était encore avec Julie, qu'il prenait soin d'elle, etc. Quelques jours plus tôt, il avait adressé un câble à son père pour lui demander de l'argent et il avait ajouté quelques mots stupides pour dire que Julie allait bien.

Rien ne pressait. Et puis, le jeu lui souriait plus que jamais en ce onzième jour.

Il aimait la maison de Malenka, ce petit univers hors du monde. Il aimait sa cour intérieure, avec son bassin, son carrelage et même ce perroquet criard, ce gris du Gabon qui, bien qu'étant l'oiseau le plus laid qu'il eût jamais connu, n'était pas totalement inintéressant.

Il y avait dans cette demeure une sorte de luxuriance qui lui plaisait infiniment. La nuit, quand il se réveillait mourant de soif, il prenait sa bouteille et allait s'installer dans la pièce de devant, au milieu des coussins et des poufs brodés, pour écouter des disques, *Aïda* en particulier. Il fermait à demi les yeux et toutes les couleurs qui l'entouraient se mettaient à danser.

C'était là la vie telle qu'il l'entendait. Le jeu; la boisson; l'isolement. Et une femme chaude et voluptueuse qui se dévêtait au moindre claquement de doigts.

Il la faisait s'habiller en costume traditionnel. Il aimait voir son ventre plat et ses seins rebondis. Il aimait ses grandes boucles d'oreilles et ses beaux cheveux, oh oui, ses splendides cheveux qu'il saisissait à poignée pour l'attirer à lui.

C'était une femme parfaite. Elle prenait grand soin de ses chemises et de ses vêtements et veillait à ce qu'il ne manque jamais de tabac. Elle lui achetait des magazines et des journaux quand il le lui demandait.

Mais tout cela lui importait peu désormais. A part rêver de San Francisco, le monde extérieur ne comptait plus.

C'est pour cela qu'il fut très ennuyé quand on lui apporta un télégramme. Il n'aurait jamais dû laisser son adresse au Shepheard's, mais il n'avait pas le choix : comment aurait-il reçu l'argent de son père ou les autres messages de celui-ci ? Il était important de ne pas fâcher son père tant qu'un accord n'avait pas été trouvé.

L'air glacial, le Français le regarda déchirer l'enveloppe jaune. Henry constata que le message n'émanait pas de son père, mais d'Elliott.

« Bon Dieu, grinça-t-il. Voilà qu'ils arrivent. » Il tendit le papier à Malenka. « Prépare-moi mon costume, je dois rentrer à l'hôtel.

– Vous ne pouvez pas nous laisser maintenant », dit le Français.

L'Allemand tira longuement sur son cigare malodorant. Il était encore plus stupide que le Français.

« Qui a dit que j'allais abandonner ? » dit Henry. Il fit monter les enchères, puis les bluffa l'un après l'autre.

Il irait un peu plus tard au Shepheard's pour voir leurs chambres, mais il n'y dormirait pas. Ils ne pouvaient exiger cela de lui.

« Pour ma part, j'en ai assez », dit l'Allemand en découvrant ses dents jaunes.

Le Français allait rester jusqu'à dix ou onze heures du soir.

Le Caire. Il n'y avait là que le désert, à l'époque de Ramsès, même si au sud se dressait Saqqarah, où il était jadis venu prier devant la pyramide du premier roi d'Egypte. Naturellement, il avait visité les pyramides de ses grands ancêtres.

Aujourd'hui, c'était une métropole, plus grande encore qu'Alexandrie. Le quartier britannique ressemblait étrangement à un district londonien. Seule différence notable : il y faisait très chaud. Il y avait des rues pavées, des arbres bien taillés, une profusion de véhicules à moteur dont les pétarades effrayaient les chameaux, les ânes et les habitants du cru. L'hôtel Shepheard's était, lui aussi, un palais « tropical » : de vagues objets égyptiens étaient disposés çà et là parmi le mobilier anglais. La clientèle était, bien entendu, composée de touristes aisés.

Un grand panneau publicitaire pour l'opéra avait été placé devant les deux cages d'ascenseur. *Aïda*. Ainsi qu'une illustration vulgaire montrant des anciens Egyptiens enlacés sur fond de palmiers et de pyramides. Au premier plan, on voyait un homme et une femme de notre époque en train de danser.

BAL DE L'OPÉRA – SOIRÉE D'OUVERTURE
HÔTEL SHEPHEARD'S

Si c'était là ce dont Julie avait envie. Il devait reconnaître qu'il désirait voir un grand théâtre et entendre un orchestre imposant. Oh, il y avait tant de choses à découvrir !

Il devait supporter sans gémir ces derniers jours sur son sol natal. Elliott lui avait appris l'existence d'une excellente bibliothèque. Il empruntait des ouvrages scientifiques et, la nuit, il partait lire au pied du Sphinx et parler aux esprits de ses ancêtres.

Il ne croyait pas qu'ils fussent vraiment là. Non. Même aux temps anciens, il n'avait jamais vraiment cru aux dieux, peut-être parce que les hommes lui donnaient ce nom.

Un dieu se serait-il permis de frapper la prêtresse de son glaive de bronze après avoir bu l'élixir ? Certainement pas. Mais il n'était plus l'homme qui avait commis cet acte. La vie ne lui avait peut-être pas appris grand-chose, mais elle lui avait au moins enseigné le sens de la cruauté.

C'était l'esprit de la science moderne qu'il adorait aujourd'hui. Il rêvait d'un laboratoire secret où il pourrait dissocier les composants chimiques de l'élixir. Les ingrédients, il les connaissait, et il n'aurait aucun mal à les trouver. Il avait vu les mêmes poissons sur les marchés de Louxor. Il avait vu les mêmes grenouilles sauter dans les marécages qui bordaient le Nil. Les plantes y poussaient toujours avec acharnement.

Ah, se dire qu'une action chimique était issue de choses aussi simples ! Mais qui penserait à les combiner ainsi que le faisaient les magiciens du temps jadis ?

Son laboratoire devrait attendre. Julie et lui devaient commencer par voyager. Et, avant cela, il lui faudrait se résoudre à faire ses adieux. Quand il l'imaginait en train de dire adieu à ce monde de richesse et de beauté qui était le sien, il ne pouvait s'empêcher de frémir. Cependant, il la voulait trop pour qu'il en fût autrement.

Et puis, il y avait Henry, qui n'avait pas osé l'affronter depuis leur retour et qui avait transformé en tripot la maison d'une danseuse du ventre.

Il ne pouvait le laisser en vie derrière lui, mais comment parvenir à cela sans que Julie n'éprouvât la moindre peine ?

Elliott était assis sur son lit, le dos bien appuyé au dosseret, les voiles de la moustiquaire lui retombant de part et d'autre. Il appréciait de se retrouver dans cette suite du Shepheard's.

Ses douleurs dans les hanches étaient insupportables. Les longues promenades à Louxor et Abou Simbel l'avaient totalement épuisé. Ses poumons étaient quelque peu congestionnés et, depuis plusieurs jours, son cœur battait un peu trop fort, un peu trop vite.

Il regardait Henry, dans son costume de lin froissé, fouler le tapis tunisien de sa chambre « coloniale ». Il avait l'allure d'un buveur impénitent – sa peau avait des reflets cireux et, si ses mains ne tremblaient pas, c'était parce qu'il avait déjà absorbé sa dose de whisky.

Son verre était vide, mais Elliott n'avait pas la moindre envie de demander à Walter de le resservir. L'antipathie d'Elliott à l'égard de Henry avait atteint son apogée. Les balbutiements à demi incohérents de l'alcoolique l'irritaient au plus haut point.

« ... vois vraiment pas pourquoi je reviendrais avec elle, elle est parfaitement capable de se débrouiller toute seule. Et puis, je n'ai pas non plus l'intention de séjourner au Shepheard's.

– Pourquoi me racontes-tu tout cela ? lui demanda Elliott. Tu ferais mieux d'écrire à ton père.

– C'est déjà fait. Vous auriez seulement intérêt à ne pas lui dire que je suis resté au Caire pendant que vous avez fait ce stupide circuit.

– Ah oui ? Pourquoi ?

– Parce que je sais ce que vous manigancez, dit Henry d'un air mélodramatique. Je sais pourquoi vous êtes venu ! Cela n'a rien à voir avec Julie ! Vous savez que cette créature est un monstre. Vous vous en êtes rendu compte pendant le voyage. Vous savez que je n'ai pas menti quand je vous ai dit qu'il était sorti de son cercueil...

– Ta stupidité n'a plus de limites !

– Qu'est-ce que vous racontez ? » Henry s'appuya au bois du lit comme pour effrayer Elliott.

« Tu as vu un immortel sortir de sa tombe, pauvre imbécile. Pourquoi t'enfuis-tu la queue entre les jambes ?

– C'est vous qui déraisonnez, Elliott. Ce n'est pas naturel, c'est... monstrueux. Et s'il s'approche encore de moi, je raconterai tout ce que je sais. Sur lui et sur vous.

– Tu perds non seulement l'esprit, mais aussi la mémoire. Tu as été la risée de Londres, t'en rends-tu compte ? C'est probablement la seule notoriété dont tu jouiras jamais.

– Ah, vous vous croyez intelligent, vous osez prendre de grands airs avec moi. Est-ce que vous avez oublié notre petite escapade parisienne ? » Il fit la grimace en constatant que son verre était vide. « Vous avez prostitué votre titre pour la fortune d'une Américaine. Vous avez vendu celui de votre fils pour les millions des Stratford. Et maintenant, vous voulez cette créature ! Vous croyez à cette absurdité d'élixir.

– Pas toi ?

– Sûrement pas.

– Dans ce cas, comment expliques-tu ce que tu as vu ? »

Henry hésita, les yeux fous. « Il y a un truc là-dessous, c'est certain, mais cela n'existe pas, un produit chimique qui ferait vivre les gens à tout jamais. C'est absurde. »

Elliott ne put s'empêcher de rire.

« C'est peut-être une illusion d'optique, un jeu de miroirs.

– Quoi ?

– Cette créature qui sort de son cercueil pour t'étrangler », dit Elliott.

Le mépris de Henry se changeait en haine.

« Je devrais peut-être révéler à ma cousine que tu l'espionnes et que tu veux cet élixir. Oui, je devrais peut-être la mettre au courant.

– Elle est déjà au courant. Lui aussi, d'ailleurs. »

Ne sachant plus que dire, Henry contempla à nouveau son verre vide.

« Sors d'ici, dit Elliott. Va où tu veux.

– Si mon père vous contactait, laissez-moi un message à la réception.

– Ah oui ? Ne suis-je pas censé savoir que tu vis avec cette danseuse, Malenka ? Tout le monde est au courant. C'est le scandale de l'année, Henry dans le vieux Caire avec ses parties de cartes et sa danseuse. »

Henry fit la grimace.

Elliott s'approcha de la fenêtre ensoleillée. Il ne se retourna que lorsqu'il eut entendu la porte se refermer. Il attendit quelques instants, puis décrocha le téléphone et demanda la réception.

« Vous avez l'adresse de Henry Stratford ?

– Il m'a prié de ne pas la communiquer, monsieur.

– Je suis le comte de Rutherford, un ami de sa famille. Donnez-la-moi, je vous prie. »

Il l'apprit par cœur, remercia l'employé et raccrocha. Il connaissait bien le vieux Caire. La maison ne se trouvait qu'à quelques pas du Babylone, le night-club français où travaillait Malenka. Lawrence et lui avaient l'habitude d'y passer des nuits entières à discuter et à regarder les danseurs.

Il était résolu : quoi qu'il arrivât, il apprendrait de la bouche de Ramsey ce qui était réellement arrivé à Lawrence dans le tombeau.

Rien ne l'en détournerait, ni la peur ni le désir de l'élixir. Il se devait de savoir ce qu'avait fait Henry.

La porte s'ouvrit. Ce devait être Walter, son majordome, le seul qui pût entrer sans frapper.

« Un bel appartement, monsieur. » Il était trop mielleux. Il avait dû entendre la discussion. Il épousseta la table de chevet, remit la lampe en place.

« Cela ira, Walter. Où est mon fils ?

– En bas, monsieur. Puis-je vous faire une confidence ? »

Walter se pencha au-dessus du lit, la main devant la bouche comme s'ils se trouvaient au milieu d'une foule nombreuse.

« Il a rencontré une jolie fille, une Américaine. Elle s'appelle Barrington, monsieur. C'est une riche famille de New York. Son père est dans les chemins de fer.

– Eh, comment savez-vous tout cela ? » dit Elliott, amusé.

Walter se mit à rire. Il vida le cendrier.

« Rita me l'a dit, monsieur. Elle l'a vue moins d'une heure après notre arrivée. A l'heure actuelle, il fait un tour avec Mlle Barrington dans les jardins de l'hôtel.

– Eh bien, ce serait assez intéressant, dit Elliott en secouant la tête, si notre cher Alex épousait une héritière américaine.

– Certainement, monsieur, dit Walter. Quant à l'autre, vous désirez que je prenne les mêmes dispositions ? » Walter semblait à nouveau parler sous le sceau du secret. « Vous voulez quelqu'un pour *le* suivre ? »

Il parlait de Ramsès, bien évidemment, et faisait allusion à l'individu qu'Elliott avait engagé à Alexandrie.

« Si cela peut être fait discrètement, oui, dit Elliott. Faites-le filer jour et nuit, je veux savoir où il va et ce qu'il fait. »

Il donna une poignée de billets à Walter, qui quitta immédiatement la chambre.

Elliott voulut respirer profondément, mais la douleur qui lui brûlait la poitrine était trop vive. Il regarda les rideaux blancs qui se gonflaient devant les fenêtres. Il percevait le brouhaha du quartier britannique. Il pensa à la futilité de ce qu'il faisait – faire suivre Ramsès dans l'espoir de découvrir le secret de l'élixir.

C'était absurde. Il n'y avait plus aucun doute possible sur la véritable personnalité de Ramsey, et il était plus qu'évident qu'il transportait l'élixir sur lui.

Elliott en éprouva une certaine honte, mais cela importait peu. Il lui aurait été facile de rappeler Walter, de lui dire de ne rien faire, mais il mourait d'envie de fouiller à nouveau la chambre de Ramsès; en le faisant suivre, il connaîtrait un peu mieux ses habitudes.

C'était tout de même plus intéressant que de penser continuellement à sa poitrine ou à ses hanches douloureuses. Elliott ferma les yeux. Il revit les statues colossales d'Abou Simbel. Ce serait la dernière grande aventure de sa vie et l'excitation qu'il en éprouvait était en elle-même une récompense.

Un sourire se dessina sur ses lèvres. Peut-être Alex allait-il dénicher une héritière américaine.

Ah, elle était adorable, et il aimait sa voix ainsi que la flamme qui brillait dans son regard. Et son rire... Et ce nom charmant, Charlotte Whitney Barrington.

« Nous envisagions de nous rendre à Londres, mais on nous a dit qu'il y faisait terriblement froid à cette période de l'année. Et puis, c'est si sinistre, avec la Tour et cette prison où l'on a tranché la tête de cette pauvre Anne Boleyn.

– Oh, ce ne serait pas sinistre si je vous servais de guide ! dit-il.

– Quand comptez-vous rentrer ? Vous allez rester pour voir l'opéra, non ? Il semble que l'on ne parle de rien d'autre. Je trouve cela très amusant, vous savez, venir en Egypte pour assister à une représentation d'opéra.

– Mais c'est *Aïda*, ma chère.

– Je sais, je sais...

– De toute façon, tout est déjà arrangé. Mais vous allez venir, n'est-ce pas ? Il y a un grand bal en fin de soirée... »

Quel sourire adorable ! « Je n'étais pas au courant. Je n'avais pas très envie de sortir avec père et mère et...

– Vous pourriez peut-être venir avec moi. »

Quelles dents éclatantes !

« Je crois que cela me plairait beaucoup, Lord Rutherford.

– Appelez-moi Alex, je vous en prie, mademoiselle Barrington. C'est mon père qui est Lord Rutherford.

– Mais vous-même êtes vicomte, dit-elle avec cette franchise typiquement américaine. C'est du moins ce que l'on m'a dit...

– C'est exact. Vicomte Summerfield, exactement...

– Qu'est-ce que c'est au juste, un *vicomte* ? »

Quels yeux, et comme elle riait en le regardant ! Soudain, il n'en voulut plus à Henry de fréquenter sa danseuse. Il valait mieux qu'il fût chez elle au lieu de déambuler, à moitié ivre, dans les couloirs et les salons de l'hôtel.

Mais Julie, qu'allait-elle penser de Mlle Charlotte Whitney Barrington ? Alex avait sa petite idée là-dessus.

Midi. La salle à manger. Ramsès riait.

« J'insiste. Prends ta fourchette et ton couteau, lui disait Julie. Essaie pour une fois.

– Ce n'est pas que je ne peux pas y arriver, mais cela me paraît tout à fait barbare de pousser des fragments de nourriture dans sa bouche avec des objets d'argent.

– Le gros problème avec toi, c'est que tu sais que tu es absolument irrésistible.

– J'ai beaucoup appris au cours des siècles. » Il serra dans son poing le manche de la fourchette.

« Arrête », dit-elle dans un souffle.

Il rit à nouveau, posa la fourchette et prit avec les doigts un morceau de poulet. Elle l'arrêta.

« Ramsès, mange proprement.

– Ma tendre chérie, répliqua-t-il, je mange à la manière d'Adam et Eve, d'Osiris et d'Isis, de Moïse, d'Aristote et d'Alexandre. »

Elle pouffa de rire. Il lui vola un baiser, puis son visage s'assombrit.

« Et ton cousin ? » murmura-t-il.

Elle ne s'attendait absolument pas à une telle question. « Faut-il vraiment parler de lui ?

– Est-ce que nous allons le laisser au Caire ? Est-ce que nous allons laisser sans vengeance le meurtre de ton père ? »

Les larmes lui montèrent aux yeux. Elle chercha son mouchoir dans son sac. Elle n'avait pas vu Henry depuis leur retour et elle n'avait pas envie de le voir. Elle n'avait pas parlé de lui dans la lettre qu'elle avait adressée à Randolph. C'était la pensée de son oncle qui la faisait pleurer.

« Confie-moi ton fardeau, dit Ramsès. Je le porterai volontiers. Et que justice soit faite. »

Elle lui posa la main sur les lèvres.

« Pas maintenant. »

Il regarda par-dessus son épaule, émit un petit soupir et lui pressa la main. « Le petit groupe est prêt, semble-t-il, dit-il. Et nous ne devons pas faire attendre Elliott. »

Alex se baissa pour lui donner un petit baiser sur la joue. Comme c'était chaste. Elle se remaquilla rapidement en se tournant légèrement pour qu'il ne vît pas les couleurs de ses joues.

« Eh bien, nous y sommes ? dit Alex. Notre guide privé nous attend au musée dans un quart d'heure. Oh, j'étais sur le point d'oublier, pour l'opéra, tout est arrangé. J'ai des billets pour la représentation et pour le bal. Ramsey, mon cher ami, permettez-moi de vous dire cela, mais je ne me battrai pas avec vous ce soir pour la main de Julie.

– Il est déjà amoureux », dit Julie en soupirant. Elle permit à Alex de l'aider à se lever. « Mlle Barrington...

– Ma chérie, je vous en prie, donnez-moi votre opinion. Elle va nous accompagner au musée.

– Hâtons-nous, dit Ramsès. Votre père n'est pas très bien. Je suis assez étonné qu'il ne garde pas la chambre.

– Mon Dieu, est-ce que vous savez ce que représente le musée du Caire ? dit Alex. C'est pourtant l'endroit le plus sale et le plus poussiéreux que j'aie jamais...

– C'est la dernière épreuve, dit Ramsès en prenant le bras de Julie. Tous les rois se trouvent dans la même salle ? C'est bien ce que tu m'as dit ?

– Ma parole, j'aurais juré que vous y étiez déjà allé, dit Alex. Vous êtes vraiment étonnant, mon vieux... »

Ramsès répondit à Alex, mais ce dernier ne l'entendit pas. Il parlait à voix basse à Julie : elle devait lui dire franchement ce qu'elle pensait de Mlle Barrington – la petite blonde aux joues roses qui attendait dans le couloir en compagnie d'Elliott et de Samir.

« En vérité, dit Julie, vous voulez ma bénédiction !

– Chut, elle est là, avec père. Ils s'entendent déjà très bien.

– Alex, elle est tout à fait délicieuse. »

Ils parcoururent les vastes salles du rez-de-chaussée, attentifs au guide qui parlait très vite en dépit de son fort accent égyptien. Des trésors en abondance, il n'y avait pas de doute à ce sujet. Tout ce qui avait été pillé dans les tombes, des choses dont il n'avait jamais rêvé à son époque. Oui, tout était là, livré à l'admiration du monde entier, sous des vitres sales et des éclairages douteux, mais néanmoins protégé du temps et de la corruption.

Il contempla la statue du scribe accroupi – petit personnage attentif, assis en tailleur, un papyrus déployé sur son sein. Il aurait dû lui faire monter les larmes aux yeux, mais tout ce qu'il éprouva, ce fut la joie vague d'être venu, d'avoir visité et, bientôt, de repartir.

Ils empruntèrent le grand escalier. La salle des rois, la grande épreuve, celle qu'il redoutait. Il sentit Samir à ses côtés.

« Pourquoi ne pas laisser cela de côté, sire ? dit Samir. Ce ne sont que des horreurs.

– Non, mon ami, je désire tout voir, absolument tout. »

Il manqua éclater de rire en découvrant de quoi il s'agissait – une grande salle pleine de vitrines semblables à celles qui, dans les grands magasins, mettent les marchandises à l'abri des mains indélicates.

Les corps noircis et grimaçants lui causèrent cependant un choc. Il entendait à peine le guide. Ses explications étaient, malgré tout, on ne peut plus claires :

« La momie de Ramsès le Damné qui est arrivée en Angleterre est encore controversée. Très controversée, même. Voici devant vous le véritable Ramsès II, plus connu sous le nom de Ramsès le Grand. »

Il s'approcha et dévisagea la chose horrible qui portait son nom.

« ... Ramsès II, le plus grand de tous les pharaons d'Egypte. »

Il ébaucha un sourire en détaillant les membres desséchés, puis la vérité lui sauta aux yeux : s'il ne s'était pas rendu dans l'antre de la prêtresse, c'est lui qui, maintenant, reposerait dans cette vitrine. Ou ce qui resterait de lui. Il serait mort sans avoir connu grand-chose, sans même se rendre compte que...

Un bruit. Julie avait dit quelque chose, mais il ne l'avait pas entendue. Un bourdonnement sourd résonna dans sa tête. Soudain, il les vit tous, ces cadavres hideux, pareils à des pains qui ont trop cuit au four. Il vit les vitrines sales, il vit les touristes qui se pressaient de toutes parts.

Il entendit la voix de Cléopâtre.

Quand tu l'as laissé mourir, tu m'as laissée mourir avec lui. Je veux le rejoindre désormais. Emporte cet élixir, je ne le boirai pas.

Est-ce qu'ils repartaient ? Samir avait-il dit qu'il était temps de rentrer ? Il se rendit compte qu'Elliott le regardait d'un air étrange. Pouvait-il comprendre ?

Lui-même n'y parvenait pas !

« Partons, sire. »

Il laissa Samir le prendre par le bras et l'entraîner vers la porte. Il lui semblait que Mlle Barrington riait d'un propos que lui avait tenu Alex. Les conversations des touristes français qui venaient d'entrer étaient insupportables. Quelle langue épouvantable !

Il se retourna et regarda encore une fois les vitrines. Oui, il faut partir d'ici. Pourquoi empruntons-nous le couloir qui conduit à l'arrière du bâtiment ? Nous avons déjà vu tout ceci. Les rêves et la ferveur d'une nation se réduisent à cela : un grand mausolée poussiéreux où les jeunes filles viennent rire.

Le guide avait fait halte au bout de la salle. Qu'y avait-il à voir, encore un autre corps ? Comment le savoir avec cette pénombre ?

« Cette femme inconnue... curieux exemple de préservation naturelle...

– On ne peut pas fumer ici, je pense ? demanda-t-il à Samir.

– Non, sire, mais nous pouvons nous esquiver. Nous attendrons les autres dehors, si vous le désirez..

– ... ont réussi à momifier naturellement le corps de cette femme inconnue.

– Partons. »

Il posa la main sur l'épaule de Samir. Il lui fallait tout de même prévenir Julie. Il fit un pas en avant, la tira par la manche et, ce faisant, jeta un coup d'œil à la vitrine.

Son cœur s'arrêta.

« ... plupart des bandelettes eussent été arrachées depuis longtemps – pour chercher des bijoux, très certainement –, le corps de la femme s'est parfaitement conservé dans les boues du delta, un peu comme les cadavres que l'on a découverts dans les marais du nord de... »

Ces cheveux longs, ce cou gracile, ces épaules au contour délicat ! Et ce visage, oh ce visage ! Il n'en croyait pas ses yeux.

La voix résonnait dans sa tête : « ... femme inconnue... pleine période ptolémaïque... style gréco-romain... Mais voyez le profil égyptien, les lèvres bien dessinées... »

Le rire aigu de Mlle Barrington lui vrilla les tympans.

Il fit un pas en avant. Il effleura le bras de Mlle Barrington. Alex lui dit quelque chose, l'appela par son nom. Le guide s'en étonna.

Il regardait fixement la vitrine. Ce visage, c'était *son visage*, c'était *elle* ! Toute noire, commes les boues du delta qui l'avaient conservée, qui avaient rendu rigide son corps !

« Ramsès, qu'avez-vous ?

– Sire, vous vous sentez mal ? »

On lui parlait de tous côtés, on l'entourait. Quelqu'un le tira par ses vêtements, il se retourna brusquement.

« Non, laissez-moi. »

Il entendit le verre se briser derrière lui. Une alarme se déclenchait, pareille au cri de terreur d'une femme.

Vois ces yeux clos, c'est elle, c'est elle ! Il n'avait pas besoin de reconnaître des bagues, des ornements, des cartouches. C'était elle.

Des hommes en armes avaient accouru. Julie les suppliait. Mlle Barrington était terrorisée. Alex s'efforçait de se faire entendre.

« Ne me dites rien. C'est elle. Femme anonyme. » Elle, la dernière reine d'Egypte !

A nouveau, il chercha à se débarrasser de la main posée sur son bras. Il frappa le verre, il l'aurait brisé de ses poings. Cléopâtre... Ses jambes n'étaient plus que des os, les doigts de sa main droite étaient réduits à l'état de squelette. Mais ce si beau visage. Ma Cléopâtre !

Il avait finalement consenti à ce qu'on l'emmenât au loin. Julie l'avait questionné, il ne lui avait pas répondu. Elle avait payé pour les dégâts qu'il avait occasionnés. Il voulait lui dire qu'il était désolé.

Il ne se souvenait de rien. Sauf de *son* visage.

Oscar courait derrière M. Hancock et les deux hommes de Scotland Yard qui traversaient les pièces et fonçaient vers le salon égyptien. Oh, il n'aurait jamais dû les laisser entrer dans la maison. Ils n'en avaient pas le droit. Et voici qu'ils se dirigeaient droit sur le cercueil de la momie.

« Mademoiselle Julie sera furieuse, monsieur. Vous êtes ici dans sa maison. Et vous ne devez toucher à rien, monsieur, c'est la découverte de M. Lawrence. »

Hancock admirait les cinq pièces d'or à l'effigie de Cléopâtre.

« Les autres pièces ont peut-être été volées au Caire, monsieur. Avant que l'on n'établît le catalogue.

– Vous avez certainement raison, mon ami », dit Hancock. Il se tourna et posa les yeux sur le cercueil.

Julie lui versa du vin auquel il s'intéressa à peine.

« Tu ne veux pas t'expliquer ? lui demanda-t-elle. Tu l'as reconnue. Tu le savais. Il ne pouvait en être autrement. »

Depuis plusieurs heures, il était prostré, silencieux. Le chaud soleil de fin d'après-midi inondait la pièce. Au plafond, le ventilateur brassait l'air en gémissant.

Elle ne voulait pas se remettre à pleurer.

« C'est impossible... » Non, elle ne pouvait se résoudre à admettre pareille chose, elle ne pouvait même pas l'envisager. Elle repensa malgré tout à la femme, à la tiare d'or dans ses cheveux, noirs comme tout le reste de son corps. « Il n'est pas possible qu'elle... »

Lentement, Ramsès se tourna vers elle et la fixa de ses yeux incroyablement bleus.

« Impossible ! » Il parlait d'une voix rauque pareille à un souffle. « Impossible ! Vous avez exhumé des milliers de morts égyptiens. Vous avez pillé leurs pyramides, leurs tombeaux secrets, leurs catacombes. Cela, c'était impossible ?

– Oh ! mon Dieu ! » Les larmes coulaient sur ses joues.

« Des momies volées, dépouillées, vendues ! dit-il. Y a-t-il eu un homme, une femme ou un enfant de cette nation dont le corps n'a pas été exhibé ou démembré ? Dis-le-moi, qu'est-ce qui est impossible ? »

Un moment, il parut qu'il avait perdu toute maîtrise de soi. Puis il recouvra son calme. Ses yeux se perdaient dans le vague.

« Nous ne sommes pas obligés de rester plus longtemps au Caire si tu ne le souhaites pas... »

A nouveau, il se tourna pour la regarder. C'était comme s'il s'éveillait d'un songe, comme s'il n'avait rien dit.

« Non, nous ne pouvons pas partir. Pas maintenant. Je ne veux pas abandonner... »

Sa voix mourut comme s'il se rendait compte de ce qu'il

était en train de dire. Il se leva et sortit avec lenteur de la pièce, sans même adresser un regard à Julie.

Elle vit la porte se refermer, elle entendit ses pas résonner dans le couloir. Les larmes coulèrent encore une fois.

Que pouvait-elle faire ? Qu'est-ce qui le réconforterait ? Même en usant de toute son influence, pourrait-elle obtenir qu'on retirât le corps de Cléopâtre du musée et qu'on lui donnât une sépulture décente ? C'était improbable. Sa requête paraîtrait des plus fantaisistes. Et puis, les momies royales que l'on exhibait étaient légion !

Même si elle y parvenait, cela ne changerait rien. Ce n'était pas l'état du corps qui avait bouleversé Ramsès, mais le simple fait de le voir.

Les deux policiers de Scotland Yard étaient plus que gênés par l'attitude du représentant du British Museum.

« Nous devrions nous retirer, monsieur. Nous n'avons pas de mandat officiel qui nous permette de toucher au cercueil de la momie. Nous sommes venus pour les pièces et nous avons fait notre travail.

– C'est absurde, dit Hancock. Nous devrions en profiter pour tout vérifier. Nous sommes venus constater que la collection était intacte. Je veux m'assurer que la momie n'a pas été endommagée.

– Mais monsieur... intervint Oscar.

– Ne dites rien, mon brave. Votre maîtresse est partie pour Le Caire en laissant un véritable trésor dans sa maison. Elle l'a fait sans notre permission. » Il s'adressa aux deux représentants de la loi. « Ouvrez le cercueil.

– Je n'aime pas trop cela, monsieur », dit Trent.

Hancock le poussa et souleva lui-même le couvercle avant que les deux policiers pussent l'en empêcher. Galton voulut le rattraper avant qu'il touchât le sol. Oscar poussa un petit cri.

La momie reposait dans son cercueil, noircie, ratatinée.

« Seigneur, mais qu'est-ce qui se passe ici ? gronda Hancock.

– Que voulez-vous dire au juste, monsieur ? demanda Trent.

– Tout doit revenir au musée.

– Mais monsieur...

– Ce n'est pas la même momie, pauvre sot ! Celle-ci vient

de l'échoppe d'un brocanteur londonien, on a déjà proposé de me la vendre. Cette femme est une voleuse, elle a emporté la découverte du siècle ! »

Il était bien plus de minuit. Les lieux publics étaient silencieux. Le Caire dormait.

Elliott était seul dans la cour sombre qui sépare les deux ailes de l'hôtel Shepheard's. Sa jambe gauche était engourdie, mais il n'y prêtait pas attention. De temps en temps, il levait les yeux vers la silhouette qui déambulait dans la suite située à l'étage. Ce personnage derrière les volets clos, c'était Ramsey.

La chambre de Samir était plongée dans l'obscurité, celle de Julie s'était éteinte une heure plus tôt. Alex était depuis longtemps allé se coucher, troublé par l'attitude de Ramsey et un peu inquiet pour Julie : il se demandait si elle n'était pas tombée amoureuse d'un dément.

La silhouette s'immobilisa, puis se rapprocha des volets. Elliott se tapit dans l'ombre. Il vit Ramsey contempler le ciel.

Puis le personnage disparut.

Elliott se dirigea vers les portes donnant sur le couloir de l'hôtel. Il venait d'entrer dans le hall quand il vit Ramsey descendre le grand escalier.

Je suis fou, se dit Elliott, bien plus fou que lui.

Il agrippa sa canne et se décida à le suivre. La douleur était telle qu'il devait serrer les dents.

Il ne fallut que quelques minutes à Ramsey pour atteindre le musée. Il évita l'entrée principale, contourna le bâtiment par la droite et se dirigea vers une fenêtre éclairée.

Dans la loge, le gardien somnolait sur sa chaise. La porte de derrière était ouverte.

Elliott pénétra dans le musée. Il passa rapidement devant les dieux et les déesses du rez-de-chaussée et atteignit le grand escalier. La main crispée sur la rampe, il monta très lentement, marche après marche, en essayant de ne pas faire porter le poids de son corps sur sa jambe malade et, surtout, de ne pas faire de bruit.

Une lumière grisâtre emplissait le couloir. Tout au bout de celui-ci, la fenêtre projetait son éclat pâle. Ramsey se tenait là, devant la grande vitrine où le corps de la femme aux haillons pétrifiés ressemblait à une masse de charbon.

Ramsey inclinait la tête comme un homme qui prie.

Il semblait qu'il murmurait quelque chose. Peut-être priait-il, effectivement. Son profil se détachait nettement, et Elliott le vit clairement plonger la main dans son manteau et en tirer un objet qui resplendissait dans l'ombre.

Un flacon de verre plein d'un liquide fluorescent.

Mon Dieu, il ne va tout de même pas faire ça ! Elliott faillit hurler, il dut se retenir pour ne pas crier le nom de Ramsey. Il entendit le bouchon du flacon grincer en se dévissant. Epouvanté, il se cacha derrière un petit présentoir.

Fasciné, il entendit Ramsey pousser un profond soupir, puis briser de son poing le couvercle de verre.

D'un geste rapide, il versa le contenu du flacon sur le corps hideux.

« C'est insensé, il ne croit tout de même pas... » dit Elliott à voix basse. Il se tenait accroupi contre le mur et regardait à travers les vitres du présentoir.

Avec horreur et fascination, il vit Ramsey étendre le liquide sur les membres de la morte, puis se pencher délicatement comme pour glisser le goulot du flacon entre ses lèvres.

Un sifflement retentit dans la salle. Elliott en hoqueta de surprise. Ramsey recula, le dos au mur. Le flacon tomba de sa main et roula sur le sol. Il y restait quelques gouttes de liquide. Ramsey contemplait la chose exposée devant lui.

Un mouvement de la masse noirâtre au fond de sa vitrine. Elliott le perçut. Il entendit un son rauque pareil à un souffle.

Mon Dieu, oh ! mon Dieu ! qu'est-ce que vous avez fait ? Vous l'avez réveillée !

Le bois du cercueil grinça violemment. Les jambes grêles remuaient. La créature momifiée cherchait à se lever !

Ramsey recula dans le couloir. Un cri étouffé jaillit de ses lèvres. La femme se redressa, le bois du cercueil craqua de toutes parts. Elle se tenait sur ses pieds, à présent ! Sa masse de cheveux noirs tombait comme un brouillard épais sur ses épaules. Sa peau noire s'éclaircissait. Un gémissement glacial s'éleva, elle leva ses mains squelettiques.

Ramsey reculait toujours. Il balbutiait une prière désespérée, où revenaient les noms des dieux de l'Egypte. Elliott plaqua la main sur sa bouche.

Avec ses pieds nus qui raclaient le sol en produisant ce bruit si caractéristique que font les rats dans les murs, la créature baissa les bras et marcha sur Ramsey.

La lumière jouait sur ses grands yeux qui n'avaient plus de paupières. Ses cheveux s'épaississaient et s'allongeaient pour retomber davantage sur ses épaules.

Mais, Dieu du ciel, qu'étaient donc ces taches blanches qu'elle avait sur tout le corps ? C'étaient ses propres os, qui saillaient là où la chair avait été arrachée, plusieurs siècles auparavant peut-être ! Et c'est ainsi que l'on voyait son tibia, son pied droit, ses doigts qui cherchaient à agripper Ramsey.

Elle n'est pas entière. Vous avez ramené à la vie une chose qui n'est pas entière.

La lumière se faisait plus vive. Les premiers rayons de l'astre du jour perçaient la nuit. Ramsey reculait toujours, il passa à côté d'Elliot sans même le voir et empoigna la rampe de l'escalier.

La créature s'était arrêtée dans la lumière du soleil. Elle paraissait respirer à pleins poumons. La chair corrompue de ses mains avait maintenant la couleur du bronze. Son visage était également de bronze, mais il pâlissait et devenait plus humain d'une seconde à l'autre.

Elle se balançait sur place, comme si elle buvait la lumière, et bientôt le sang se mit à sourdre des blessures horribles qui laissaient voir son squelette.

Elliott ferma les yeux. Il perdit pratiquement conscience. Il entendit tout de même le bruit lointain d'une porte dans la partie arrière du bâtiment.

Il rouvrit les yeux pour voir que la créature s'était encore rapprochée. Ramsès était plaqué à la rampe de l'escalier, pétrifié d'horreur.

Dieu du ciel, repoussez-la.

Elliott sentait sa poitrine le brûler, la douleur irradier dans son bras gauche. Il serra sa canne. Il voulait voir jusqu'au bout.

La créature squelettique prenait de l'ampleur. Sa chair avait la couleur de celle d'Elliott, ses cheveux tombaient majestueusement sur ses épaules. Ses vêtements eux-mêmes avaient changé. On voyait à nouveau le lin blanc, immaculé, là où l'élixir avait coulé. La créature gémit en découvrant des dents blanches jusqu'à la racine. Ses seins se soulevèrent et les bandelettes tombèrent à terre, révélant leur forme féminine.

Elle avait les yeux rivés sur l'homme qui se tenait au bout

de la salle. Sa bouche se fit grimaçante.

Des bruits à l'étage inférieur. Le cri strident d'un sifflet. Des cris en arabe.

Ramsès recula. Ils montaient l'escalier. Ils l'avaient vu.

Pris de panique, il se tourna vers le personnage qui ne cessait de se rapprocher de lui.

La forme féminine ouvrit la bouche, un cri sortit de ses lèvres : « Ramsès ! »

Le comte ferma les yeux, puis il les rouvrit pour voir les mains squelettiques de la femme qui passait devant lui.

« Halte ! » hurla quelqu'un. Un coup de feu claqua. La femme cria et plaqua les mains sur ses oreilles. Elle vacilla. Ramsès avait été touché. Il pivota pour faire face aux hommes qui arrivaient par l'escalier. Désespéré, il se tourna à nouveau vers la figure féminine. De nouvelles détonations. Le bruit assourdissant résonnait dans les couloirs et les salles désertes. Ramsès retomba contre la rampe de marbre.

Les mains toujours sur les oreilles, la femme semblait avoir perdu l'équilibre, elle titubait entre les sarcophages de pierre. Quand le sifflet retentit encore une fois, elle gronda de terreur.

« Ramsès ! » C'était le cri d'un animal blessé.

CHAPITRE TROIS

Elliott faillit à nouveau perdre conscience. Il ferma les yeux, emplit d'air ses poumons. Sa main gauche, crispée sur la canne, était complètement engourdie.

Il entendit les gardiens emmener Ramsès dans l'escalier. Il se débattait, cela ne faisait aucun doute, mais ils étaient trop nombreux pour lui.

Et la femme ! Elle avait disparu. Non, il entendit le raclement de ses pieds sur le sol de pierre. Il la vit qui battait en retraite à l'autre bout de la salle. Haletante, gémissante, elle emprunta une porte latérale.

Il n'y avait plus de bruit à présent. Apparemment Ramsès avait été conduit hors du musée. Mais il était certain que l'on allait venir constater l'étendue des dégâts.

Ignorant la douleur qui lui ravageait la poitrine, Elliott se lança dans le couloir. Il atteignit la porte latérale juste à temps pour voir la créature au pied de l'escalier de service. En toute hâte, il regarda autour de lui, sous les vitrines d'exposition. Le flacon était encore là. Il se mit à genoux, péniblement, l'attrapa, le referma et le mit dans sa poche.

Puis, luttant contre le malaise, il s'engagea dans l'escalier en traînant la jambe. A mi-étage, il la vit, affolée, titubante, une main décharnée tendue comme pour palper les ténèbres.

Une porte s'ouvrit brusquement, laissant filtrer une lumière jaunâtre dans le passage. Une femme de ménage apparut. Son corps et sa tête étaient recouverts à la mode musulmane d'une étoffe de couleur sombre. Elle tenait un balai à la main.

Elle vit la forme squelettique s'approcher d'elle et poussa un hurlement strident. Elle laissa tomber son balai et chercha refuge dans la pièce éclairée.

La créature émit un sifflement puis un grondement de rage, et elle se lança à la poursuite de la femme de ménage.

Elliott fit le plus vite possible. Les cris cessèrent avant même qu'il pût franchir la porte. Quand il entra dans la petite pièce, ce fut pour voir le corps de la femme de ménage qui gisait sans vie sur le sol. Son cou avait été brisé, la chair de ses joues arrachée. Ses yeux noirs contemplaient le néant.

La créature l'enjamba pour s'approcher d'un petit miroir accroché au mur au-dessus d'une bassine.

Un cri d'agonie lui échappa quand elle vit son image.

Elliott faillit une fois de plus perdre conscience. La vue de ce corps inerte et de cette créature décharnée était plus qu'il n'en pouvait supporter, mais la fascination qu'il éprouvait était la plus forte, comme toujours. Il allait devoir faire preuve de toute son intelligence, oublier sa poitrine douloureuse et la nausée qui le prenait à la gorge.

Il referma la porte derrière lui. Le bruit fit sursauter la créature. Elle fit volte-face, les mains crispées comme pour attaquer. Un instant, il fut paralysé par l'horreur de ce qu'il contemplait. La lumière de l'ampoule nue était impitoyable. Les yeux faisaient saillie hors des orbites à moitié rongées. Des côtes blanches perçaient le flanc. La moitié de la bouche était arrachée et un fragment de clavicule baignait dans le sang.

Mon Dieu, quelle ne devait pas être sa souffrance !

Elle gronda doucement et s'avança sur lui, mais Elliott lui parla en grec :

« Ami, dit-il. Je suis ton ami et je t'offre un abri. »

Comme si son esprit regimbait devant cette langue, il passa au latin : « Fais-moi confiance. Il ne te sera fait aucun mal. »

Sans la quitter un instant des yeux, il se saisit de l'une des tuniques noires pendues au mur. Oui, voilà ce qu'il lui fallait, une de ces tuniques informes que les musulmanes portent dans les lieux publics.

Sans crainte, il s'approcha d'elle, lui jeta l'étoffe sur les épaules et l'en couvrit. Elle saisit les pans et les referma devant elle, dissimulant ainsi son visage.

Il la conduisit dans le couloir et referma la porte derrière eux pour dissimuler le cadavre de la malheureuse. Des cris et des bruits retentissaient à l'étage. Il vit la porte de service sur sa droite, l'ouvrit et sortit dans une rue inondée de soleil.

Il ne leur fallut que quelques secondes pour disparaître dans la foule des musulmans, des Arabes et des Occidentaux, cette masse grouillante que l'on remarquait à toute heure du jour, ces milliers de piétons qui vaquaient en tous sens en dépit des avertisseurs des automobiles et des cris des muletiers tirant leurs charrettes.

La femme se crispa en entendant les klaxons. Un véhicule à moteur passa près d'elle et elle se jeta en arrière. A nouveau, Elliott la rassura en latin.

Il lui eût été impossible de dire ce qu'elle comprenait. Pourtant elle prononça quelques mots en latin, d'une voix brisée : « Manger et boire. » Elle murmura autre chose, mais il ne sut pas s'il s'agissait d'une prière ou d'une malédiction.

« Oui », lui dit-il à l'oreille. Les mots latins lui revenaient plus facilement en mémoire maintenant qu'il était certain d'être compris. « Je te donnerai tout ce qui t'est nécessaire. Je prendrai soin de toi. Aie confiance. »

Où allait-il pouvoir la conduire ? Un seul endroit lui vint à l'esprit. Il fallait qu'il gagne le vieux Caire. Oserait-il faire monter cette créature dans un taxi ? Il vit passer un fiacre et le héla. Elle y grimpa sans se faire prier. Mais lui, comment allait-il faire, alors qu'il pouvait à peine respirer et que sa jambe gauche ne répondait pratiquement plus ? Dans un effort surhumain, il se hissa à bord du fiacre et s'effondra sur la banquette. Il donna l'adresse au cocher dans un effort ultime.

Le fouet du cocher claqua et le fiacre fit un bond en avant. La pitoyable créature avait tiré le voile sur son visage.

Il la prit dans ses bras sans se soucier des os qu'il sentait poindre sous ses mains. Il la serra contre lui et, après avoir repris son souffle, lui dit encore une fois, en latin, qu'il était son ami et qu'il prendrait soin d'elle.

Le fiacre quitta le secteur britannique. Elliott s'efforça de réfléchir, mais, choqué et souffrant, il ne pouvait s'expliquer de manière rationnelle ce qu'il avait vu ou fait. Il ne savait qu'une chose, obscurément : il avait assisté à un miracle et à un meurtre. De ces deux événements, le premier écrasait le second de par son importance.

Julie était mal réveillée. Elle ne comprenait pas très bien

ce que lui disait le fonctionnaire britannique debout à l'entrée de sa chambre.

« Arrêté ? Pour avoir pénétré par effraction dans le musée ? Je n'y crois pas.

– Mademoiselle Stratford, il a été blessé, grièvement. Il semble qu'il y ait des problèmes.

– Quels problèmes ? »

Le médecin était furieux. Si cet homme était sérieusement blessé, c'était à l'hôpital qu'il devrait se trouver, pas en prison !

« Ecartez-vous ! lança-t-il aux hommes en uniforme qui lui barraient le passage. Qu'est-ce que c'est, au nom du Ciel, un peloton d'exécution ? »

Pas moins d'une vingtaine de fusils étaient pointés sur un homme aux yeux bleus adossé au mur. Du sang tachait sa chemise. L'épaule de sa veste avait été arrachée. L'étoffe était rougie. En proie à la plus intense panique, l'homme fixa le médecin.

« N'approchez pas ! lui cria-t-il. Vous ne m'examinerez pas. Vous ne me toucherez pas avec vos instruments. Je n'ai aucun mal et je veux partir d'ici.

– Cinq balles, murmura l'officier à l'oreille du médecin. J'ai vu les blessures, je vous l'assure. Il ne peut pas avoir...

– Permettez-moi de vous regarder. » Le médecin fit un pas en avant.

L'homme lança vers lui un poing rageur qui fit voler sa trousse médicale jusqu'au plafond. Un des fusils claqua quand le prisonnier fonça sur les policiers et en plaqua plusieurs au mur. Le docteur tomba à genoux, ses lunettes lui échappèrent. Il sentit une botte lui écraser la main quand les soldats se précipitèrent dans la salle.

Nouveau coup de feu, cris et jurons en arabe. Où étaient donc ses lunettes ? Il fallait qu'il les retrouve.

Quelqu'un l'aida à se relever et lui rendit ses précieuses lunettes, qu'il s'empressa de chausser.

Un visage anglais ami lui apparut.

« Vous allez bien ?

– Que diable s'est-il passé ? Où est-il ? Ils lui ont à nouveau tiré dessus ?

– Cet homme est fort comme un bœuf. Il a brisé la porte et

les barreaux avant de prendre la fuite. »

Grâce au Ciel, Alex était avec elle. Personne ne savait où était passé Elliott. Samir s'était rendu au poste de police pour y prendre des nouvelles. Dès qu'Alex et Julie furent introduits dans le bureau du gouverneur, elle constata avec soulagement que ce n'était pas le gouverneur en personne qui allait les recevoir, mais son bras droit, Miles Winthrop. Miles était allé au collège avec Alex. Julie le connaissait depuis toujours.

« Miles, c'est un malentendu, dit Alex. Il ne peut en être autrement.

– Miles, dit-elle à son tour, vous pensez que vous pouvez le faire relâcher ?

– Julie, la situation est plus complexe que nous ne le croyions. En premier lieu, les Egyptiens n'aiment pas trop ceux qui forcent l'entrée de leur cher musée. Et surtout, nous avons sur les bras un vol et un crime.

– Mais de quoi parlez-vous ? s'exclama Julie.

– Miles, Ramsey est incapable de tuer qui que ce soit, dit Alex.

– J'espère que vous avez raison, mon cher Alex. Mais l'on a retrouvé le corps d'une femme de ménage, la nuque brisée. Et une momie a été dérobée dans une vitrine d'exposition du premier étage. De plus, votre ami s'est enfui de prison. Alors, dites-moi, vous deux, que savez-vous au juste de cet homme ? »

Il fila à toute allure par les toits, bondit par-dessus la rue sur la terrasse de la maison d'en face et s'arrêta pour regarder en arrière. Personne ne le suivait. Il entendit toutefois, au loin, claquer des coups de feu. Peut-être se tiraient-ils les uns sur les autres. Il s'en moquait bien.

Il sauta en bas de la maison et s'élança dans la rue, qui se changea bientôt en ruelle. Les maisons avaient de hautes fenêtres protégées par des stores de bois. Il ne voyait plus d'enseignes écrites en anglais. Les promeneurs étaient tous égyptiens. C'étaient, pour la plupart, de vieilles femmes qui allaient par deux, la tête et le visage dissimulés sous des voiles. Elles détournaient les yeux en apercevant sa chemise maculée de sang et ses habits déchirés.

Il s'arrêta dans l'encoignure d'une porte et se reposa, puis il glissa la main sous sa veste. La blessure était guérie, extérieurement, mais il la sentait toujours pulser à l'intérieur. Il toucha sa ceinture. Les flacons étaient intacts.

Maudits flacons ! Il n'aurait jamais dû sortir ces fioles de leur cachette londonienne. Il regrettait de ne pas les avoir enfermées dans un coffre plombé qu'il aurait jeté dans l'océan.

De toute son existence, il n'avait jamais éprouvé un regret aussi vif, mais il était trop tard, il avait succombé à la tentation ! Il avait réveillé le cadavre décharné qui dormait dans ce cercueil.

Il lui fallait maintenant affronter les conséquences de sa folie, voir si une parcelle de bon sens subsistait encore en lui.

Ah, qui allait-il tromper ? *Elle l'avait appelé par son nom !*

Il s'enfuit dans la ruelle. Un déguisement, voilà ce qu'il lui fallait. Et il n'avait pas le temps d'en acheter un. Il lui faudrait donc recourir au vol. Du linge qui sèche, oui, c'était cela ! Il ne fut pas long à trouver des vêtements pendus à des fils entre deux maisons.

Un costume de bédouin – une tunique à manches longues et une coiffure. Il se débarrassa de sa veste, enfila la tunique et arracha un morceau de sa chemise pour se la nouer autour de la tête.

Il avait maintenant tout à fait l'air d'un Arabe. Hormis ses yeux. Mais il savait où se procurer des lunettes noires. Il en avait vu au bazar, non loin du musée.

Henry n'avait pratiquement pas dessaoulé depuis qu'il était revenu du Shepheard's, le jour précédent. Sa brève conversation avec Elliott avait eu sur lui un effet des plus néfastes : il était à bout de nerfs.

Il essayait de se rappeler qu'il haïssait Elliott Savarell et que lui-même brûlait du désir de partir en Amérique, pays où il ne verrait plus jamais Elliott ou qui que ce fût qui lui ressemblât.

Cette discussion le hantait, malgré tout. Chaque fois qu'il reprenait un peu conscience, c'était pour revoir Elliott qui le contemplait avec mépris, pour l'entendre lui prodiguer des paroles marquées par la haine.

Pis encore, la haine distillée par Elliott renvoyait à celle que lui, Henry, éprouvait à l'égard de tous ceux qui l'approchaient. La haine empoisonnait Henry et le rendait amer.

Elle le terrorisait.

Il fallait s'écarter d'eux, les oublier, raisonnait-il. Ils ne font que me critiquer et me méjuger alors qu'eux-mêmes ne valent rien.

Quand ils auraient quitté Le Caire, il se reprendrait en main et arrêterait de boire, il reviendrait au Shepheard's pour y passer quelques jours en paix. Il pourrait alors exposer son cas à son père et partir pour l'Amérique avec la somme coquette qu'il aurait épargnée.

Aujourd'hui, il ne jouerait pas aux cartes; il se laisserait vivre et apprécierait son scotch sans modération; il se contenterait de somnoler dans son fauteuil de rotin et de déguster les plats que lui préparerait Malenka.

Malenka était elle-même devenue un peu paresseuse. Elle venait de lui servir un petit déjeuner à l'anglaise et le priait de bien vouloir passer à table. Il l'avait frappée du revers de la main en lui disant de le laisser tranquille.

Elle avait pourtant poursuivi ses préparatifs. Il entendait la bouilloire siffler. Elle avait déposé le service de porcelaine sur la petite table de la cour.

Qu'elle aille au diable ! Il avait trois bouteilles de scotch, c'était amplement suffisant. Peut-être la renverrait-il, pourquoi pas ? Il avait envie de rester seul. De boire, de fumer et de rêver. Et peut-être d'écouter des disques sur le gramophone. Il s'était même habitué à ce satané perroquet.

Il somnolait, se sentait partir à la dérive. Il but encore une gorgée de scotch et laissa sa tête rouler sur son épaule. La maison de Julie; la bibliothèque; la main sur son épaule, sur son cou. Le cri resta coincé au fond de sa gorge.

« Bon Dieu ! » Il se leva brusquement et le verre lui échappa des mains. Ah, si ce rêve pouvait s'effacer à tout jamais...

Elliott dut faire halte pour reprendre son souffle. Deux yeux globuleux le fixaient par-delà la serge noire. Ils paraissaient souffrir du soleil, mais leurs paupières à demi rongées ne pouvaient pas se refermer parfaitement. La femme tira sur l'étoffe comme pour se protéger du regard d'Elliott.

Il lui murmura quelques mots latins pour la supplier de

prendre patience. Le fiacre n'avait pas pu s'approcher très près de la maison où ils se rendaient. Il fallait encore faire quelques pas.

Il s'épongea le front à l'aide de son mouchoir. Mais attendez un instant... La main. La main qui maintenait la serge noire devant la bouche de la femme. Il l'observa. Elle n'était plus pareille, elle changeait sous l'effet du soleil. La blessure qui laissait entrevoir l'os était pratiquement refermée.

Ses yeux... Oui, les paupières étaient quasi reconstituées et de longs cils noirs et recourbés ornaient déjà cette chair qui rappelait celle des lépreux.

Il la serra dans ses bras et elle se blottit contre lui. Elle laissa échapper un soupir.

Il prit brusquement conscience du parfum riche et suave qui s'élevait de sa personne. Elle sentait encore un peu la boue, certes, la poussière, le marécage, mais ces odeurs étaient supplantées par une senteur autrement plus capiteuse. La chaleur du corps de la femme venait également traverser la serge noire.

Mon Dieu, cette potion était vraiment capable de tout !

« Là, là, ma chère, dit-il en anglais. Nous sommes tout près. C'est cette porte. »

Il la sentit le prendre par la taille et, sans effort apparent, le soulever doucement pour alléger le poids qui pesait sur sa jambe gauche. Il se sentit mieux immédiatement et poussa un petit soupir de soulagement. Il en aurait même ri, mais il n'en fit rien. Il se contenta d'avancer, ainsi aidé, jusqu'à la porte.

Là, il se reposa un instant avant de frapper du poing.

Un long moment s'écoula pendant lequel il n'entendit rien. Il frappa à nouveau, obstinément.

Puis il y eut un bruit de verrou et Henry apparut, le visage grimaçant, mal rasé, vêtu en tout et pour tout d'une robe de chambre en soie verte.

« Qu'est-ce que vous me voulez encore ?

– Laisse-moi entrer. » Il poussa la porte et entraîna la femme à l'intérieur de la maison. Elle se blottissait contre lui et se voilait la face.

Elliott constata que la décoration était assez riche – tapis, meubles, carafes posées sur des tablettes de marbre. De l'autre côté de la pièce, une jeune femme à la peau sombre, en costume de danseuse – Malenka, très certainement – venait déposer un plateau de nourriture.

« Qui est cette femme ? » demanda Henry.

Elliott agrippa le fauteuil le plus proche. Il remarqua que Henry ne pouvait détacher les yeux des pieds de la femme. Il avait vu l'os blanc qui saillait hors de la chair. Le dégoût et l'étonnement déformaient son visage.

« Qui est-ce ? Pourquoi l'avez-vous fait venir ici ? »

Henry recula et se cogna la tête au pilier qui marquait la séparation de la pièce et de la cour intérieure.

« Qu'est-ce qu'elle a ? aboya-t-il.

– Patience, je te dirai tout », chuchota Elliott. Sa poitrine lui faisait si mal qu'il pouvait à peine parler. Il s'affala sur le fauteuil en rotin et sentit la poigne de la femme se relâcher. Elle émit un petit cri. Elle avait vu les étagères sur le mur d'en face, les bouteilles resplendissant au soleil, dans la cour.

Elle se dirigea vers le liquide en gémissant. Le voile noir glissa de sa tête et ses épaules, révélant ses côtes blanchâtres et les fragments d'étoffe qui dissimulaient sa nudité.

« Pour l'amour du Ciel, calme-toi ! » cria Elliott.

Mais il était trop tard. Henry était devenu blême, sa bouche se tordait en un hideux rictus. Derrière lui, dans la cour, Malenka poussa un hurlement d'horreur.

La créature blessée laissa tomber sa bouteille.

Henry glissa la main dans sa poche et en sortit un petit pistolet argenté.

« Non, Henry ! » le supplia Elliott. Il essaya de se relever, mais n'y parvint pas tout de suite. Le coup de feu retentit. Le perroquet glapit dans sa cage.

La femme blessée cria quand elle reçut la balle en pleine poitrine, elle tituba, puis produisit une sorte de vagissement et se lança sur Henry.

Les sons émis par ce dernier n'avaient pratiquement rien d'humain. Toute raison l'avait quitté. Il s'enfuit dans la cour en tirant à plusieurs reprises. Avec un hurlement épouvantable, la femme s'abattit sur lui, lui arracha son arme et le saisit à la gorge. Accrochés l'un à l'autre, ils exécutèrent une sorte de valse grotesque. La table fut renversée, la porcelaine se brisa sur le carrelage. Ils chutèrent sur les orangers dont les petites feuilles tombèrent comme la pluie.

Terrorisée, Malenka était plaquée au mur.

« Elliott, au secours ! »

Henry était à genoux et la créature lui renversait la tête en arrière.

Elliott atteignit l'entrée de la cour, mais ce ne fut que pour entendre craquer la nuque de Henry. Il grimaça en voyant le corps de Henry se détendre brusquement et s'affaler à terre dans un flot de soie verte.

La créature recula en gémissant, puis en sanglotant, ses lèvres se retroussèrent et elle découvrit ses dents, grimaçant comme elle l'avait fait au musée. L'étoffe déchirée qui la recouvrait avait dénudé son épaule, les pointes rose sombre de ses seins se dessinaient sous le lin. De grandes traînées de sang souillaient les linges encore accrochés à son torse, des fragments de tissu tombaient de ses cuisses. Ses yeux injectés de sang et baignés de larmes fixaient le corps sans vie de Henry, mais aussi la nourriture éparpillée, le thé fumant au soleil.

Lentement, elle s'agenouilla pour saisir les petits gâteaux qu'elle porta à sa bouche. A quatre pattes, elle lapa le thé. Elle recueillit la confiture du bout des doigts et les suça avec frénésie. Elle mordit dans la tranche de bacon et l'avala d'un seul coup.

Elliott la regardait dans le silence le plus absolu. Il avait vaguement conscience de Malenka qui courait vers lui pour se protéger.

La créature dévorait le beurre; elle écrasa les œufs et les mangea à même la coquille. Quand il n'y eut plus rien, elle resta à genoux, hébétée, à contempler ses mains ouvertes.

Le soleil dardait sur la petite cour, il faisait resplendir ses cheveux noirs.

Soudain, elle se retourna et s'allongea sur le carrelage comme dans un lit. Elle observa le ciel d'azur. Ses yeux parurent rouler dans leurs orbites. Seule une demi-lune d'iris pâle était visible.

« Ramsès », prononça-t-elle à voix basse. Sa poitrine se soulevait doucement au rythme de sa respiration.

Le comte prit appui sur Malenka et regagna péniblement son fauteuil. Il sentait trembler la femme à la peau sombre. Très doucement, il l'installa sur les coussins. C'est un cauchemar, se dit-il, je suis en train de rêver. Mais non, il ne rêvait pas. Il avait vu cette créature se lever d'entre les morts. Il l'avait vue tuer Henry. Que pouvait-il faire, au nom du Ciel ?

Malenka se mit à genoux. Les yeux écarquillés mais vides, la bouche grande ouverte, elle portait ses regards sur la cour.

Des mouches voletaient autour du visage de Henry. D'autres préféraient les reliefs du petit déjeuner.

« Là, là, personne ne te fera de mal », murmura Elliott. Sa poitrine le brûlait toujours. Il éprouva une étrange chaleur dans sa main gauche. « Elle ne te fera pas de mal, je te le jure. » Il s'humecta les lèvres du bout de la langue et s'efforça de poursuivre. « Elle est malade, je dois m'occuper d'elle. Elle ne te fera aucun mal, tu comprends ? »

L'Egyptienne était agrippée à son poignet, elle avait le front plaqué au bras du fauteuil. Au bout d'un long moment, elle parla.

« Pas de police, supplia-t-elle d'une voix à peine audible. Pas d'Anglais dans ma maison.

– Non, murmura Elliott. Pas de police. Nous ne voulons pas que la police vienne. »

Il voulut lui caresser la tête, mais n'en trouva pas la force. Il contemplait fixement la cour inondée de soleil, la créature allongée aux cheveux brillants. Et le cadavre.

« Je m'en occupe, dit Malenka. J'emmène mon Anglais. Pas de police. »

Elliott ne comprenait pas. Que voulait-elle dire ? Soudain il comprit.

« Tu peux faire ça ? lui demanda-t-il dans un souffle.

– Oui, je fais cela. Des amis viennent, ils prennent mon Anglais.

– C'est bien. »

Il soupira et la douleur se fit plus vive dans sa poitrine. Lentement, il mit la main droite dans sa poche et en sortit son portefeuille. A peine capable de remuer les doigts de sa main gauche, il prit deux billets de dix livres.

« Pour toi », dit-il. Il ferma les yeux, épuisé par un tel effort. Il sentit l'argent lui glisser de la main. « Mais tu dois faire attention. Tu ne dois parler à personne de ce que tu as vu.

– A personne, oui. Je m'occupe de tout. C'est *ma* maison. Mon frère me l'a donnée.

– Oui, je comprends. Je ne vais pas rester longtemps. Je te le promets. J'emmènerai cette femme avec moi. Mais pour l'instant, sois patiente et tu auras encore de l'argent. »

Il arracha des billets du portefeuille et les lui fourra dans la main.

Il s'adossa et referma les yeux. Il entendit Malenka marcher sur le tapis. Quand il rouvrit les yeux, ce fut pour la voir qui tenait une tunique noire. Elle-même était vêtue de couleur sombre.

« Tu la couvres », dit-elle. Elle fit un signe de tête en direction de la cour.

« Oui, je vais m'en occuper...

– Tu la couvres ! » dit-elle encore. Il lui répondit à nouveau qu'il s'en chargerait.

Avec soulagement, il l'entendit s'en aller et refermer la porte qui donnait sur la rue.

Dans sa longue tunique de bédouin, Ramsès se promenait dans le musée, noyé dans un flot de touristes. A travers ses lunettes noires, il constata que tout avait été remis en ordre. Pas un éclat de verre, pas un morceau de bois, comme s'il n'y avait jamais eu de vitrines brisées à cet endroit. Le flacon qu'il avait laissé derrière lui avait également disparu.

Où était-elle ? Que lui était-il arrivé ? Il repensa aux soldats qui l'avaient encerclé. Etait-elle tombée entre leurs mains ?

Il continua de marcher, regardant sans les voir les statues et les sarcophages. Il ne se rappelait pas avoir connu semblable misère au cours des siècles qui s'étaient écoulés.

Où aller, que faire, il était incapable de se décider. Et il risquait fort de sombrer dans la folie s'il ne trouvait pas très vite une solution !

Il s'écoula peut-être un quart d'heure, peut-être moins. La couvrir, oui. Mais il fallait surtout la faire sortir d'ici avant l'arrivée des hommes. Elle était toujours allongée au soleil, balbutiant de temps à autre quelques paroles dans son sommeil.

Il saisit sa canne et se leva. Il sentait à nouveau sa jambe gauche – ce qui signifiait que la douleur était revenue.

Il se rendit dans la chambre. Un haut lit de style victorien occupait toute la partie droite de la pièce; la moustiquaire captait le flot de soleil qui entrait par les volets ouverts.

Une coiffeuse avait été placée sur la gauche de la fenêtre. Les portes vitrées de l'armoire étaient ouvertes sur une belle collection de vestons et de manteaux.

Un petit gramophone portatif à pavillon était posé sur la coiffeuse. Un coffret de disques portait l'inscription : « L'anglais vite et bien ». Il y avait aussi quelques disques de musique légère, un cendrier, un magazine et une bouteille de scotch à demi entamée.

Une petite porte laissait entrevoir une salle de bains, parfaitement équipée avec son tub métallique.

De l'autre côté de la pièce, une autre porte conduisait à une petite pièce aux volets clos. C'était là que la sombre beauté rangeait ses costumes de scène et des bijoux de pacotille. Dans une armoire étaient toutefois rangées des tenues de style occidental, des ombrelles en dentelle, des bottines et des capelines extravagantes.

En quoi ces habits pourraient-ils servir à la malheureuse créature qui avait surtout besoin d'échapper aux regards indiscrets ?

L'image de la mort de Henry s'imposa à lui. Curieusement, il n'éprouva rien.

Il avait le flacon dans sa poche. Il restait quelques gouttes du précieux liquide. Y penser ne lui fit aucun effet. Il s'était passé tellement de choses ! La femme de ménage du musée, Henry qui gisait dans la cour. Et cette créature qui prenait un bain de soleil !

Il était bien incapable de raisonner. Pourquoi le ferait-il, d'ailleurs ? Il n'avait qu'une certitude : il lui fallait trouver Ramsès. Mais où se terrait-il ? Que lui avaient fait les balles ? Etait-il prisonnier des hommes qui l'avaient arrêté ?

Il devait commencer par s'occuper de la femme, la vêtir et la mettre à l'abri avant l'arrivée des amis de Malenka. Car elle pourrait fort bien les attaquer. Ou seulement se montrer à eux, ce qui n'était pas mieux.

En boitillant, il se dirigea vers la cour. Ramsès et lui n'étaient pas ennemis. Ils n'étaient pas non plus du même bord. Mais peut-être... Non, il n'était pas en état de rêver ou de nourrir une quelconque ambition.

Il s'avança doucement vers la femme endormie sur le sol carrelé de la cour intérieure.

Le soleil était à son zénith. Il plissa les yeux et regarda.

Elle gémissait doucement, il était visible qu'elle souffrait, mais ce n'était plus une créature décharnée qui gisait là. Non, c'était une femme d'une exceptionnelle beauté !

Certes, le blanc de l'os apparaissait encore çà et là sous sa peau ou dans ses cheveux; deux doigts de sa main droite formaient une masse sanglante et la blessure qu'elle avait reçue à la poitrine béait encore.

Mais son visage avait retrouvé la plénitude de ses formes. Ses joues avaient repris leur couleur originelle et sa bouche était pleine et bien dessinée. Ses seins ronds et fermes arboraient des tétons rose sombre.

Que se passait-il ? L'élixir avait-il besoin d'un certain temps pour faire effet ?

Timidement, il se rapprocha. La chaleur était accablante. Il avait la tête qui tournait. Luttant une fois de plus pour ne pas perdre conscience, il s'appuya au pilier, les yeux fixés sur la femme qui ouvrait maintenant ses yeux noisette.

Elle leva la main droite et la regarda. De toute évidence, elle se rendait compte de ce qui lui arrivait. Il semblait que ses blessures la faisaient souffrir. Haletante, elle toucha les bords de la cicatrice qu'elle avait à la poitrine.

Rien n'indiquait qu'elle comprenait qu'elle était en train de guérir. Elle laissa retomber son bras et ferma les yeux. Elle se mit à pleurer, très doucement.

« Ramsès, dit-elle comme dans un demi-sommeil.

– Viens avec moi, lui dit Elliott en latin. Suis-moi dans la maison, tu auras un vrai lit. »

Elle le regarda d'un air triste.

« Le chaud soleil est là également », dit-il. Il avait à peine prononcé ces mots qu'il comprit tout. C'était le soleil qui la guérissait ! Il en avait vu l'effet sur sa main alors qu'ils parcouraient les rues. C'était la seule partie exposée de son corps en dehors de ses yeux qui, eux aussi, reprenaient leur aspect normal.

C'était aussi le soleil qui avait réveillé Ramsès. C'était aussi le sens de l'avertissement lisible sur son tombeau : les rayons du soleil ne devaient pas en franchir la porte.

L'heure n'était pas aux interrogations. Elle s'était assise. Les haillons étaient tombés de ses seins nus; son visage aux angles bien marqués était tourné vers lui, ses pommettes se dessinaient et ses yeux brillaient d'une lumière froide.

Elle lui tendit la main, mais la retira vivement lorsqu'elle vit ses doigts osseux.

« Non, aie confiance », dit-il en latin. Il l'aida à se mettre sur pied.

Il l'entraîna dans la petite maison, vers la chambre. Elle observait les objets qui l'entouraient. Du bout du pied, elle toucha le tapis persan. Elle s'arrêta devant le petit gramophone. Ce disque noir, que pouvait-il bien représenter pour elle ?

Il voulut la mener jusqu'au lit, mais elle resta sur place. Elle avait vu le journal abandonné sur la coiffeuse, plus particulièrement la publicité pour l'opéra – étrange dessin représentant une Egyptienne et un guerrier enlacés sur fond de pyramides et de palmiers assez fantaisistes.

Elle laissa entendre un petit gémissement d'impatience, puis ses doigts parcoururent les colonnes écrites en anglais. Elle posa sur Elliott des yeux brillants et un peu fous.

« Ma langue, lui dit-il en latin. L'anglais. Ce dessin est une réclame pour un drame accompagné de musique. On appelle cela un opéra.

– Parle en anglais », lui répondit-elle en latin. Sa voix était aiguë quoique assez jolie. « Je te le dis, parle. »

Il y eut un bruit à la porte. Il la prit par le bras et la tira vers un coin de la chambre. « Des étrangers », dit-il en anglais avant de traduire immédiatement en latin. Il poursuivit ainsi, passant sans cesse d'une langue à l'autre. « Allonge-toi et repose-toi, je t'apporterai à manger. »

Elle tendit l'oreille pour capter les bruits qui provenaient de l'autre pièce. Soudain, son corps fut agité par un spasme violent et elle porta la main à sa poitrine. Oui, ils la faisaient terriblement souffrir, ces ulcères épouvantables, car c'était bien de cela qu'ils avaient l'air. Il y avait cependant autre chose, car elle paraissait très nerveuse et sursautait au moindre bruit.

Il s'empressa de la conduire au lit et rejeta la couverture pour la faire s'allonger sur le drap. Elle parut en éprouver un intense soulagement. A nouveau, elle frissonna violemment et se tourna instinctivement vers le soleil.

Il ouvrit les volets et permit à la chaude lumière de pénétrer dans la pièce.

Il alla ensuite refermer la porte du salon et regarda par la fenêtre qui donnait sur la cour.

Malenka ouvrait la porte du petit jardin. Deux hommes étaient entrés, qui portaient un tapis roulé. Ils le déployèrent sur le carrelage, soulevèrent le corps de Henry, le déposèrent sur le tapis et roulèrent celui-ci.

La vue des membres inertes de Henry donna la nausée à Elliott. Il avala péniblement sa salive et attendit la douleur qui ne manquerait pas de se réveiller dans sa poitrine.

Il entendit pleurer doucement dans le lit. Il revint vers la femme et la regarda. Il ne savait pas si sa guérison se poursuivait. C'est alors qu'il pensa au flacon dans son manteau.

Il hésita, mais qui n'hésiterait pas en pareilles circonstances ? Il ne restait plus que quelques gouttelettes. Et il ne pouvait supporter la vue de la douleur.

La femme le regarda en clignant des yeux comme si l'éclat du jour lui faisait mal. Doucement, en latin, elle lui demanda son nom.

Il ne put lui répondre tout de suite. La simplicité de son ton était la preuve d'une grande intelligence naturelle. Cette même intelligence qu'il découvrait dans son regard.

Elle ne paraissait plus folle ni désorientée. Ce n'était plus qu'une femme qui souffrait.

« Pardonne-moi, dit-il en latin. Elliott, Lord Rutherford. Dans mon pays, je suis un seigneur. »

Elle le dévisagea, puis elle remonta la couverture sur son ventre. Le soleil jouait dans ses cheveux sombres.

Ses sourcils bruns étaient magnifiquement dessinés, très haut et harmonieusement écartés. Ses yeux noisette étaient superbes.

« Puis-je te demander ton nom ? » dit-il en latin.

Ses lèvres esquissèrent un sourire amer. « Cléopâtre, dit-elle. Dans mon pays, je suis une reine. »

Une bouffée de chaleur envahit Elliott. Il la regarda droit dans les yeux, incapable de prononcer une parole. Puis une véritable ivresse s'empara de lui, lui faisant oublier toute crainte et tout regret.

« Cléopâtre », répéta-t-il dans un murmure respectueux.

En latin, elle dit : « Parle-moi en anglais, seigneur Rutherford. Parle la langue que tu parlais à l'esclave. Parle la langue écrite dans ce livre. Apporte-moi à boire et à manger, car je suis affamée.

– Oui », dit-il en anglais en hochant la tête. Il répéta sa réponse en latin. « A boire et à manger.

– Et tu dois me dire... » commença-t-elle, mais elle fut contrainte de s'arrêter. Son flanc lui faisait mal. Elle porta la main à sa tête blessée. « Dis-moi... » fit-elle à nouveau, avant de lui adresser un regard plein de panique. Visiblement, elle faisait des efforts terribles pour se souvenir. Elle ferma les yeux et se mit à pleurer.

« Attends, j'ai un remède », dit-il. Il s'approcha du lit et tira le flacon de son manteau. Il restait très peu d'un liquide étincelant au soleil.

Elle regarda le flacon d'un air dubitatif. Elle le vit l'ouvrir et le lui tendre. Il lui caressa doucement les cheveux de la main gauche, mais elle l'arrêta. Elle toucha ses paupières et constata qu'il restait encore des endroits où la chair n'était pas reconstituée. Alors elle prit le flacon, en versa quelques gouttes sur le bout de ses doigts et se frotta les paupières.

Elliott assista, émerveillé, à l'action de la substance chimique. Il entendait pratiquement les craquements de la peau qui se reformait.

En un geste désespéré, elle versa le restant du flacon sur la blessure hideuse qui barrait sa poitrine. Elle étala le liquide avec les doigts de sa main gauche. Elle gémissait doucement. Puis elle s'allongea sur le drap, le souffle court, mais apaisée.

Plusieurs minutes s'écoulèrent. Elliott était fasciné par ce qu'il voyait. La guérison avait ses limites. Les paupières de la femme étaient redevenues parfaitement normales et de longs cils noirs venaient les border, mais sa blessure à la poitrine était toujours aussi béante.

Il se rendait seulement compte qu'elle *était* Cléopâtre et que Ramsès avait retrouvé par hasard le corps de son amour perdu. Il comprenait enfin pourquoi Ramsès avait agi de la sorte. Il se demanda, non sans tristesse, ce que cela pouvait bien vouloir dire, détenir un tel pouvoir... Il avait rêvé de l'immortalité, mais pas du pouvoir de la conférer, de triompher de la mort !

Les implications de son geste étaient formidables. Cette créature, qu'avait-elle à l'esprit ? Il fallait qu'il retrouve Ramsey !

« Je vous donnerai encore du remède, dit-il en anglais avant de traduire immédiatement en latin. Je t'en apporterai, mais tu dois te reposer. Tu dois rester au soleil. » Il lui montra la fenêtre. En se servant des deux langues, il lui expliqua que le soleil favorisait l'action du remède.

D'un air somnolent, elle le regarda. Elle répéta ses phrases en anglais, imitant son accent à la perfection. Ses yeux avaient cependant recouvré leur brillance et leur air de folie. Elle murmura en latin qu'elle était incapable de se souvenir et pleura à nouveau.

Un tel spectacle lui était insupportable, mais que pouvait-il faire de plus ? Il se hâta d'aller dans l'autre pièce et en revint avec une bouteille d'alcool, une sorte de cognac épicé. Elle s'en saisit et la vida.

Ses yeux se ternirent un instant, puis elle poussa de petits gémissements.

Le gramophone. Ramsey aimait la musique, elle le fascinait littéralement. Elliott s'approcha du petit appareil et passa en revue les quelques disques. Voilà ce qu'il cherchait : *Aïda*. Caruso chantait le rôle de Radamès.

Il tourna la manivelle, déposa le disque sur le plateau et mit le bras en place. Dès les premières notes, elle se redressa dans son lit, le regard horrifié. Il lui effleura délicatement l'épaule.

« Opéra, *Aïda* », dit-il. Il trouva des mots latins pour lui expliquer ce qu'était un gramophone. « C'est le chant d'un homme pour son amour égyptien. »

Elle quitta le lit et passa devant lui. Elle était presque entièrement nue; ses formes étaient délicates, ses hanches étroites et ses jambes magnifiquement proportionnées. Elliott s'efforça de ne pas regarder ses seins. Elle s'approcha doucement du gramophone et souleva le bras. Elle lança à Elliott une bordée de jurons latins. « Fais encore jouer la musique !

– Oui, mais je veux te montrer comment s'y prendre », lui dit-il. Pour la seconde fois, il tourna la poignée et il reposa l'aiguille sur le disque. Le visage de la femme perdit sur-le-champ toute sa sauvagerie. Elle se mit à gémir au rythme de la musique avant de poser les mains sur ses tempes et de fermer les yeux.

Elle dansa, sauvagement, frénétiquement. Elliott avait déjà vu danser ainsi – des enfants attardés qui réagissaient par pur instinct aux sons et au tempo.

Elle ne le vit pas s'éclipser pour aller lui chercher quelque chose à manger.

Ramsès acheta le journal au kiosque britannique et s'en alla lentement dans les rues grouillantes de monde du bazar.

MEURTRE AU MUSÉE
UNE MOMIE VOLÉE – UNE FEMME DE MÉNAGE ASSASSINÉE

Venait ensuite un sous-titre :

ON RECHERCHE UN MYSTÉRIEUX ÉGYPTIEN

Il parcourut l'article, en quête de détails, puis il froissa le journal et le jeta à terre. Il avançait, tête baissée et bras croisés sous sa tunique d'Arabe. Etait-ce elle qui avait tué la femme de ménage ? Si oui, pourquoi ? Et comment avait-elle réussi à s'enfuir ?

Il se rappela ce qu'il avait vu dans la salle plongée dans la pénombre, cette chose monstrueuse qu'il avait ressuscitée. Il vit la créature se dresser, il entendit sa voix rauque, il lut la souffrance infinie inscrite sur ce qui lui restait de son visage !

Que pouvait-il faire ? Ce matin, pour la première fois depuis l'époque où il n'était qu'un mortel, il avait songé aux dieux. Dans le musée, d'anciennes prières lui étaient revenues aux lèvres, des mots qu'il avait prononcés devant la foule des croyants et dans les temples obscurs où régnaient les prêtres.

Et maintenant, dans cette rue à la chaleur étouffante, il se prenait à murmurer à nouveau les prières du temps passé.

Julie était assise sur le petit sofa de chintz blanc de sa suite. Elle était heureuse qu'Alex fût là et lui tînt les mains. Samir se tenait debout à côté de la seule chaise qui restât vide. Deux officiels britanniques avaient pris place en face de lui. Près de la porte, Miles Winthrop croisait les mains dans le dos et affichait un air misérable. Le plus âgé des officiels, un certain Peterson, brandissait un télégramme.

« Vous vous rendez certainement compte, mademoiselle Stratford, dit-il avec un sourire condescendant, qu'avec un cadavre à Londres et un autre ici, au Caire...

– Comment savez-vous que ces morts sont liées ? demanda Samir. Cet homme, à Londres, vous dites vous-même que c'était un usurier !

– Ah, Tommy Sharples ? Oui, c'était bien là sa profession.

– Quel rapport M. Ramsey peut-il bien avoir avec lui ? » demanda Julie. C'est remarquable, se dit-elle, je parais si calme alors que je suis totalement paniquée.

« Mademoiselle Stratford, la pièce à l'effigie de Cléopâtre retrouvée dans la poche de cet individu établit une relation entre ces deux meurtres. Elle provient certainement de votre collection. Elle est identique aux cinq pièces cataloguées.

– Ce n'est pas l'une des cinq pièces, vous me l'avez dit.

– Oui, mais, voyez-vous, nous en avons trouvé plusieurs autres, ici même, au Shepheard's.

– Je ne vous suis plus.

– Dans la chambre de M. Ramsey. »

Samir s'éclaircit la voix. « Vous avez fouillé sa chambre ? »

Ce fut Miles qui lui répondit :

« Julie, je sais que cet ami vous est très cher et que toute cette histoire est extrêmement pénible, mais vous comprendrez que ces meurtres sont extraordinairement... vicieux. Vous devez nous dire tout ce qui nous aidera à appréhender cet homme.

– Il n'a tué personne à Londres ! »

Miles poursuivit comme s'il n'avait pas entendu.

« Il y a aussi monsieur le comte, nous devons lui parler, et lui aussi demeure introuvable. » Il se tourna vers Alex.

« Je ne sais pas où est mon père, dit Alex d'un air piteux.

– Et Henry Stratford, où pouvons-nous le trouver ? »

Les deux Egyptiens parcouraient à toute hâte les ruelles étroites du vieux Caire. Le corps enveloppé pesait très lourd sous le soleil écrasant de midi.

Mais la peine et la sueur seraient vite oubliées, car ce corps rapporterait gros. Avec les mois d'hiver, les touristes allaient arriver par nuées. Ils avaient trouvé à temps un cadavre particulièrement intéressant.

Ils arrivèrent enfin devant la maison de Zaki – « l'usine », selon l'expression consacrée. Ils franchirent la porte de la cour et transportèrent leur trophée à travers toute une série de pièces mal éclairées. Des momies étaient posées contre les murs de pierre et de nombreux corps sombres, pareils à du cuir, étaient allongés sur des tables.

Seule l'odeur des produits chimiques les incommodait. Ils étaient impatients de voir Zaki.

« C'est un bon corps », dit l'un des deux hommes.

Il s'adressait à un ouvrier chargé de mélanger le contenu d'un immense pot de bitume. Un important lit de braises le maintenait en ébullition.

« Un beau squelette ? demanda l'homme.

– Ah oui, un superbe squelette d'Anglais ! »

Son déguisement était excellent. Il y avait des milliers de Bédouins au Caire. Nul ne le remarquait. Seules ses lunettes noires attisaient parfois la curiosité des passants.

Il les rangea dans sa poche pour pénétrer dans l'arrière-cour du Shepheard's. Les domestiques occupés à nettoyer une automobile ne levèrent même pas le nez sur lui.

Il se faufila le long du mur, derrière les arbres fruitiers, et s'approcha d'une porte dérobée. Un escalier de service conduisait aux étages. Dans l'alcôve, il y avait des balais, des seaux et divers outils.

Il prit un balai et monta lentement. Il redoutait l'instant fatal où Julie le questionnerait sur sa conduite.

La femme était assise au bord du lit et mangeait les aliments posés sur la table de rotin qu'il avait remontée de la cour. Elle portait une chemisette légère, le seul sous-vêtement qu'il eût trouvé dans les affaires de Malenka. Il l'avait aidée à l'enfiler.

Malenka avait préparé ce frugal repas – du pain et des fruits, du fromage et du vin –, mais elle n'osait pas entrer dans la chambre.

La créature avait un formidable appétit et elle mangeait de manière gloutonne. Elle avait bu plusieurs bouteilles de vin comme si c'était de l'eau. Elle était restée sagement au soleil, mais la guérison ne s'était pas poursuivie – Elliott en était pratiquement sûr.

Malenka, tremblante, se terrait dans la pièce de devant. Elliott ignorait combien de temps il pourrait la contrôler. Elle était accroupie, le dos au mur, les bras croisés.

« N'aie pas peur, lui dit-il.

– Mon pauvre Anglais, dit-elle à voix basse.

– Je sais, oui, je sais. » Mais, en fait, il ne savait rien. Il s'assit et sortit des billets de son portefeuille. Il lui fit signe de venir les prendre, mais elle se contenta de les regarder de loin avant de tourner la tête vers le mur.

« Mon pauvre Anglais, répéta-t-elle. Il est dans la cuve. »

Avait-il bien entendu ?

« Quelle cuve ? demanda-t-il. De quoi parles-tu ?

– Avec mon Anglais, ils font un grand pharaon. Mon bel Anglais. Ils le mettent dans le bitume, ils font une momie pour les touristes. »

Il était trop choqué pour lui répondre. Il regarda autre part, incapable de trouver les mots qui convenaient.

« Mon bel Anglais, ils l'enveloppent de lin, ils font de lui un roi. »

Il voulait lui enjoindre de se taire, mais il en était bien incapable. Ils restèrent silencieux jusqu'à ce que le bruit du gramophone le fît sursauter. Ce n'était pas de la musique, mais une voix nasillarde qui parlait anglais. Les disques pour apprendre la langue. Elle les avait trouvés. Il espérait qu'elle s'en satisferait et qu'elle le laisserait un instant tranquille.

Un grand fracas retentit alors. Le miroir. Elle l'avait brisé.

Il se leva et courut vers elle. Elle se balançait sur le tapis. Les fragments du miroir jonchaient la coiffeuse et le sol. Le gramophone ronronnait.

« *Regina*, dit-il. *Bella regina Cleopatra.*

– Seigneur Rutherford, s'écria-t-elle, que m'est-il arrivé ? Quel est cet endroit ? » Puis elle égrena toute une litanie de mots dans une langue étrange avant de pousser des cris hystériques et de terminer par un long sanglot.

Zaki inspectait le travail. Il les regarda enfoncer le corps nu de l'Anglais au plus profond du liquide épais de couleur verdâtre. Avant, ils embaumaient les corps, ils reproduisaient dans le moindre détail le processus originel. Mais, aujourd'hui, les Anglais perdaient un peu l'habitude de dépouiller les momies au cours de leurs soirées londoniennes. Il suffisait de les plonger soigneusement dans le bitume avant de les envelopper de bandelettes.

Il s'approcha de la cuve et scruta le visage de l'Anglais. Un bon squelette, oui. Les touristes aimaient deviner le visage sous les bandelettes. Celui-ci avait excellente allure.

Un coup discret frappé à la porte.

« Je ne veux voir personne », dit Julie. Elle était assise sur le sofa à côté de Samir, lequel lui tenait la main tandis qu'elle pleurait.

Elle ne parvenait pas à comprendre ce qui s'était passé. Il n'y avait aucun doute là-dessus : Ramsès était entré dans le musée, il y avait été grièvement blessé et puis, il s'était enfui. Mais de là à tuer une femme de ménage... Non, elle se refusait à y croire.

« Le vol de la momie, c'est une chose que je peux comprendre, avait-elle dit à Samir quelques instants plus tôt. Il connaissait cette femme, il savait qui elle était. Il ne pouvait pas supporter de voir son corps ainsi exposé.

– Certes, dit Samir, mais puisqu'il a été fait prisonnier, qui a emporté la momie ? » Il s'arrêta de parler quand Rita ouvrit la porte.

Julie aperçut un Arabe portant une ample tunique. Elle allait tourner la tête quand elle vit ses yeux bleus.

C'était Ramsès. Il passa devant Rita et referma la porte. Elle se jeta dans ses bras.

En un instant, elle oublia ses doutes et ses craintes. Elle cacha son visage dans son cou. Elle sentit ses lèvres effleurer son front avant de descendre vers sa bouche.

Elle entendit le conseil de Samir. « Vous êtes en danger, sire, ils vous cherchent partout. »

Mais elle ne pouvait se résoudre à quitter son étreinte. Dans cette tunique flottante, il paraissait plus que jamais venir d'un autre monde.

« Est-ce que tu es au courant de ce qui est arrivé ? lui dit-elle. Une femme de service du musée a été tuée et tout le monde t'accuse du crime.

– Oui, ma tendre et douce, je sais cela, dit-il. Je suis responsable de cette mort. Et aussi de choses bien pires. »

Elle le regarda dans les yeux et s'efforça d'accepter ses paroles. Puis les larmes se remirent à couler et elle dissimula son visage dans ses mains.

La femme était assise sur le lit et le suppliait du regard. Avait-elle bien compris lorsqu'il lui avait dit que cette robe était très jolie ? Elle imita à la perfection les phrases de la méthode d'anglais. « Je voudrais un peu de sucre dans mon café. Je voudrais une rondelle de citron. » Puis elle retomba dans le silence.

Elle le laissa fermer les petits boutons de nacre, elle le regarda avec un certain étonnement nouer la ceinture de la jupe. Elle eut un petit rire étrange quand elle frotta les jambes contre l'étoffe.

« Joli, joli », dit-elle. Il lui avait appris ce mot en anglais. « Jolie robe. »

Elle passa brusquement devant lui et prit un magazine posé sur la coiffeuse. Elle regarda les femmes des illustrations. En latin, elle lui demanda encore une fois où elle se trouvait, quel était cet endroit.

« C'est l'Egypte. » Il le lui avait déjà dit à de nombreuses reprises. Venaient alors le regard vide et l'air douloureux.

Timidement, il prit la brosse et la passa dans ses cheveux. Des cheveux si fins, si noirs, parcourus de reflets bleutés. Elle soupira et souleva les épaules. Elle aimait être ainsi brossée. Un petit rire lui échappa.

« Très bien, seigneur Rutherford », dit-elle en anglais. Elle se cambra et étira langoureusement ses membres. Tendues devant elle, ses mains avaient une forme exquise.

« *Bella regina Cleopatra* », soupira-t-il. Etait-il raisonnable de la laisser seule ? Pouvait-il le lui faire comprendre ? Malenka devrait peut-être se poster dans la rue en attendant son retour.

« Je dois partir chercher du remède. »

Elle le regarda d'un air interdit. Elle ne savait pas de quoi il parlait ? Etait-il possible qu'elle ne se rappelât pas ce qui venait de se passer ? Elle faisait pourtant des efforts.

« Auprès de Ramsès », ajouta-t-il.

Il y eut une étincelle dans son œil, puis une ombre passa sur son visage. Elle murmura quelque chose qu'il ne perçut pas. « Bon seigneur Rutherford », dit-elle.

Il tira plus fort sur la brosse. Sa chevelure était une cascade ondulée et soyeuse.

Une étrange lumière éclairait ses traits. Sa bouche était pleine, ses joues plus rouges.

Elle se retourna et caressa le visage d'Elliott. Elle dit en latin qu'il avait la science du vieillard et la bouche du jouvenceau.

Il réfléchit à cela tandis qu'elle le regardait droit dans les yeux. Il lui semblait que sa propre conscience des choses était en train de dériver, car d'un instant à l'autre elle était cette créature malheureuse dont il devait prendre soin, puis la grande Cléopâtre.

Cette révélation le heurta de plein fouet.

Cette femme sensuelle qui avait séduit César et tant d'autres... Elle se colla à lui, non sans arrogance. Elle le prit par le cou et lui caressa les cheveux.

Sa chair était brûlante. Mon Dieu, cette même chair qui avait reposé, noire et décomposée, sous le verre crasseux d'un musée.

Mais ces yeux, ces yeux noisette aux pupilles parsemées de paillettes d'or, il était impossible qu'ils fussent revenus à la vie dans cette masse infâme. L'abomination de la mort...

Les lèvres de Cléopâtre l'effleurèrent, elle ouvrit la bouche et il sentit sa langue se glisser entre ses dents.

Immédiatement, son sexe se tendit. C'était de la folie ! Il ne pouvait pas faire ça ! Son cœur, ses rhumatismes, il n'allait quand même pas... Elle écrasa ses seins sur lui. Sous l'étoffe, il sentait sa peau brûlante. Le fin tissu, les boutons de nacre, ils ne faisaient que la rendre plus délicieusement sauvage.

Sa vision se troubla, il vit les os nus de ses doigts quand elle lui passa la main dans les cheveux, quand sa langue se fit plus insistante et plongea au plus profond de sa bouche.

Cléopâtre, maîtresse de César, de Marc Antoine et de Ramsès le Damné. Il la prit par la taille. Elle s'allongea sur le lit, l'entraînant dans sa chute.

Il gémit, sa bouche la cherchait. Oh, la prendre ! Sa main froissa la soierie et se faufila entre ses cuisses. Cette toison, ces lèvres humides.

« Bien, seigneur Rutherford », dit-elle en latin. Ses hanches s'écrasaient sur son sexe tendu et prêt à se libérer.

Il défit quelques boutons. Combien d'années depuis qu'il n'avait pas fait la chose dans une telle hâte ? Mais il était trop tard pour s'interroger.

« Ah, prends-moi, seigneur Rutherford ! siffla-t-elle. Plonge ta dague dans mon âme ! »

« Vous ne pouvez pas rester ici, sire, dit Samir. C'est par trop risqué. Ils surveillent l'entrée. Ils doivent nous suivre partout où nous allons. Et puis... ils ont fouillé votre chambre, ils ont trouvé les pièces anciennes. Ils ont peut-être trouvé... plus encore.

– Non, ils ne pouvaient rien trouver d'autre. Mais je dois m'entretenir avec vous. Tous les deux.

– Il nous faut une cachette, dit Julie. Un endroit où nous puissions nous rencontrer.

– Je peux arranger cela, dit Samir. Mais il me faut quelques heures. Pouvez-vous me retrouver à trois heures devant la Grande Mosquée ? Je serai vêtu comme vous.

– Je viens avec vous ! insista Julie. Rien ne pourra me tenir à l'écart.

– Julie, tu ne sais pas ce que j'ai fait, dit Ramsès.

– Dans ce cas, tu dois me le dire. Ces tuniques, Samir pourra en trouver facilement.

– Oh, comme je t'aime ! dit très doucement Ramsès. Et comme j'ai besoin de toi ! Mais pour ta propre sécurité, Julie, ne te...

– Je suis avec toi, quoi qu'il arrive.

– Sire, il faut partir. Il y a des policiers partout. Ils peuvent revenir nous interroger. A la mosquée. A trois heures. »

Sa poitrine lui faisait très mal, mais il n'était pas en train de mourir. Il était affalé dans un petit fauteuil, près du lit. Il avait envie de boire, mais la bouteille était dans l'autre pièce et il n'avait pas la force d'aller la chercher. Il avait juste assez de force pour reboutonner lentement sa chemise.

Il la regarda une fois de plus. Son visage était lisse comme la cire, elle semblait dormir. Elle ouvrit les yeux, s'assit dans le lit et lui tendit le flacon.

« Le remède, dit-elle.

– Oui, Majesté, j'irai le chercher, mais tu dois rester ici. Tu comprends ? » Il repassa au latin pour lui donner des explications. « Tu es en sécurité ici. Tu ne dois pas quitter cette maison. »

Il semblait qu'elle refusait cette solution.

« Où t'en vas-tu ? » lui demanda-t-elle. Elle regarda autour d'elle : la fenêtre près du lit, le mur de la maison voisine blanchi à la chaux et inondé de soleil. « L'Egypte. Je ne crois pas que c'est mon Egypte.

– Si. Et je dois essayer de retrouver Ramsès. »

A nouveau l'étincelle dans le regard, puis la confusion, et, soudain, la panique.

Il se leva. Il ne pouvait attendre indéfiniment. Il espérait seulement que Ramsès était parvenu à s'échapper. Julie et Alex avaient certainement trouvé de bons avocats. De toute façon, il lui fallait revenir à l'hôtel.

« Je ne serai pas long, Majesté, lui dit-il. Je reviendrai dès que possible avec le remède. »

Elle ne paraissait pas lui faire confiance et le regarda d'un œil soupçonneux quand il quitta la pièce.

Malenka était accroupie dans un coin du salon. Tremblante, elle posa sur lui des yeux stupides.

« Ecoute-moi. » Il trouva sa canne et s'en saisit. « Je veux que tu sortes avec moi, que tu verrouilles la porte et que tu ne bouges pas de là ? »

La fille avait-elle compris ? En tout cas, elle regardait par-dessus l'épaule d'Elliott. Il se retourna et vit Cléopâtre dans l'encadrement de la porte. Pieds nus, les cheveux défaits, elle avait un air extraordinairement sauvage dans sa robe de soie. Elle fixait Malenka.

La fille gémissait, sa terreur n'était pas feinte.

« Non, viens avec moi, lui dit Elliott. N'aie pas peur, elle ne te fera aucun mal. »

Malenka était trop terrorisée pour écouter ou obéir. Les petits cris qu'elle émettait avaient quelque chose de pitoyable. Le visage de Cléopâtre avait pris l'apparence d'un masque de fureur.

Elle s'approcha de la malheureuse, qui ne pouvait détacher son regard des os qui saillaient de la main et du pied de la reine.

« Ce n'est qu'une servante », dit Elliott en prenant Cléopâtre par le bras. Elle fit volte-face et le frappa avec une telle force qu'il se trouva projeté contre la cage du perroquet. Malenka poussa un cri hystérique et le perroquet l'imita en battant des ailes.

Elliott se releva. Il fallait que cette fille arrête de hurler. C'était épouvantable. Cléopâtre paraissait elle-même au bord de l'hystérie, prise entre les cris stridents du perroquet et ceux de Malenka. Soudain, elle se jeta sur la malheureuse et la saisit à la gorge avant de la forcer à se mettre à genoux, ainsi qu'elle l'avait fait avec le jeune Henry quelques heures auparavant.

« Non, arrête ! » lui cria Elliott, mais elle le frappa à nouveau avec une telle force qu'il s'écrasa contre le mur. Un bruit sinistre retentit alors. La fille était morte. Cléopâtre lui avait brisé la nuque.

L'oiseau s'était tu. Malenka gisait sur le tapis, sa tête faisait un angle improbable avec le reste de son corps. Ses yeux bruns étaient entrouverts.

Cléopâtre la regardait fixement. Puis elle dit en latin :

« Elle est morte. »

Elliott était dans l'incapacité de répondre. Il s'agrippa au rebord d'un meuble et se releva. Les coups sourds qui retentissaient dans sa poitrine n'avaient aucune importance. Rien ne pouvait égaler la douleur morale qu'il éprouvait en cet instant.

« Pourquoi as-tu fait cela ? » murmura-t-il. Mais pourquoi poser semblable question à cette créature ? Son cerveau était gravement endommagé, c'était certain, de même que l'était son corps, aussi beau fût-il.

Elle adressa à Elliott un regard presque innocent.

« Dis-moi, seigneur Rutherford, comment suis-je arrivée ici ? » Elle cligna des yeux et s'approcha de lui avant de lui rendre sa canne. « D'où viens-je ? » demanda-t-elle. Ses yeux s'emplirent d'une terreur soudaine. « Seigneur Rutherford, est-ce que j'étais morte ? »

Elle n'attendit pas sa réponse et poussa un formidable hurlement. Il l'enlaça et plaqua la main sur sa bouche.

« Ramsès t'a rappelée. Ramsès ! Tu as prononcé son nom, tu l'as vu.

– Oui. » Elle ne se débattait plus et se contentait de lui serrer le poignet. « Ramsès était là. Et quand... quand je l'ai appelé, il s'est enfui. Comme cette femme, il m'a fuie ! Le même regard dans les yeux...

– Il voulait revenir te chercher, mais d'autres l'en ont empêché. Je dois le retrouver. Tu comprends ? Tu dois rester ici. Tu dois m'attendre. Ramsès a le remède, je te le rapporterai.

– Dans combien de temps ?

– Dans quelques heures, dit-il. C'est le milieu de l'après-midi. Je serai de retour avant la nuit. »

Elle gémit encore une fois, tête baissée. Elle avait l'air d'un enfant à qui l'on soumet un problème insurmontable.

« Ramsès », murmura-t-elle. Visiblement, elle ne savait pas trop de qui il s'agissait.

Il lui effleura l'épaule avant de s'appuyer sur sa canne et de s'approcher du corps de la fille. Qu'allait-il en faire ? Il ne pouvait tout de même pas le laisser pourrir au soleil ? Et comment parviendrait-il à l'ensevelir dans le jardin, lui qui avait à peine la force de marcher ? Il ferma les yeux et eut un rire amer. Il lui semblait qu'un millier d'années s'étaient écoulées depuis qu'il avait vu pour la dernière fois son fils, Julie ou un endroit civilisé comme les salons du Shepheard's. Depuis qu'il avait fait un geste ou prononcé une parole normale.

« Va chercher le remède », lui enjoignit-elle. Elle se plaça entre le cadavre et lui. Elle se baissa et attrapa Malenka par le bras droit. Sans effort, elle la tira sur le tapis, devant la cage du perroquet enfin silencieux, puis elle jeta le corps de la malheureuse dans le jardin, aussi facilement que si c'était une poupée de chiffon !

Ne pense pas à tout cela. Va trouver Ramsès. Va !

« Trois heures, lui dit-il en parlant à nouveau les deux langues. Referme la porte derrière moi. Tu vois le verrou ? »

Elle se retourna et avisa la porte. Elle hocha la tête.

« Très bien, seigneur Rutherford, dit-elle en latin. Avant la nuit. »

Elle ne verrouilla pas la porte. Elle resta là, les mains sur le bois nu, à l'écouter qui s'en allait. Il lui faudrait longtemps pour disparaître.

Elle devait sortir d'ici ! Elle devait savoir où elle était ! Ce ne pouvait pas être l'Egypte. Elle ne comprenait pas pourquoi elle se trouvait en ce lieu, pourquoi elle avait aussi faim et ne pouvait se rassasier, pourquoi non plus elle avait le désir aussi vif d'être enlacée par un homme. Elle aurait à nouveau forcé le seigneur Rutherford si elle ne l'avait pas contraint à sortir.

Sortir ? Pourquoi au juste ? Pour chercher un remède ? Mais de quel remède s'agissait-il ? Elle ne pouvait tout de même pas vivre avec des blessures aussi atroces !

Elle devait absolument partir d'ici pendant que le seigneur Rutherford n'était pas là pour la sermonner comme une enfant.

Dans un brouillard, elle se souvint des rues entrevues dans la matinée, de ces monstrueux et bruyants objets de métal qui crachaient de la fumée. Qui étaient les gens qu'elle avait vus autour d'elle ? Les femmes portaient des robes telles que la sienne.

Elle avait été terrifiée, mais c'était maintenant le désir qui régnait en elle. Il lui fallait oublier la peur. Et partir.

Elle revint dans la chambre à coucher. Elle ouvrit le « magazine » appelé *Harper's Weekly* et contempla les dessins de femmes vêtues de tenues qui leur serraient la taille comme des insectes. Puis elle interrogea son reflet dans le miroir de l'armoire.

Il lui fallait quelque chose sur la tête et des sandales. Oui, des sandales. Elle fouilla dans les affaires de Malenka et en découvrit une paire en cuir qu'elle n'eut aucun mal à chausser. Elle trouva aussi une chose étrange couverte de fleurs et se la posa sur la tête en riant. Elle noua les rubans sous son menton. A présent, elle ressemblait tout à fait aux femmes des illustrations.

Il y avait encore le problème de ses mains.

Elle regarda l'os du doigt de sa main droite. Il était bien recouvert d'une couche de peau, fine comme de la soie, mais translucide. Le sang était visible. Cette vision la mit mal à l'aise.

Un souvenir – quelqu'un debout à côté d'elle. Non. Elle devait trouver un bandage. Pour la main gauche, il n'y avait aucun problème. Elle poursuivit sa visite des affaires de Malenka.

Et là, elle fit la plus charmante des découvertes. C'étaient deux petits objets de soie ayant très exactement la forme d'une main. Ils étaient blancs et recouverts de petites perles. Elle les enfila. Ils lui allaient très bien et dissimulaient totalement l'os nu.

Ah, la merveille de ce que le seigneur Rutherford appelait les « temps modernes » ! Cette époque de boîtes musicales et de « voitures automobiles », comme il disait, ces choses qu'elle avait vues ce matin même, tout autour d'elle, pareilles à de gros hippopotames rugissant ! Quel nom le seigneur Rutherford donnerait-il à ces objets destinés à cacher les mains ?

Elle perdait du temps. Elle s'approcha de la coiffeuse, prit quelques pièces de monnaie et les glissa dans la poche de sa jupe.

Elle ouvrit la porte de la maison et jeta un dernier regard au cadavre affalé contre le mur, dans le jardin. Quelque chose lui échappait, c'était certain, elle ne comprenait pas tout. Quelque chose...

Elle revit la silhouette debout à côté d'elle. Elle entendit les paroles sacrées. On s'adressait à elle dans une langue qu'elle connaissait. *C'était la langue de tes ancêtres. Tu te dois de l'apprendre.* C'était à une autre époque. Ils se trouvaient dans une pièce décorée de marbre et il lui apprenait. Cette fois-ci, il faisait chaud et sombre, comme si elle se débattait pour échapper à des eaux profondes, ses membres étaient faibles, l'eau l'écrasait, elle lui pénétrait dans la bouche et lui interdisait de hurler.

« Ton cœur bat à nouveau, tu reviens à la vie ! Te revoici jeune et vigoureux, maintenant et à jamais ! »

Non, ne te remets pas à pleurer ! Tu ne peux la saisir, cette silhouette qui s'éloigne, étrange avec ses yeux bleus. *Dès que j'ai bu, j'ai compris. La prêtresse m'a tendu le miroir et j'ai vu... mes yeux bleus.* Ah, mais à qui appartenait cette voix ? Cette voix qui avait récité la prière ancienne et sacrée que l'on psalmodie lors de l'ouverture de la bouche d'une momie...

Elle avait dit son nom ! Et ici, dans cette étrange petite maison, le seigneur Rutherford l'avait également prononcé, ce nom. Le seigneur Rutherford allait...

Revenir avant la nuit.

Cela ne servait à rien. Car il lui fallait quitter cette terre étrangère. Comme il était facile de leur briser la nuque à tous ces êtres pitoyables...

Elle sortit précipitamment sans prendre la peine de fermer la porte. Les maisons blanches lui étaient familières. Elle avait connu des villes pareilles à celle-ci. Peut-être était-ce l'Egypte. Mais non, c'était impossible.

Elle courait en tenant les rubans de soie de son chapeau pour que celui-ci ne s'envole pas. Le soleil lui faisait du bien.

Le soleil. Elle eut une vision soudaine : le soleil qui pénètre à flots dans une chambre obscure, des volets de bois venaient de s'ouvrir. Leur craquement, elle l'entendait parfaitement.

Le souvenir s'évanouit. Etait-ce bien un souvenir, d'ailleurs ? *Ramsès, lève-toi.*

C'était bien là son nom, mais elle s'en moquait à présent. Elle était libre de parcourir cette cité étrange. Libre de voir, de découvrir !

CHAPITRE QUATRE

Samir se procura plusieurs tenues de Bédouins dans la première échoppe du vieux Caire qui vendît de tels vêtements. Il pénétra dans un petit restaurant, établissement assez minable où se retrouvaient des Français pour qui la chance avait tourné, s'habilla et dissimula sous sa tunique ample le costume qu'il avait acheté pour Julie.

Il aimait ces habits de paysan, infiniment plus anciens que les costumes bien taillés et les chapeaux que portaient la plupart des Egyptiens. Vêtu comme les nomades du désert, il se sentait, comme eux, libre et à l'abri de tout regard indiscret.

Il parcourut à toute hâte les ruelles du Caire arabe et se dirigea vers la maison de son cousin Zaki, individu qu'il n'aimait pas vraiment fréquenter, mais qui lui donnerait sans problème tout ce dont il avait besoin. Qui savait combien de temps Ramsès devrait se cacher au Caire ? Qui eût pu dire comment les meurtres seraient élucidés?

Il atteignit l'usine à momie de son cousin – certainement l'un des endroits les plus désagréables du monde – et entra par une petite porte latérale. Des cadavres fraîchement enveloppés attendaient au soleil, dans la cour. A l'intérieur, sans nul doute possible, d'autres baignaient dans la grande cuve.

Un homme creusait une longue tranchée dans laquelle les momies passeraient quelques jours afin d'acquérir cette couleur brunâtre que donnait la terre humide.

Cela dégoûtait complètement Samir. Il connaissait toutefois cette usine depuis très longtemps, depuis l'époque où l'on y apportait de véritables momies afin de les étudier et de les préserver.

« Nous sommes meilleurs que les voleurs, lui avait dit un

jour son cousin Zaki. Ils débitent nos anciens dirigeants pour les vendre aux étrangers, alors que ce que nous leur proposons n'a rien de sacré. C'est faux d'un bout à l'autre. »

Samir se préparait à signaler sa présence à un ouvrier qui s'affairait à envelopper un corps quand Zaki émergea de la petite baraque malodorante.

« Eh, Samir ! Quel plaisir de te voir, mon cousin ! Viens prendre le café avec moi.

– Pas maintenant, Zaki, j'ai besoin de toi.

– Je m'en doute, tu ne serais pas venu autrement. »

Samir accueillit cette remarque avec un sourire marqué par l'humilité.

« Zaki, j'ai besoin d'un endroit sûr, une petite maison avec une porte solide et une sortie de secours. Un endroit secret. Pour quelques jours, peut-être plus. »

Zaki eut un rire un peu vulgaire.

« Eh bien, voilà monsieur le savant qui fait appel à moi ?

– Ne me pose pas de questions, je t'en prie. » Samir sortit de sa tunique un rouleau de billets qu'il tendit à Zaki. « Une maison sûre. Je peux payer.

– J'ai ce qu'il te faut, dit Zaki. Entre prendre le café avec moi. Tu t'habitueras vite à l'odeur. »

Zaki lui répétait cette phrase depuis des années, mais Samir n'avait jamais réussi à s'y faire. Il se crut pourtant obligé de faire plaisir à son cousin et le suivit dans la « salle d'embaumement », endroit misérable où une cuve de bitume était sans cesse en ébullition dans l'attente d'un nouveau corps.

Samir constata qu'il y avait une nouvelle victime. Cela le rendit malade. Il tourna la tête, non sans avoir vu la chevelure noire du malheureux flotter à la surface bitumineuse sous laquelle apparaissait son visage.

« Qu'est-ce que tu dirais d'une momie toute fraîche ? le taquina Zaki. Tout droit venue de la Vallée des Rois. La dynastie que tu veux. Homme, femme, comme tu voudras !

– La cachette, mon cousin.

– Oui, oui. J'ai plusieurs maisons de libres. Le café tout d'abord, ensuite tu repartiras avec une clef. Dis-moi ce que tu sais de ce vol au musée. La momie qu'on a dérobée, elle était authentique, tu crois ? »

Dans le brouillard, Elliott traversa le hall du Shepheard's.

Il savait qu'il avait l'air dépenaillé, que du sang et de la terre étaient collés à son pantalon et à son manteau. Sa jambe gauche lui faisait mal, mais il ne s'en préoccupait plus. Il se moquait bien d'être en sueur sous sa chemise froissée. Il savait qu'il serait soulagé de retrouver sa chambre – loin de toutes les horreurs auxquelles il avait assisté, et parfois même participé.

Il n'avait cessé de penser dans le fiacre qui l'avait ramené du vieux Caire. Malenka est morte parce que j'ai fait venir la femme chez elle. Henry ? Il ne le pleurait pas vraiment. Mais Malenka le hanterait toujours. Et la meurtrière, cette reine monstrueuse qui venait de ressusciter ? Que ferait-il d'elle s'il ne trouvait pas Ramsey ? Quand s'en prendrait-elle à lui ?

Il lui fallait trouver Samir, car lui seul devait savoir où se terrait Ramsey.

Il fut surpris de voir Alex lui tomber dans les bras alors qu'il s'approchait de la réception.

« Père, grâce au Ciel, vous êtes là !

– Où est Ramsey ? Il faut que je lui parle immédiatement.

– Père, vous ne savez pas ce qui s'est passé ? On le cherche dans toute la ville. Il est accusé d'avoir commis un double meurtre, à Londres et icimême. Julie est dans tous ses états. Nous ne savons plus que penser. Et Henry, il est introuvable ! Père, où étiez-vous passé ?

– Reste auprès de Julie, dit Elliott. Prends bien soin d'elle. Ton Américaine attendra. »

Il chercha à atteindre la réception.

« Mademoiselle Barrington est partie, dit Alex en haussant les épaules. Sa famille a modifié ses projets quand la police est venue l'interroger sur Ramsey et sur nous tous.

– J'en suis désolé. Mais tu dois me laisser à présent, il faut que je voie Samir.

– Vous avez de la chance, il vient de rentrer. »

Alex fit un signe en direction de la caisse. Samir venait de signer un chèque de retrait. Il comptait des billets de banque et les rangeait. Il tenait un paquet sous le bras. Il paraissait très pressé.

« Laisse-moi seul, mon garçon », dit Elliott à son fils. Il marcha jusqu'au comptoir de marbre et tira Samir par la manche.

« Il faut que je le voie, chuchota Elliott. Si vous savez où il se trouve, dites-le-moi, je dois le voir.

– Je vous en prie ! » Samir regarda autour de lui. « Les autorités le recherchent. On nous regarde.

– Vous savez où il est. Ou comment lui faire parvenir un message. Vous savez tout de lui, depuis le début. »

Impossible de deviner ce à quoi pensait Samir. Les portes de son âme étaient closes.

« Vous allez lui transmettre un message de ma part. »

Samir voulut s'éloigner.

« Dites-lui que je prends soin d'*elle.* »

Samir hésita. « De qui parlez-vous ? murmura-t-il. Que voulez-vous dire ? »

Elliott le tira à nouveau par le bras.

« Il sait. Et *elle* sait qui il est ! Dites-lui que je l'ai fait sortir du musée. Elle est en sécurité. J'ai passé la journée auprès d'elle.

– Je ne saisis pas.

– Lui me comprendra. Ecoutez-moi bien. Dites-lui que le soleil l'a aidée. Il l'a guérie, de même que... le remède dans le flacon. »

Le comte sortit de sa poche le flacon vide et le mit dans la main de Samir. Samir le regarda comme s'il en avait peur, comme s'il ne voulait pas le toucher.

« Il lui en faut davantage ! dit Elliott. Elle ne va pas bien, tant physiquement que psychiquement. Elle est folle ! » Du coin de l'œil, il vit Alex venir le rejoindre, mais il lui fit signe de prendre patience et se rapprocha un peu plus de Samir. « Dites-lui de venir me voir ce soir à sept heures. Dans un café français qu'on appelle le Babylone, dans le quartier arabe. Je ne parlerai qu'à lui.

– Mais attendez, expliquez-moi...

– Je vous l'ai dit, il comprendra. Mais qu'il ne me contacte surtout pas ici. C'est trop dangereux. Je ne veux pas voir mon fils mêlé à toute cette affaire. Au Babylone, à sept heures. Dites-lui aussi qu'elle a déjà tué par trois fois. Et qu'elle tuera à nouveau. »

Il quitta brusquement Samir et saisit la main que lui tendait Alex.

« Aide-moi à monter, lui dit-il. Je dois me reposer, je suis près de l'évanouissement.

– Mon Dieu, mais que se passe-t-il ?

– C'est à moi de te poser la question. Qu'est-ce qui est arrivé depuis mon départ ? Oh, la réception ! Dis-leur que je ne veux voir personne. »

Encore quelques pas, se dit-il quand les portes de l'ascenseur s'ouvrirent. Un bon lit bien propre. Il avait la tête qui tournait, il se sentait au bord de la nausée. Il appréciait la présence de son fils, qui l'aidait à marcher.

Il perdit l'équilibre dès qu'il eut atteint sa chambre. Mais Walter était là. Assisté d'Alex, ils le mirent au lit.

« Je vais vous faire couler un bon bain chaud, monsieur, lui dit Walter.

– Merci, Walter, mais d'abord apportez-moi à boire. Un scotch, et laissez-moi la bouteille.

– Père, je ne vous ai jamais vu ainsi. Je pense que je vais appeler le docteur de l'hôtel.

– Il n'en est pas question ! dit Elliott d'un ton assuré qui étonna Alex. Est-ce que Lady Macbeth aurait fait appel à un docteur ? Je ne crois pas qu'il l'aurait beaucoup aidée.

– Père, de quoi parlez-vous ? » La voix d'Alex n'était plus qu'un murmure, ce qui était toujours le cas quand il était sincèrement bouleversé. Il regarda Walter placer le verre dans la main d'Elliott.

Le comte but un peu de whisky. « Ah, c'est bon », soupira-t-il. Dans la petite maison marquée par la mort et la folie, il y avait une douzaine de bouteilles d'alcool – les bouteilles de Henry – et il n'avait pas osé y toucher. Il n'avait pas non plus osé manger la nourriture de Henry. Il en avait donné à la créature, mais lui-même n'avait rien pris.

« Alex, écoute-moi, dit-il après avoir bu une seconde gorgée. Tu vas quitter immédiatement Le Caire. Tu vas faire tes bagages et prendre le train de cinq heures à destination de Port-Saïd. Je t'y accompagnerai. »

Son fils avait l'air totalement sans défense, comme un petit garçon. C'est lui mon rêve d'immortalité, se dit Elliott, mon enfant. Mon Alex, qui doit absolument regagner l'Angleterre où il sera en sécurité.

« C'est hors de question, père, dit Alex sans se départir de sa douceur. Je ne peux abandonner Julie.

– Je ne veux pas que tu délaisses Julie. Tu vas l'emmener avec toi. Dis-lui de se préparer, vous allez partir immédiatement ! Fais comme je te dis.

– Père, vous ne comprenez pas. Elle ne s'en ira pas tant que Ramsey n'aura pas été innocenté. Et nul ne peut le trouver. Nul ne sait non plus où est Henry. Père, je ne crois pas que les autorités nous laisseront partir tant que cette affaire n'aura pas été réglée.

– Mon Dieu ! »

Alex prit son mouchoir, le plia soigneusement et épongea le front d'Elliott. Celui-ci le lui prit pour s'essuyer la bouche.

« Père, vous ne croyez tout de même pas que Ramsey a commis ces atrocités ? Il me plaisait assez, ce Ramsey. »

Walter entra. « Votre bain est prêt, monsieur.

– Pauvre Alex, murmura Elliott.

– Père, dites-moi ce qui se passe. Je ne vous ai jamais vu dans un tel état. Vous n'êtes plus vous-même.

– Oh si, je suis moi-même. C'est tout à fait moi, plein de rêves insensés ainsi que je l'ai toujours été. Tu sais, mon fils, quand tu hériteras le titre, tu seras probablement le seul homme honorable à avoir jamais été appelé comte de Rutherford.

– Voilà que vous recommencez à philosopher. Je ne suis pas si honorable que cela. Je suis bien éduqué, et ceci compense cela, du moins je l'espère. Prenez votre bain à présent. Vous vous sentirez beaucoup mieux. Et ne buvez plus de scotch, je vous en prie. »

Miles Winthrop était fasciné par le télégramme que l'on venait de lui remettre.

« L'arrêter ? Julie Stratford ? Pour le vol à Londres d'une momie inestimable ? Mais c'est de la démence ! Alex Savarell et moi étions condisciples ! Je vais contacter le British Museum.

– Fort bien, lui dit son interlocuteur, mais, de grâce, faites diligence. Le département des Antiquités est furieux. Retrouvez Henry Stratford. Mettez la main sur sa maîtresse, cette danseuse... Malenka. Stratford se cache quelque part au Caire, et il doit être plutôt désemparé, faites-moi confiance. En tout cas, arrêtez quelqu'un ! »

Ah, quel bazar étonnant ! Tout était à vendre ici – riches étoffes, parfums, épices, objets étranges et sonores couverts de chiffres romains; bijoux et poteries; denrées alimentaires. Elle n'avait pas d'argent pour acheter à manger ! Le premier boutiquier lui avait dit en anglais, mais avec des gestes de tout temps, que son argent n'était pas bon.

Elle continua de marcher. Elle écoutait les voix, saisissait des mots d'anglais, essayait de comprendre.

« Je ne paierai pas ce prix-là. C'est trop cher, cet homme est un voleur... »

« Allons boire un petit verre, il fait si chaud... »

« Oh, comme ils sont jolis, ces colliers... »

Rires, cris, grincements ! Elle avait déjà entendu ces bruits. Elle plaqua les mains sur ses oreilles et poursuivit son chemin en évitant les sons qui lui étaient le plus pénibles, mais en s'efforçant aussi d'en apprendre le plus possible sur ce monde nouveau.

Et, soudain, un tumulte monstrueux, inconcevable, l'ébranla; et elle releva la tête, les larmes aux yeux. Elle tituba et se rendit compte, malgré sa panique, que ceux qui l'entouraient ne semblaient nullement épouvantés ! Pour eux, rien n'avait changé !

Elle devait percer ce mystère et, bien que ses yeux fussent baignés de larmes, elle fit face.

Ce qu'elle contempla l'emplit d'un effroi aussi inqualifiable que soudain. Elle ne possédait pas de mots, dans aucune langue que ce fût, pour décrire une chose pareille. Immense et noir, cela se déplaçait sur des roues faites de métal, et le tout était surmonté d'une cheminée crachant une fumée noire. Ce bruit était si puissant qu'il étouffait tous les autres. De grands chariots de bois se succédaient, reliés les uns aux autres par d'énormes crochets de fer noir. La monstrueuse caravane cheminait sur une bande de métal posée à même le sol. Le bruit s'amplifia encore quand la chose passa devant elle et s'engouffra dans un tunnel béant où des centaines de personnes se pressaient comme pour mieux l'approcher.

Elle sanglota et regarda autour d'elle. Oh, pourquoi avait-elle abandonné sa cachette ? Pourquoi avait-elle désobéi à cet homme, Rutherford, qui se proposait de la protéger ? Lorsqu'elle crut qu'elle ne verrait jamais rien de pis que cette longue caravane de chariots noirs et bringuebalants, elle leva les yeux, une fois le dernier wagon entré dans le tunnel, et son regard se posa sur une grande statue de granit représentant le pharaon Ramsès, debout, les bras croisés, sceptres à la main !

Hébétée, elle contempla le colosse. Arrachée à la terre qu'elle avait connue, au pays qu'elle avait gouverné, cette chose avait ici un air grotesque, pathétique, abandonné.

Elle fit un écart en arrière. Un autre chariot démoniaque fonçait sur elle. Elle ferma les yeux, le monde s'évanouit autour d'elle.

Quand elle rouvrit les yeux, un jeune Anglais la portait dans ses bras et demandait aux curieux de s'écarter. Elle comprit qu'il prenait soin d'elle.

« Café, murmura-t-elle. Je voudrais un peu de sucre dans mon café. » Elle se rappelait les phrases de la machine qui parle que lui avait montrée le seigneur Rutherford. « Je voudrais une rondelle de citron. »

Son visage s'illumina. « Mais bien entendu, je vais aller vous chercher du café. Tenez, nous allons entrer dans cet établissement, c'est le café britannique ! »

Il la mit sur pied. Comme il était beau et musclé ! Et ses yeux, si bleus, presque comme ceux de...

Elle jeta un coup d'œil en arrière. Elle n'avait pas rêvé. La statue se dressait toujours par-delà les lignes de métal, les chariots se faisaient toujours entendre, quoique invisibles à présent.

Elle se sentait faible, il l'aida à marcher.

Elle écouta les mots qu'il lui adressait.

« Vous allez pouvoir vous reposer, c'est un endroit tranquille. Vous m'avez fait une de ces peurs, vous savez ! »

Le café. La voix dans le gramophone avait dit : « Nous nous retrouverons au café. » Un endroit pour boire du café, de toute évidence, pour se rencontrer, pour parler. Un lieu peuplé de femmes portant des robes et d'hommes vêtus comme le seigneur Rutherford et cette jeune créature aux bras si robustes.

Elle s'assit à une petite table de marbre. Des voix de tous côtés. « Franchement, je trouve que l'endroit est formidable, mais vous connaissez mère... » « Curieux, non ? On dit qu'ils avaient la nuque brisée » et encore « Oh, ce thé est glacé ! Appelez donc le garçon ! »

Elle vit l'homme assis à la table voisine tendre au serviteur des morceaux de papier colorés. Etait-ce cela, de l'argent ?

L'autre lui rendit des pièces.

Un plateau de café chaud avait été placé devant elle. Elle était si affamée qu'elle aurait bu tout d'un coup, mais savait qu'il convenait de le laisser servir. Le seigneur Rutherford le lui avait montré. C'est exactement ce que fit le jeune homme. Il avait un sourire vraiment délicieux. Comment lui dire sur-le-champ qu'elle voulait coucher avec lui ? Il leur faudrait trouver une petite auberge. Ce genre d'endroit devait bien exister.

Un peu plus loin, une femme parlait fort et vite :

« Je n'aime pas l'opéra, que voulez-vous ? Je n'irais pas si je me trouvais à New York. Mais, depuis que nous sommes au Caire, nous sommes tous censés aller à l'opéra et y prendre grand plaisir. C'est ridicule.

– Mais, ma chérie, c'est *Aïda* ! »

Aïda. « Céleste Aïda. » Elle se mit à fredonner cet air, puis à le chanter à voix basse – trop doucement pour que les autres consommateurs pussent l'entendre. Son compagnon, lui, l'entendait. Il lui sourit, positivement charmé. L'emmener au lit ne poserait aucun problème. Il fallait seulement trouver un lit. Bien sûr, elle pourrait le ramener à la petite maison, mais c'était trop loin d'ici. Elle cessa de chanter.

« Oh non, ne vous arrêtez pas, dit-il. Poursuivez, je vous en prie. »

Poursuivez, poursuivez. Attendre un petit instant et puis... Elle comprit tout.

Ramsès lui avait appris cela. Au début, chaque langue semble impénétrable. On la parle, on l'écoute, et, peu à peu, tout devient clair.

Ramsès. Ramsès, dont la statue se dressait au milieu des chariots de métal ! Elle tourna la tête pour voir par la fenêtre, mais celle-ci était recouverte d'un grand panneau de verre translucide, quoique couvert de poussière. Comment faisaient-ils pour créer pareils objets ? « Les temps modernes », c'était l'expression qu'avait employée le seigneur Rutherford. Des hommes capables de fabriquer des chariots aussi monstrueux pouvaient sans aucun mal élaborer de la pâte de verre transparente.

« Vous avez une voix charmante, absolument délicieuse. Vous rendrez-vous à l'opéra ? Tout le monde au Caire y va, semble-t-il. »

Non loin de là, une femme dit à son amie : « Le bal durera jusqu'à l'aube.

– C'est formidable, répondit l'autre femme. Nous sommes trop loin de toute civilisation pour nous plaindre. »

Le jeune homme se mit à rire.

« Ce bal est le grand événement de la saison. Il se tiendra à l'hôtel Shepheard's. » Il but un peu de café. C'était le signal qu'elle attendait. Elle vida sa tasse.

Il sourit. Il lui en versa encore un peu.

« Merci, dit-elle en imitant parfaitement la voix du disque.

– Oh, vous ne désiriez pas de sucre ?

– Je préférerais de la crème, si vous n'y voyez pas d'inconvénient.

– Bien sûr que non. »

Il versa un nuage de lait dans sa tasse. Etait-ce cela de la crème ? Oui, le seigneur Rutherford lui en avait donné dans la maison de l'esclave.

« Vous rendrez-vous au bal du Shepheard's ? Nous sommes descendus dans cet hôtel, mon oncle et moi-même. Mon oncle est dans les affaires. »

Il s'arrêta encore une fois de parler. Que regardait-il ainsi ? Ses yeux ? Ses cheveux ? Il était très joli, elle aimait la teinte fraîche de sa gorge et de son visage. Le seigneur Rutherford était un bel homme, certes, mais celui-ci avait la jeunesse en plus.

Elle tendit la main et effleura sa poitrine à travers la soie qui lui couvrait les doigts. Qu'il ne sente surtout pas mes os. Il avait l'air des plus surpris. Les doigts de la femme touchèrent la pointe de son sein et la pincèrent délicatement. Il en rougit comme une vestale. Le sang affluait à son visage. Elle sourit.

Il regarda autour de lui. Les deux femmes qui jacassaient semblaient n'avoir rien remarqué. « C'est tout simplement sensationnel !

– Cette robe du soir, elle m'a coûté une véritable fortune, vous savez ! Mais puisque tout le monde y va, eh bien, me suis-je dit, pourquoi... »

La créature se mit à rire. « L'opéra ! Ah, l'opéra...

– Oui », dit-il, quelque peu étonné par ce qu'elle venait de faire. Elle avait vidé tout le pot dans sa tasse et l'avait bu.

Elle engloutit ensuite le contenu du pot de lait. Elle prit le sucre et l'enfourna dans sa bouche. Elle n'aimait pas cela. Elle reposa le morceau, puis passa la main sous la table et lui pressa la jambe. Il était fin prêt ! Ah, ce pauvre garçon aux yeux si doux !

Elle se rappela le jour où Antoine et elle avaient fait venir de jeunes soldats sous leur tente et les avaient dévêtus avant de faire leur choix. Un jeu amusant. Jusqu'à ce que Ramsès fût mis au courant. De quoi ne l'accusait-il pas alors ? Mais sa vigueur amoureuse était si grande ! Comme il la désirait !

Elle se leva de table, lui fit signe de la suivre et franchit les portes.

Le tumulte au-dehors. Les chariots. Elle s'en moquait. Les gens ne paraissaient pas effrayés, il devait bien y avoir une raison. Tout ce qu'elle voulait à présent, c'était trouver un lieu propice. Il marchait derrière elle, il lui parlait.

« Viens, lui dit-elle en anglais. Viens avec moi. »

Une ruelle. Elle l'y entraîna. L'endroit était ombragé et plus calme. Elle se retourna pour l'enlacer. Il se pencha pour l'embrasser.

« Pas ici, tout de même, dit-il en riant. Mademoiselle, je ne crois pas...

– J'ai dit ici », murmura-t-elle tout en faufilant ses doigts sous ses vêtements. Sa peau était chaude, juste ce qu'il lui fallait. Chaude et odorante. Et il était prêt à l'honorer. Elle souleva le bord de sa jupe rose.

Cela se passa trop vite. Elle se contenta de frissonner quand il se répandit en elle, puis il recula et s'adossa au mur comme s'il était malade.

« Attends, on pourrait peut-être... » bredouilla-t-il.

Elle l'observa un instant. Aucun problème. Elle tendit les mains, lui enserra le cou et serra jusqu'à ce que sa nuque se brisât.

Son regard se perdait dans le vide, comme celui de la femme de ménage, de l'homme, de l'esclave. Il n'y avait rien dans leurs yeux. Rien. Puis le garçon glissa le long du mur, jambes écartées.

Elle revit la silhouette dressée au-dessus d'elle. Etait-ce un rêve ? « Lève-toi, Cléopâtre. Moi, Ramsès, je te l'ordonne ! »

Ah non ! Le seul fait de tenter de se souvenir réveillait en elle une douleur intolérable. Mais ce n'était pas une douleur physique, non, c'était une douleur de l'âme. Elle entendait pleurer des femmes qu'elle avait connues. Elles se lamentaient, elles prononçaient son nom. Cléopâtre. Puis quelqu'un lui couvrit la face d'une étoffe noire. Le serpent était-il toujours vivant ? Elle trouvait étrange que cette vipère dût lui survivre. Elle sentait encore ses crochets s'enfoncer dans son sein.

Elle émit un sourd gémissement en voyant le corps inerte du garçon. Quand tout cela s'était-il passé ? Où ? Qui avait-elle été ?

Absence totale de souvenirs. Revenons à ces fameux « temps modernes ».

Elle se pencha pour prendre l'argent qui dépassait de la poche du jeune homme. Il y avait de très nombreux billets dans un petit étui de cuir. D'autres choses, aussi. Une carte écrite en anglais et un petit portrait du jeune homme, remarquable de précision. Enfin, deux petits cartons sur lesquels elle reconnut les mots AÏDA et OPÉRA. Comme le « magazine », ils montraient une Egyptienne sur fond de pyramides.

Ils avaient sûrement de la valeur; en revanche, elle jeta le portrait du jeune homme. Elle rangea les billets de spectacle dans sa poche et se mit à chantonner : « Céleste Aïda », avant d'enjamber le cadavre et de regagner la rue bruyante.

N'aie pas peur. Fais comme eux. S'ils s'approchent de la voie de métal, fais de même.

Elle ne s'était pas plus tôt mise en route que l'un des chariots métalliques émit un terrible grincement. Elle se couvrit les oreilles, les larmes lui vinrent aux yeux et elle les ferma. Quand elle les rouvrit, ce fut pour découvrir un autre jeune homme.

« Je peux vous aider, ma petite dame ? Vous n'êtes pas perdue quand même ? Vous ne devriez pas vous balader dans la gare avec tout cet argent qui dépasse de votre poche.

– La gare...

– Vous n'avez pas de sac ?

– Non », dit-elle innocemment. Elle lui permit de la prendre par le bras. « Vous voulez m'aider ? » Elle se rappelait la phrase que son bienfaiteur lui avait si souvent répétée. « Je peux avoir confiance ?

– Oh, bien sûr ! » Il était sincère. Encore un jeune, et sa peau paraissait si douce !

Deux Arabes empruntèrent la porte de service du Shepheard's. L'un était un plus petit que l'autre, mais tous deux marchaient à grands pas.

« N'oubliez pas, dit Samir à voix basse, vous devez faire de grandes enjambées. Vous êtes un homme. Les hommes ne font pas de petits pas. Et balancez naturellement vos bras.

– Il y a longtemps que j'aurais dû apprendre ça », dit Julie.

La Grande Mosquée était emplie de fidèles, mais aussi de touristes accourus voir cette merveille et se repaître du spectacle des dévots prosternés. Julie et Samir se frayèrent un chemin parmi les nuées de touristes. En quelques minutes, ils repérèrent un Arabe de haute stature, qui portait une tunique ample et des lunettes noires.

Samir plaça une clef dans la main de Ramsès. Il lui confia une adresse, des indications. Ramsès le suivrait. Ce n'était pas très loin.

Ah, il lui plaisait bien, celui-là, qui se disait américain et parlait avec une voix étrange. Ils montèrent dans un « taxi » tiré par des chevaux, au milieu des « voitures automobiles ». Elle n'avait plus peur.

Avant leur départ de la « gare », elle avait constaté que les grands chariots de fer emportaient des gens. C'était, semblait-il, un moyen de transport tout à fait commun. Etrange, tout de même.

Celui-ci n'était pas aussi élégant que le seigneur Rutherford, loin de là, mais il parlait plus lentement et elle n'eut bientôt aucun mal à le comprendre; et puis, il montrait du doigt tout ce qu'il évoquait. Elle savait désormais reconnaître une automobile Ford, une Stutz Bearcat, un roadster. Cet homme vendait ce genre de chose en Amérique. Là-bas, même les pauvres pouvaient s'offrir des voitures.

Elle serrait contre elle le petit sac en toile qu'il lui avait acheté et qui contenait les billets de banque ainsi que les cartons sur lesquels était inscrit le mot OPÉRA.

« C'est ici que vivent les touristes, lui dit-il. Enfin, plus ou moins. Ce que je veux dire, c'est que c'est le secteur britannique....

– Anglais, dit-elle.

– Oui, mais c'est là que viennent les Américains et les Européens. Cette bâtisse, là, c'est là que descendent les touristes les plus riches, les Britanniques et les Américains. C'est le Shepheard's, l'hôtel numéro un, vous me comprenez ?

– Le Shepheard's ? L'hôtel numéro un ? » Elle eut un petit rire.

« C'est là que le grand bal aura lieu demain soir. J'y réside. Je n'aime pas beaucoup l'opéra, dit-il avec une grimace. Ça ne m'a jamais passionné, mais ici, voyez-vous, il semble que cela soit important. Alors...

– Important...

– Oui. Alors je me suis dit que je ferais mieux d'y aller, ainsi qu'au bal qui y fera suite, même s'il faut pour cela que je loue un habit à queue de pie. » Il y avait beaucoup de gaieté dans ses yeux. Il s'amusait beaucoup.

Et elle-même s'amusait beaucoup.

« *Aïda* se déroule dans l'Egypte ancienne.

– Oui, Radamès chante.

– Ah, vous connaissez ? Je suis sûr que vous êtes amateur d'opéra. » Brusquement, il plissa le front. « Vous vous sentez bien ? Vous trouverez sûrement la vieille ville plus romantique. Vous voulez boire quelque chose ? Qu'est-ce que vous diriez de faire un petit tour dans mon automobile ? Elle est garée juste derrière le Shepheard's.

– Une voiture automobile ?

– Oh, vous êtes en sécurité avec moi, ma petite dame, je suis bon conducteur. Tenez, est-ce que vous êtes déjà allée aux pyramides ? »

Py-ra-mides.

« Non, dit-elle. Aller dans votre automobile, formidable ! »

Il rit. Il lança un ordre au cocher, lequel fit aller son cheval à gauche. Ils firent le tour de l'hôtel Shepheard's, charmant bâtiment flanqué d'agréables jardins.

Il tendit la main pour l'aider à descendre du fiacre et faillit toucher la blessure qu'elle portait au flanc. Elle frissonna. Comment pouvait-on vivre avec une plaie aussi horrible ? C'était un mystère. Quoi qu'il se passât à présent, elle devait revenir avant la brune pour voir le seigneur Rutherford. Car ce dernier était allé parler à l'homme aux yeux bleus, celui qui pouvait tout expliquer.

Ils arrivèrent ensemble à la petite maison qui servirait de cachette. Julie laissa d'abord entrer Samir et Ramsès. Ils inspectèrent les trois pièces et négligèrent le jardin, puis il lui fit signe d'entrer à son tour. Ramsès verrouilla la porte.

Il y avait une petite table de bois, une bougie enfoncée dans le goulot d'une bouteille. Samir alluma la bougie. Ramsès tira deux chaises à dos plat, Julie fit de même avec la troisième.

L'endroit était assez confortable. Le soleil entrait par le jardin et la porte de derrière; il faisait chaud, mais cela n'avait rien d'insupportable. La senteur des épices orientales flottait dans l'air.

Julie se débarrassa de sa coiffe arabe et secoua ses cheveux.

« Je ne crois pas que tu aies tué cette femme », dit-elle de but en blanc à Ramsès.

Dans sa tunique d'homme du désert, il ressemblait à un cheik; son visage était à moitié plongé dans l'obscurité, mais ses yeux reflétaient la flamme de la bougie.

Samir prit place à la gauche de Julie.

« Je ne l'ai pas tuée, dit Ramsès. Mais je suis responsable de sa mort. Et j'ai besoin de votre aide, ainsi que de votre compréhension, de votre pardon. Le temps est venu pour moi de tout vous révéler.

– Sire, j'ai un message pour vous, dit Samir. Je dois vous le délivrer sur-le-champ.

– Quel message ? » demanda Julie. Pourquoi Samir ne lui avait-il rien dit ?

« Un message de la part des dieux, Samir ? Ils veulent que je leur rende des comptes ? Je n'ai pas de temps à accorder aux messages de moindre importance. Je dois vous dire ce qui est arrivé, ce que j'ai fait.

– Il émane du comte de Rutherford, sire. Il m'a abordé à l'hôtel. Il avait l'air d'un dément. Il m'a demandé de vous faire savoir qu'il s'occupait d'*elle*. »

Ramsès était visiblement désarçonné. Il jeta un regard assez noir à Samir.

Julie trouvait la situation insupportable.

Samir ôta quelque chose de sa tunique et le tendit à Ramsès. C'était un flacon de verre, semblable à ceux qu'elle avait vus parmi les pots d'albâtre de la collection.

Ramsès le regarda, mais il n'y toucha pas. Samir voulut parler, mais Ramsès lui fit signe de se taire. Son visage était marqué par une telle émotion qu'il en était méconnaissable.

« Dites-moi ce que cela signifie ! leur lança Julie.

– Il m'a suivi au musée », murmura Ramsès. Il contemplait le flacon vide.

« Mais de quoi parles-tu ? Que s'est-il passé au musée ?

– Sire, il prétend que le soleil lui a fait du bien. Le remède contenu dans le flacon lui a fait également du bien, mais il lui en faut davantage. Elle est très atteinte, dans son corps et dans son âme. Elle a déjà tué par trois fois. Elle est folle. Il la cache quelque part et veut vous rencontrer. Il m'a indiqué l'heure et l'endroit. »

Pendant un instant, Ramsès ne dit rien. Puis il se leva et se dirigea vers la porte.

« Non, arrête ! » cria Julie en se précipitant vers lui.

Samir s'était également levé.

« Sire, attendez, vous risquez d'être appréhendé. L'hôtel est surveillé. Attendez qu'il sorte et allez au rendez-vous. »

Ramsès était ébranlé. Il posa sur Julie des yeux ternes, à demi fermés, et reprit sa chaise.

Julie essuya ses larmes et s'assit également.

« Où et quand ? demanda Ramsès.

– Ce soir, à sept heures. Au Babylone. C'est une boîte de nuit française. Je connais l'endroit, je vous y emmènerai.

– Je ne pourrai pas attendre !

– Ramsès, dis-nous ce qui se passe. Comment pourrions-nous t'aider alors que nous ignorons tout ?

– Julie a raison, sire. Accordez-nous votre confiance. Permettez-nous de vous venir en aide. Si vous êtes repris par la police... »

Ramsès eut un geste de dégoût.

« J'ai besoin de vous et, quand vous saurez la vérité, peut-être vous perdrai-je. Mais qu'il en soit ainsi, car j'ai semé le trouble dans vos existences.

– Tu ne me perdras jamais », dit Julie, mais la terreur qu'elle éprouvait ne cessait de grandir.

Jusqu'à ces derniers instants, elle avait cru comprendre ce qui se passait. Il avait fait sortir du musée le corps de sa bien-aimée. Il avait voulu qu'elle fût ensevelie dignement. Mais maintenant, face au flacon et aux paroles étranges d'Elliott, elle envisageait des solutions plus terribles, les repoussait avec horreur, et les étudiait à nouveau.

« Mettez votre confiance en nous, sire, laissez-nous partager votre fardeau. »

Ramsès regarda Samir, puis Julie.

« Ah, ce péché, vous ne pourrez jamais le prendre sur vous, dit-il. Le corps exposé au musée. Cette femme inconnue...

– Oui, murmura Samir.

– Elle ne m'était pas inconnue, mes chers amis. Le spectre de Jules César la connaissait. Le spectre de Marc Antoine l'aurait serrée dans ses bras. Des millions de sujets ont jadis pleuré pour elle... »

Julie hocha la tête. A nouveau, les larmes coulaient sur ses joues.

« Et j'ai commis l'irréparable. J'ai emporté l'élixir au musée. Je ne me rendais pas compte à quel point son corps était ravagé, des fragments de chair en étaient arrachés. J'ai versé sur elle l'élixir ! Après deux mille ans, la vie s'est éveillée dans son corps délabré. Elle s'est levée ! Blessée, ensanglantée, elle s'est redressée ! Elle a marché. Elle a tendu la main vers moi. Elle a prononcé mon nom ! »

Ah, cette promenade en voiture automobile décapotable, c'était quand même meilleur que le premier vin, meilleur encore que de faire l'amour ! Le vent sifflait à ses oreilles et l'Américain haussait le ton pour se faire entendre tandis qu'il actionnait le «levier de commande de vitesses ».

Voir les maisons défiler à toute allure. Voir les Egyptiens se traîner avec leurs ânes et leurs chameaux et les laisser loin derrière.

Elle adorait cela. Elle contemplait le ciel et laissait le vent s'engouffrer dans ses cheveux tout en retenant d'une main son chapeau.

De temps à autre, elle observait le maniement de ce chariot étrange. Il fallait appuyer sur les « pédales », disait-il, tourner le volant, manipuler les «vitesses».

C'était ensorcelant ! Mais, soudain, retentit un hurlement suraigu qui lui glaça le sang. Ce cri sauvage, elle l'avait déjà entendu dans la « gare ». Elle se boucha les oreilles.

« N'ayez pas peur, ma petite madame, ce n'est qu'un train. Tenez, le voilà qui arrive ! » L'automobile fit halte.

Des barres de métal alignées dans le désert. Et cette énorme et sombre monstruosité qui jaillissait de la droite. Une cloche tinta. Elle eut vaguement conscience d'une lumière rouge qui clignote, pareille au faisceau d'une lanterne. Ne se débarrasserait-elle jamais de cette chose hideuse ?

Il l'enlaça.

« Tout va bien, ma petite madame. On va gentiment attendre qu'il passe. »

Il continua de parler, mais le vacarme assourdissant du monstre de métal étouffait ses paroles. Des roues terrifiantes écrasaient le sol. Mais le pire était cette longue procession de chariots de bois dans lesquels des êtres humains étaient assis, sur des planches, paisiblement, comme si c'était la chose la plus naturelle du monde.

Elle s'efforça de se ressaisir. Elle sentait ses mains chaudes sur elle, le parfum agréable qui s'élevait de sa peau. Elle vit passer les dernières voitures. Une cloche tinta, en haut d'un pylône un fanal s'alluma.

L'Américain joua des pédales, la voiture s'ébranla, et ils franchirent les voies métalliques pour rejoindre les sables du désert.

« J'habite à Hannibal, dans le Missouri, eh bien, là-bas, la plupart des gens ne savent pas de quoi l'on parle quand on leur dit qu'on va en Egypte. Moi, j'ai dit à mon père, je fiche le camp, je prends tout l'argent que j'ai gagné et je m'installe là-bas... »

Elle retint son souffle. A nouveau elle découvrait le plaisir. Et, tout à coup, surgirent à l'horizon les pyramides de Guizeh et la silhouette massive du Sphinx !

Elle poussa un petit cri. C'était l'Egypte. Elle se trouvait dans l'Egypte des « temps modernes », certes, mais c'était toujours l'Egypte.

Une paisible tristesse s'empara d'elle. Les tombeaux de ses ancêtres, et là, le sphinx qu'elle était allée visiter, jeune fille, afin de prier dans le temple édifié entre ses pattes...

« Ça c'est un spectacle, hein ? Moi, je vous le dis, si les habitants de Hannibal, dans le Missouri, ne sont pas capables d'apprécier ça, eh bien tant pis pour eux !

– Tant pis pour eux ! » répéta-t-elle en riant.

Ils s'approchèrent et découvrirent la foule des visiteurs. Toute une étendue de désert recouverte de calèches et de voitures automobiles. Des femmes en robe légère, vêtues comme elle. Des hommes en chapeaux de paille, comme l'Américain. Et de nombreux Arabes suivis de leurs chameaux, les bras chargés de colliers de pacotille. Elle sourit.

En son temps, ils vendaient déjà des bijoux fantaisie aux soldats romains. Ils les faisaient payer pour une promenade en chameau. Rien n'avait changé !

Elle eut le souffle coupé par le grand tombeau du roi Chéops qui se dressait devant elle. Elle était venue ici, petite fille, et avait admiré cette monstrueuse structure faite de carrés de pierre. Plus tard, elle était revenue avec Ramsès, seuls dans la nuit, vêtus de tuniques noires comme les paysans.

Ramsès ! Non, c'était là un souvenir épouvantable qu'elle ne voulait plus évoquer. Elle s'était avancée vers lui, et lui l'avait évitée.

L'automobile américaine s'arrêta brusquement.

« Allez, petite madame, venez admirer ça : la septième merveille du monde. »

Elle sourit à l'Américain au visage un peu poupin. Il se montrait si gentil avec elle.

« Oooh ! Formidable ! » dit-elle. Elle bondit hors de son siège avant même qu'il pût lui tendre la main.

Le corps de Cléopâtre était tout près de celui du jeune homme. Il plissa le nez et lui sourit. Sa bouche était jeune et pulpeuse. Elle l'embrassa en se mettant sur la pointe des pieds. Hmm, comme il était jeune et doux, tout comme l'autre. Et si étonné !

« Eh bien, vous êtes dynamique, vous », lui dit-il à l'oreille. Il ne savait trop que faire. Bah, elle saurait bien le guider. Elle le prit par la main et ils se dirigèrent vers les pyramides.

« Ah, regardez ! s'écria-t-elle en désignant un petit palais.

– C'est le Mena House, dit-il. Ce n'est pas un mauvais hôtel, même s'il n'arrive pas à la cheville du Shepheard's. On pourra y manger un morceau tout à l'heure si cela vous dit. »

« J'ai tenté de leur échapper, dit Ramsès. Cela me fut impossible. Ils étaient trop nombreux. Ils m'ont mis en prison. Il me fallait du temps pour guérir. Il a dû s'écouler une demi-heure avant que je ne parvinsse à m'enfuir. »

Silence.

Julic avait dissimulé son visage dans son mouchoir.

« Sire, dit doucement Samir, vous saviez que cet élixir était capable de cela ?

– Oui, Samir, je le savais, mais je ne l'avais jamais essayé par moi-même.

– C'est tout à fait humain, sire.

– Ah, Samir, j'ai commis tellement d'erreurs au cours des siècles. Je connaissais les dangers de cette substance. Et vous aussi devez les connaître. Vous devez apprendre la vérité avant de décider de m'aider. Cette créature, cette démente que j'ai ramenée à la vie... elle ne peut être détruite.

– Il doit pourtant exister un moyen, dit Samir.

– Non, je l'ai constaté par moi-même. Vos ouvrages de biologie ont confirmé mon jugement. Une fois qu'elles ont été saturées d'élixir, les cellules du corps se renouvellent constamment. Plantes, animaux, êtres humains... cela revient au même.

– Pas de vieillissement, pas de détérioration », murmura Julie. Elle s'était apaisée.

« Exactement. Une seule coupe de ce breuvage m'a rendu immortel. L'équivalent du contenu d'un flacon, oui. Je serai éternellement dans la fleur de l'âge. Je n'ai pas besoin de nourriture, bien que j'aie sans cesse faim. Je n'ai pas besoin de dormir, même si j'aime cela. Et j'ai perpétuellement le désir... de faire l'amour.

– Mais cette femme... elle n'a pas reçu une dose entière.

– Non, et de surcroît, elle était altérée ! C'est en cela que j'ai été fou ! Son corps n'était pas intact ! Mais qu'importe, il est désormais pratiquement impossible de la contrecarrer. J'ai compris cela quand elle s'est avancée vers moi.

– Tu ne penses pas en termes de science moderne », dit Julie. Elle essuya ses larmes. « Il doit exister un moyen de mettre un terme au processus.

– En revanche, si elle devait recevoir une mesure complète – davantage d'élixir, comme le dit le comte...

– C'est de la folie, l'interrompit Julie. Nous n'avons pas le droit d'envisager cette solution, cela ne ferait que la rendre plus forte !

– Ecoutez-moi, dit Ramsès, écoutez ce que j'ai à vous dire.

Cléopâtre n'est qu'un élément de cette tragédie. Le comte est au courant du secret, j'en suis certain. C'est l'élixir lui-même qui est dangereux, plus encore que vous ne pouvez l'imaginer.

– Les hommes vont le convoiter, dit Julie, et ils feront n'importe quoi pour se l'approprier. Mais je pense que l'on peut faire réfléchir Elliot. Henry, quant à lui, n'est qu'un imbécile.

– Ce n'est pas tout. Nous parlons d'un composé chimique qui modifie toute substance vivante par laquelle il est absorbé. » Ramsès attendit un moment et en profita pour les observer. « Il y a plusieurs siècles de cela, alors que j'étais encore Ramsès, souverain de cette nation, j'ai rêvé que cet élixir m'aiderait à nourrir et à abreuver mon peuple en abondance. Nous ne connaîtrions plus la famine. Le blé repousserait instantanément après chaque moisson. Les arbres seraient à tout jamais lourds de fruits. Savez-vous ce qui s'est passé ? »

Ils le regardaient en silence, fascinés.

« Mon peuple n'a pu digérer cette nourriture immortelle. Elle restait telle quelle dans leurs intestins. Les hommes périrent dans des souffrances horribles comme s'ils avaient avalé du sable.

– Mon Dieu, murmura Julie. Mais c'est parfaitement logique !

– Et lorsque j'ai voulu incendier les champs et mettre à mort les poules et les vaches immortelles, j'ai vu le blé noirci renaître aux premiers rayons du soleil. J'ai vu des carcasses carbonisées et décapitées chercher à se relever. Il a fallu tout lester et l'envoyer au fond du fleuve ou de la mer. Tout y est certainement encore intact aujourd'hui. »

Samir frissonna.

Julie regardait Ramsès droit dans les yeux. « Tu veux dire que... si ce secret tombait en de mauvaises mains, des régions entières de la terre pourraient accéder à l'immortalité.

– Des peuples entiers, ajouta sobrement Ramsès.

– Le rythme même de la vie serait mis en péril, dit Samir.

– Ce secret doit être anéanti ! s'exclama Julie. Si tu détiens cet élixir, détruis-le ! Tout de suite !

– Et comment m'y prendrais-je, ma chère ? Si je jette la poudre aux quatre vents, ses infimes particules retomberont sur le sol, la pluie les fera fondre et les entraînera vers les racines des arbres, rendant ceux-ci immortels. Si je verse le liquide dans le sable, il y stagnera jusqu'à ce que les chameaux viennent s'abreuver. Si je le verse dans la mer, ce sera pour donner naissance à des poissons, des serpents et des crocodiles immortels !

– Arrête, je t'en prie, murmura-t-elle.

– Sire, ne pouvez-vous l'absorber sans vous faire de mal ? demanda Samir.

– Ne fais pas ça ! »

Il lui adressa un sourire chargé de tristesse.

« Tu t'intéresses encore à ce qu'il peut advenir de moi, Julie Stratford ?

– Oui, je m'y intéresse. Tu n'es qu'un homme, mais ton secret est celui d'un dieu.

– C'est vrai, Julie, dit-il en se tapant le front. C'est ici que réside mon secret. Je sais fabriquer cet élixir. Le sort des quelques flacons que je détiens encore n'a pas vraiment d'importance, car je peux toujours en produire davantage. »

Ils échangèrent des regards lourds de sens. L'horreur de la situation était incommensurable.

« Vous comprenez à présent pourquoi, mille années durant, je n'ai partagé cet élixir avec personne. J'en connaissais le danger. Et puis, avec la faiblesse d'un mortel, comme vous diriez, je suis tombé amoureux. »

Les yeux de Julie s'emplirent encore une fois de larmes. Samir attendit patiemment.

« Oui, je sais, soupira Ramsès. J'ai été insensé. Il y a deux mille ans, j'ai vu mon amour périr plutôt que de donner un peu d'élixir à son amant – Marc Antoine, cet homme dissolu qui m'aurait poursuivi jusqu'aux confins du monde pour s'approprier mon secret ! Pouvez-vous imaginer ces deux maîtres immortels ? " Que ne créons-nous une armée indestructible ? " me demandait-elle après avoir succombé à son influence corruptrice. Elle était devenue son jouet. Et voici qu'aujourd'hui, en cette époque de merveilles étonnantes, je la ramène à la vie ! »

Julie était effondrée. Elle ne cherchait même plus à sécher les larmes qui coulaient sur son visage. Elle tendit la main pour effleurer celle de Ramsès.

« Ce n'est plus Cléopâtre, ne le vois-tu pas ? Tu as commis une terrible erreur, c'est vrai, et nous essaierons de t'aider, mais ce n'est pas Cléopâtre ! C'est impossible !

– Julie, je ne me suis pas trompé sur ce point ! Elle me connaissait, ne comprends-tu pas ? Elle m'a appelé par mon nom ! »

Cléopâtre et l'Américain se trouvaient dans un couloir très sombre creusé au flanc de la pyramide.

Fébrilement, elle l'enlaça et glissa ses doigts gantés sous sa chemise avant de jouer avec ses tétons si tendres. Sa langue dardait hors de sa bouche comme un serpent.

Il était désormais son esclave. Elle dégagea sa poitrine virile et plongea la main derrière sa ceinture de cuir, vers la base de son sexe.

Il gémit contre elle. Elle le sentit retrousser sa jupe. Puis, brusquement, sa main s'arrêta. Son corps se cabra. Il avait remarqué sa jambe nue, son pied.

Il avait vu l'os sanglant qui saillait de sa jambe, les tendons osseux de son pied.

« Mon Dieu ! dit-il en reculant. Quelle... »

Elle poussa un grognement de rage. « Détourne ton regard ! cria-t-elle en latin. Comment oses-tu ? »

Elle lui saisit la tête à deux mains et la lui cogna contre la paroi. « Tu mourras pour cela ! » cracha-t-elle. Un mouvement du poignet. Sa nuque se brisa. Comme les autres.

Elle se tourna vers l'ouverture du tunnel, vers les sables ocre sur lesquels jouaient les lumières du Mena House. Une musique très douce s'échappait des fenêtres de l'hôtel.

Quelques étoiles brillaient déjà dans le ciel azuré. Elle se sentit en paix. Comme ce serait bon que de marcher, seule, dans le désert...

Mais le seigneur Rutherford. Le remède. Il faisait presque nuit !

Elle se pencha et prit l'argent de l'Américain. Elle pensa à sa belle automobile de couleur jaune. Elle la ramènerait rapidement là d'où elle était venue. Et elle n'appartenait qu'à elle seule à présent !

Elle éclata de rire à cette idée. Elle dévala le flanc de la pyramide et courut jusqu'à la voiture.

C'était très simple. D'abord enfoncer le bouton du démarreur. Puis appuyer sur l'« accélérateur ». Le moteur poussa un rugissement. Ensuite, manœuvrer le levier tout en enfonçant l'autre pédale. Miracle des miracles, la voiture s'élança, et elle donna un brusque coup de volant.

Elle effectua un large cercle devant le Mena House. Quelques Arabes terrifiés fuirent à son approche. Elle écrasa l'« avertisseur sonore » et terrorisa les chameaux.

Jouant avec le levier de vitesses ainsi qu'elle l'avait vu faire, elle fonçait vers les lumières du Caire en chantant à tue-tête : « Céleste Aïda ».

« Tu nous as demandé de t'aider, dit Julie. Tu nous as prié de te pardonner. Maintenant je veux que tu m'écoutes.

– Je vais t'écouter, Julie, dit Ramsès d'une voix brisée. Mais c'était elle... j'en ai la certitude.

– C'était son corps, oui. Mais qui est l'être qui vit maintenant ? Il n'a plus rien de la femme que tu as aimée. Cette femme, quelle qu'elle soit, n'a nullement conscience de ce qui advient à son corps !

– Mais Julie, elle m'a reconnu !

– Ramsès, le cerveau de ce corps te connaissait. Mais pense à toutes les implications. Elles sont tout, Ramsès. Notre intelligence – notre âme, si tu préfères – ne réside pas dans la chair, elle n'y sommeille pas pendant des siècles tandis que notre corps se corrompt. Soit elle s'envole vers un monde supérieur, soit elle cesse d'exister. La Cléopâtre que tu as aimée a cessé d'exister le jour où son corps est mort. »

Il la scrutait du regard comme pour tenter de mieux la comprendre.

« Sire, il y a de la sagesse dans ses propos », dit Samir. Mais lui aussi était perplexe. « Le comte dit qu'elle sait qui elle est.

– Elle sait ce qu'elle est censée être, rectifia Julie. Les cellules ! Elles sont toujours là, revitalisées, et peut-être quelque souvenir y est-il enfermé. Mais cette créature est un double monstrueux de ton amour défunt.

– C'est peut-être vrai, murmura Samir. Si vous faites ce que suggère le comte, si vous lui donnez cet élixir, vous allez peut-être donner la vie à... à un démon.

– Je ne comprends rien à tous vos raisonnements ! avoua Ramsès. C'est Cléopâtre ! »

Julie secoua la tête. « Ramsès, mon père est mort depuis deux mois à peine. On n'a pas pratiqué d'autopsie. Il n'a pas été embaumé, si ce n'est par le soleil et le sable d'Egypte. Il repose, intact, dans une crypte de ce pays. Crois-tu que j'utiliserais cet élixir, si je pouvais en disposer, pour le rappeler d'entre les morts ? »

Samir bredouilla quelque chose.

« Non ! lança Julie. Car ce ne serait plus mon père. Le lien s'est rompu à tout jamais. Un double de mon père se lèverait. Un double qui saurait peut-être ce que mon père savait, mais qui ne serait pas mon père. Ce que tu as ramené à la vie, c'est un double de Cléopâtre ! Ton amour défunt n'est pas revenu ! »

Ramsès était silencieux. Il paraissait profondément ébranlé par les dernières paroles de Julie. Il se tourna vers Samir.

« Sire, quelle religion nous dit que l'âme s'attarde dans la chair en putréfaction ? Pas celle de nos ancêtres, en tout cas.

– Toi, mon amour, tu es vraiment immortel, dit Julie. Mais Cléopâtre est décédée il y a vingt siècles et elle est toujours morte. La créature que tu as ressuscitée doit être détruite. »

CHAPITRE CINQ

« Non, Miles, je suis désolé. Mon père n'est pas ici. Oui, je vous le promets. Immédiatement. » Alex reposa le combiné du téléphone. Elliott l'observait, assis au bureau qui occupait un coin de la chambre.

« Merci, Alex. Le mensonge est un talent social plutôt sous-estimé, de nos jours. Un penseur devrait se pencher sur ce problème et sur tous les principes charitables qui justifient le mensonge.

– Père, je ne vous laisserai pas sortir seul. »

Elliott se retourna afin de se remettre au travail. Un bain et un peu de repos lui avaient fait le plus grand bien, même s'il n'avait pas vraiment réussi à dormir. Il avait eu une heure de tranquillité pour réfléchir à ce qu'il allait faire. Et il avait pris sa décision, bien qu'il n'eût que peu d'espoir. L'élixir valait malgré tout qu'on tentât le coup. Si Samir avait pu joindre Ramsès, naturellement.

Il ferma la dernière des trois enveloppes et s'adressa à nouveau à son fils.

« Tu feras exactement ce que je t'ai dit, dit-il d'une voix assurée. Si je ne suis pas de retour demain midi, mets ces lettres à la poste. Elles sont pour ta mère et pour Randolph. Et quitte Le Caire dès que possible. Maintenant donne-moi ma canne. J'ai également besoin de ma cape, il fait diablement frais dans cette ville une fois la nuit tombée. »

Walter alla chercher la canne et la cape.

« Père, le supplia Alex, pour l'amour du...

– Au revoir, Alex. Souviens-toi que Julie a besoin de toi. »

« Sire, il est plus de six heures, dit Samir. Je dois vous

montrer comment vous rendre à cette taverne.

– Je trouverai seul mon chemin, répondit Ramsès. Vous deux, regagnez l'hôtel. Je dois réfléchir.

– Non, dit Julie, je vais avec toi.

– Impossible, c'est trop dangereux. Et puis, c'est une épreuve que je dois affronter seul.

– Julie, nous devons rentrer, dit Samir, avant qu'on ne nous recherche. »

Ramsès se leva lentement. Il se détourna de la lueur vacillante de la bougie, seule source de lumière de cette pièce. Il leva les mains comme en un geste de prière.

« Julie, dit-il en soupirant, si tu repartais en Angleterre, tu retrouverais la vie qui est la tienne.

– Oh, Ramsès, comme tu me fais souffrir ! dit-elle. Tu l'aimes donc, Ramsès ? Tu aimes cette créature que tu as tirée du tombeau ? »

Ses paroles avaient dépassé sa pensée. Elle se détourna, un peu honteuse.

« Je sais que je t'aime, Julie Stratford, murmura-t-il. Je t'ai aimée dès l'instant où je t'ai vue. Et je désire ton amour en cet instant.

– Alors ne parle pas de me quitter, dit-elle d'une voix brisée. Ramsès, ma vie est terminée si je ne dois plus jamais te revoir après ce soir.

– Sur mon honneur, tu me reverras. »

Il la prit dans ses bras.

« Mon amour, mon courageux amour, murmura-t-il en la caressant. J'ai besoin de toi – de vous deux –, plus que je ne pourrais le dire.

– Puissent les dieux vous accompagner, sire, dit Samir. Nous compterons les minutes en attendant de vos nouvelles. »

Seule une lampe blafarde brûlait dans le bureau de Winthrop. Il était ébranlé par le rapport posé sur sa table de travail. Un jeune fonctionnaire attendait des ordres.

« Il avait la nuque brisée, me dites-vous ?

– Oui, comme la femme de ménage du musée. Et tout son argent avait disparu. On a retrouvé son passeport dans la boue.

– Renforcez la surveillance au Shepheard's, dit Winthrop. Et faites venir immédiatement le comte de Rutherford. Nous savons qu'il est à l'hôtel, quoi que puisse affirmer son fils. »

Elliott franchit la porte de service de l'hôtel. Il marchait rapidement, la jambe gauche raidie pour ne pas trop faire souffrir son genou. Il traversa le parking plongé dans la pénombre et se dirigea vers le vieux Caire. Lorsqu'il fut à deux rues du Shepheard's, il héla un fiacre en maraude.

Julie regagna sa suite et referma la porte. La tunique arabe était pliée sous son bras. Elle l'avait ôtée en voiture et, maintenant, elle la dissimulait derrière sa malle, tout au fond de la garde-robe.

Elle prit une petite valise. De quoi avait-elle besoin au juste ? Cela n'avait pas d'importance. Seule la liberté lui importait, la liberté aux côtés de Ramsès.

Mais que se passerait-il si elle ne revoyait jamais l'homme qui avait gommé toute sa vie passée ? A quoi lui servait-il de faire sa valise tant qu'elle ignorait le sort qui lui était réservé ?

Elle s'allongea sur le lit. Elle pleurait quand Rita entra dans la chambre.

Le Babylone. Elliott entendait le fracas des tambourins et des cymbales depuis la petite ruelle mal pavée. Quelle ironie qu'en cet instant précis il pensât avec tant d'acuité à Lawrence, son cher Lawrence !

Mais c'est un tout autre bruit qui le fit se retourner. Quelqu'un avait sauté du haut d'une terrasse.

« Ne vous arrêtez pas », lui dit un Arabe de haute stature. C'était Ramsey ! « Il y a un café au coin de cette rue. Nous nous y retrouverons, l'endroit est plus tranquille. Entrez le premier, je vous y rejoindrai. »

Elliott éprouvait un immense soulagement. Il s'empressa de lui obéir. Quoi qu'il advînt, il n'était plus seul à vivre ce cauchemar. Ramsey saurait quoi faire. Il entra dans le petit café.

Lourdes tapisseries aux murs, lampes à huile, tables de bois, lot habituel d'Européens à l'air louche.

Un grand Arabe aux yeux bleus était installé le dos au mur. Ramsey ! Il avait dû entrer par-derrière.

Plusieurs clients toisèrent Elliott avec arrogance, mais il

s'en moquait bien.

Il s'installa sur la droite de Ramsey. Ce dernier avait un verre à la main. Sur la table étaient posés une bouteille sans étiquette et un autre verre.

« Où est-elle ? demanda Ramsey.

– Je n'ai pas l'intention de vous le dire.

– Comment ? A quoi jouez-vous avec moi ? »

Elliott resta un instant silencieux. Il réfléchit une dernière fois à la décision qu'il avait prise. Elle en valait le coup. Il se racla la gorge.

« Vous savez ce que je veux, dit-il à Ramsey. Vous le savez depuis le début. Je n'ai pas fait le voyage d'Egypte pour veiller sur la chasteté de ma future belle-fille. C'est absurde.

– Je croyais que vous étiez un homme honorable.

– J'en suis un, même si, aujourd'hui, j'ai assisté à des choses particulièrement écœurantes.

– Vous n'auriez jamais dû me suivre au musée. »

Elliott hocha la tête. Il prit la bouteille, en ôta le bouchon et sentit. C'était du whisky. Il en versa dans son verre.

« Je sais bien que je n'aurais pas dû faire cela, dit-il. C'était une folie de jeune homme. Et peut-être serais-je jeune à nouveau... et pour toujours. »

Il observa Ramsey. Il y avait réellement quelque chose de majestueux chez cet homme en ample tunique blanche. On eût dit un personnage de la Bible. Ses yeux bleus étaient cependant bordés de rouge. Il était las et il souffrait, ce n'était que trop évident.

« Je veux cet élixir, dit posément Elliott. Quand vous me l'aurez donné, quand je l'aurai bu, je vous dirai où elle se cache. Et elle passera sous votre responsabilité. Et croyez-moi, je ne vous envie pas. J'ai pourtant fait tout ce que j'ai pu.

– Dans quel état se trouve-t-elle ? Je veux des précisions.

– Elle est soignée, mais pas assez. Elle est belle et dangereuse. Elle a tué Henry, ainsi que sa maîtresse égyptienne, Malenka. »

Ramsey ne dit rien pendant un instant, puis :

« Eh bien, le jeune Stratford a eu ce qu'il méritait, pour citer votre expression moderne. Il a assassiné son oncle. Il a essayé de tuer sa cousine. J'ai quitté mon cercueil pour l'en empêcher. Il n'a pas menti lorsqu'il vous a dit que j'ai voulu l'étrangler. »

Elliott soupira.

« Je savais... pour Lawrence. Mais pour Julie, je n'aurais jamais pensé...

– Avec mes poisons, oui.

– J'aimais Lawrence Stratford, murmura Elliott. Il a été... mon amant, jadis, et il est toujours resté mon ami. »

Ramsès inclina respectueusement la tête.

« Ces morts... elles lui ont été faciles ? Comment cela s'est-il produit ?

– Elle est dotée d'une force extraordinaire. Je ne suis pas certain qu'elle comprenne totalement ce qu'est la mort. Elle a tué Henry parce qu'il la menaçait de son arme. Malenka, parce que la fille était terrorisée et s'était mise à hurler. Elle leur a brisé la nuque. Comme pour la femme de ménage du musée.

– Elle parle ?

– Très bien. Elle s'est littéralement imprégnée de l'anglais. Elle m'a dit qui elle était. Mais il y a en elle quelque chose de dramatique. Elle ne sait pas vraiment qui elle est ni où elle se trouve. Et elle souffre. Physiquement, à cause des plaies béantes qu'elle porte et des os qui saillent hors de sa peau. Moralement aussi. » Elliott but un peu de whisky. « Son corps est altéré, et je pense qu'il en va de même avec son cerveau.

– Vous devez me l'amener immédiatement !

– Je lui ai donné ce qui restait dans le flacon, celui que vous avez oublié au musée. J'ai appliqué l'élixir sur son visage et ses mains. Mais il m'en faut davantage.

– Vous l'avez vu faire effet ? Il a réduit ses blessures ?

– Oui, mais le soleil lui avait déjà fait énormément de bien. » Elliott fit une pause. Il scruta le visage impassible de Ramsès, les yeux bleus qui le fixaient. « Mais vous savez déjà tout cela !

– Vous vous trompez. »

Machinalement, Ramsès leva son verre et but.

« Un quart de flacon, voilà tout ce qu'il y avait, dit Elliott. Est-ce que cela m'aurait suffi si je l'avais bu au lieu de le lui donner ?

– Je l'ignore. »

Elliott eut un sourire amer.

« Je ne suis pas un savant. Je ne suis qu'un roi.

– Voici la proposition que je vous fais, votre altesse. Vous me donnez l'élixir. Et en quantité suffisante pour venir à bout de tous vos doutes. Alors je vous amènerai Cléopâtre, reine d'Egypte, et vous en ferez ce que vous voudrez.

– Que feriez-vous si je vous menaçais ? Je pourrais vous tuer pour ne pas m'avoir dit où elle est.

– Tuez-moi. Sans l'élixir, je mourrai de toute façon. Ce sont les deux seules choses auxquelles je pense désormais : la mort et l'élixir. Et je ne suis plus trop sûr de pouvoir faire la distinction entre les deux. » Encore un peu de whisky qu'il but en faisant la grimace. « Ecoutez, je vais être franc avec vous. Ce que j'ai vu aujourd'hui me fait horreur, mais je veux cette potion. Tout le reste s'efface devant ce désir.

– C'est étrange, je me souviens de tout, et pas elle. Elle a choisi la mort. Pour être avec son bien-aimé, Marc Antoine, bien que je lui eusse offert l'immortalité. Elle a fait son choix.

– Elle ne savait pas vraiment ce qu'était la mort. »

Ramsès sourit.

« Quoi qu'il en soit, elle n'a pas de souvenirs. Et si elle en a, elle s'en moque bien. Elle est vivante, elle souffre, elle se débat avec ses blessures, ses appétits... » Il s'arrêta.

Ramsès se pencha vers Elliott. « Où est-elle ?

– Donnez-moi ce que je demande et je vous aiderai avec elle. Je ferai tout ce qui est en mon possible. Nous ne serons pas ennemis, vous et moi. Car nous ne le sommes pas maintenant, n'est-ce pas ?

– Non, nous ne sommes pas ennemis. » Sa voix était douce, mais ses yeux pleins de fureur. « Mais je ne peux vous donner cet élixir. C'est bien trop dangereux. Vous ne pouvez pas comprendre.

– Vous l'avez pourtant rappelée d'entre les morts ! s'emporta Elliott. Et vous le donneriez à Julie Stratford, n'est-ce pas ? Ainsi qu'à votre dévoué Samir ! »

Ramsès ne répliqua pas. Il était appuyé contre le mur, le regard perdu dans le lointain.

Elliott se leva.

« Je serai au Shepheard's. Quand vous aurez fabriqué votre élixir, appelez-moi là-bas, mais soyez prudent. Nous nous donnerons rendez-vous. »

Il prit sa canne et se dirigea vers la porte. Il ne se retourna pas, car il était rouge de honte. Une fois dans la rue, il tendit l'oreille, plein de crainte et d'appréhension. Mais il ne perçut rien. Il poursuivit son chemin.

Elle ne s'était pas encore décidée : devait-elle tuer ou non cet oiseau braillard ? Pour l'instant, il se tenait tranquille sur son perchoir. Il avait un plumage soyeux. S'il ne se mettait pas à crier, il vivrait.

Le corps de la danseuse sentait déjà, bien qu'elle l'eût tiré dans un coin du jardin et recouvert d'un morceau d'étoffe.

Même dans la cuisine, elle sentait cette odeur puissante, mais cela ne l'avait pas empêchée de manger tout ce qu'elle avait trouvé, quelques citrons et une boule de pain rassis.

Elle s'était ensuite changée et avait passé une grande robe blanche qui donnait à sa peau un joli teint doré et, surtout, dissimulait mieux ses pieds.

Elle avait mal, aux jambes et dans le côté. Si le seigneur Rutherford tardait encore, elle ressortirait. Bien qu'elle ne sût absolument pas comment le retrouver. Elle avait déjà eu beaucoup de mal pour regagner la maison. La chance avait joué en sa faveur.

Soudain on frappa à la porte.

« Votre nom ? dit-elle en anglais.

– Elliott, Lord Rutherford. Ouvrez-moi. »

Elle s'exécuta aussitôt.

« Je vous ai attendu longtemps, seigneur Rutherford. Vous m'avez rapporté l'élixir ? Vous savez où est l'homme aux yeux bleus ? »

Lord Rutherford fut étonné par son aisance à parler anglais. Elle haussa les épaules en refermant la porte. « Votre langue ne me pose pas de problèmes, dit-elle. Dans les rues de la ville, aujourd'hui, j'ai entendu parler de nombreuses langues et j'ai appris beaucoup de choses. C'est le passé qui est mystérieux, ce monde que je ne me rappelle pas ! » Elle se sentit brusquement furieuse. Pourquoi la regardait-il ainsi ? « Où est Ramsès ? » demanda-t-elle. Elle était sûre que c'était là le nom de l'homme aux yeux bleus.

« Je lui ai parlé. Je lui ai dit ce dont j'avais besoin.

– Oui, seigneur Rutherford. » Elle s'approcha de lui et il recula. « Vous avez peur de moi ?

– Je ne sais pas. Je veux vous protéger.

– Ah ! Et Ramsès aux yeux bleus, pourquoi ne vient-il pas ? » Quelque chose de déplaisant, de très déplaisant. Une vague image de Ramsès qui cherche à l'éviter. De Ramsès à plusieurs mètres d'elle alors qu'elle crie son nom. Quelque chose qui avait rapport au venin du serpent et... elle hurlait, mais il n'y avait personne pour l'entendre ! Ils ont recouvert son visage d'un voile noir. Elle se détourna d'Elliott.

« Ce serait plus facile si je ne me souvenais de rien, murmura-t-elle. Mais je revois le passé, et puis je ne le revois plus. » Elle lui tourna le dos.

« Vous devez faire preuve de patience, dit Lord Rutherford. Il viendra.

– De la patience ! Je ne veux pas être patiente. Je veux le trouver. Dites-moi où il est. J'irai jusqu'à lui.

– C'est impossible !

– Non ! »

Sa voix s'était changée en un glapissement. Elle vit la peur dans ses yeux, elle vit... quoi ? Il n'était pas horrifié comme les autres. Il y avait autre chose dans son regard. « Dites-moi où je peux le trouver ! » Elle le poussa contre le mur. « Je vais vous dire un secret, seigneur Rutherford. Vous êtes faibles, tous tant que vous êtes, et j'aime vous tuer ! Cela apaise mes souffrances de vous voir mourir ! »

Elle le saisit à la gorge. Elle l'obligerait à parler et le tuerait s'il n'en faisait rien. Mais, soudain, des mains puissantes s'abattirent sur elle et la repoussèrent. Elle poussa un cri rauque, et c'est alors qu'elle découvrit, à côté d'elle, l'homme aux yeux bleus. Qui était-ce ? Elle le savait, mais la vérité lui échappait. « Ramsès ! » Oui, c'était Ramsès, ce personnage au regard si bleu !

« Allez-vous-en ! cria-t-il à Rutherford. Partez d'ici ! »

La nuque de Ramsès était dure comme du marbre, elle ne pouvait en briser les os. Mais lui non plus ne parvenait pas à la retenir. Vaguement, elle se rendit compte qu'Elliott, celui qu'elle appelait le seigneur Rutherford, avait quitté la maison en faisant claquer la porte. Elle était seule à lutter contre celui qui, à une autre époque, s'était détourné d'elle. Ramsès, qui lui avait fait tant de mal. Peu importait qu'elle ne se souvînt pas de tout. C'était comme pour son nom. Elle *savait*, et c'était là le principal !

« Sois maudit ! » rugit-elle dans sa langue natale.

Mais pourquoi la regardait-il ainsi ? Pourquoi pleurait-il ?

« Cléopâtre », balbutia-t-il.

Sa vision se troubla un instant. Les souvenirs étaient prêts à la submerger si elle cédait. Des souvenirs sombres, horribles, l'évocation de souffrances qu'elle voulait oublier à tout jamais.

Elle s'assit sur le lit et le regarda, étonnée par l'expression de tendresse de son visage.

Il était beau. Sa peau était pareille à celle des jeunes gens, sa bouche ferme et douce. Et ses yeux, ses grands yeux translucides et bleus. Elle le vit en un autre lieu, une salle obscure, tandis qu'elle émergeait des abysses. Il était penché au-dessus d'elle et récitait les anciennes prières égyptiennes. *Tu es, maintenant et à jamais*.

« Tu m'as fait cela », murmura-t-elle. Elle entendit le verre se briser, le bois éclater, elle sentit les dalles sous ses pieds. Ses bras étaient noirs, desséchés ! « Tu m'as ramenée ici, en ces *temps modernes*, et quand j'ai marché vers toi, tu t'es enfui ! »

Comme un petit enfant, il se mordait la lèvre. Il tremblait, des larmes coulaient sur ses joues.

« Non, je le jure, dit-il en latin, langue qui leur était familière. D'autres se sont interposés. Je ne t'aurais jamais abandonnée. »

C'était un mensonge, un ignoble mensonge. Elle avait tenté de quitter sa couche. Le venin était en train de la paralyser. Ramsès ! Prise de panique, elle avait crié son nom, mais il ne s'était pas détourné de la fenêtre par laquelle il regardait. Les femmes qui se trouvaient là le suppliaient, mais en vain ! Ramsès !

« Menteur ! siffla-t-elle.Tu aurais pu me le donner, tu as préféré me laisser mourir !

– Non. » Il secoua la tête. « Jamais. »

Mais... un instant. Elle confondait deux événements cruciaux. Ces femmes. Elles n'étaient pas là lorsqu'il récitait les prières. Elle était seule.. depuis une éternité.

« Je dormais en un lieu sombre. Et puis tu es venu. J'ai senti à nouveau la douleur. La souffrance et la faim. Et je te connaissais, je savais qui tu étais ! Et je te haïssais !

– Cléopâtre ! » Il s'avança vers elle.

« Non, ne bouge pas. Je sais ce que tu as fait ! Je le savais déjà. Tu m'as arrachée à la mort, voilà ce que tu as fait. Tu m'as tirée de mon cercueil. Ces blessures en sont les preuves ! » Sa voix se brisait. Puis elle sentit le cri monter en elle. Elle hoqueta, incapable de le retenir.

Il la saisit par les bras et la secoua.

« Laisse-moi », dit-elle. Calme maintenant. Sans crier.

Un instant, il la tint serrée contre lui, et elle ne résista pas. Pourquoi continuer à se battre ? Elle lui sourit.

« Oh, mais tu es très beau, n'est-ce pas ? dit-elle. As-tu toujours été aussi beau ? Quand je te connaissais jadis, nous faisions l'amour, je crois bien. » Elle lui toucha la bouche du bout des doigts. « J'aime ta bouche. J'aime la bouche des hommes. Celles des femmes sont trop douces. J'aime ta peau pareille à la soie. »

Lentement, elle l'embrassa.

Si seulement il lui avait donné la liberté, la patience, elle serait toujours revenue à lui; pourquoi n'avait-il pas compris ? Elle devait vivre, respirer, elle était la reine de l'Egypte ! Comme ses baisers étaient agréables jadis...

« Ne t'arrête pas, gémit-elle.

– Est-ce toi ? dit-il d'une voix douloureuse. Est-ce vraiment toi ? »

Elle sourit à nouveau. C'était effroyable, elle-même ne connaissait pas la réponse à cette question ! Elle éclata de rire. Comme c'était drôle ! Elle rejeta la tête en arrière et sentit ses lèvres se poser sur sa gorge.

« Oui, embrasse-moi, prends-moi », dit-elle.

Sa bouche descendait vers sa poitrine, ses doigts ouvraient sa robe, ses lèvres se refermaient sur son sein. « Aaaaah ! » Le plaisir que cela lui procurait était insupportable. Il la tenait captive, tout contre lui, sa langue léchait son téton, ses lèvres tiraient dessus avec toute la ferveur d'un enfant.

T'aimer ? Je t'ai toujours aimé. Mais comment puis-je quitter mon univers ? Comment puis-je abandonner tout ce que je chéris ? Tu parles d'immortalité. C'est un concept que je ne comprends pas. Je sais seulement qu'ici je suis reine, et tu t'éloignes de moi, tu menaces de me quitter à jamais...

Elle s'écarta de lui. « Je t'en prie », supplia-t-elle. Où et quand avait-elle prononcé ces mots ?

« Qu'y a-t-il ? dit-il.

– Je l'ignore... Je ne... Je vois des choses, et puis elles disparaissent !

– Il y a tant de choses que je dois te dire, qui doivent t'être révélées. Si seulement tu pouvais comprendre. »

Elle s'éloigna un peu de lui avant d'arracher sa robe et d'en jeter les lambeaux à terre. Puis elle se retourna.

« Oui, pose tes yeux bleus sur ton œuvre ! Voilà ce que je comprends ! » Elle toucha la blessure qu'elle avait au flanc. « J'étais une reine. Et maintenant je suis cette horreur. C'est cela que tu as ramené à la vie avec ton mystérieux élixir ! Ton remède ! »

Elle baissa la tête et porta les mains à ses tempes. Plus de cent fois, elle avait fait ce geste, mais il n'apaisait en rien les douleurs de son esprit. Elle se balança d'avant en arrière en gémissant. On eût dit un chant. Cela lui faisait-il du bien ? Les lèvres closes, elle reprenait cette étrange mélodie : « Céleste Aïda ».

Puis elle sentit sa main sur son épaule. Il la fit pivoter. Elle le regarda. Qu'il était beau ! Elle baissa les yeux. Et là, elle découvrit le flacon qu'il tenait à la main.

« Ah ! » Elle s'en empara pour en verser le contenu dans le creux de sa main.

« Non, bois-le ! »

Elle hésita. Mais il lui avait versé l'élixir dans la bouche, elle s'en souvenait. Quand elle était dans les ténèbres.

De sa main gauche, il lui renversa la tête en arrière et il porta le flacon à ses lèvres.

« Bois. »

C'est ce qu'elle fit. Gorgée après gorgée, le liquide pénétra en elle. Dans la pièce, la lumière se fit plus vive. Une grande vibration de sensualité l'ébranla de la tête aux pieds. Elle ferma les yeux, les rouvrit et le vit qui la regardait avec stupéfaction.

Il murmura un mot : « Bleus. »

Et ses blessures, elles se refermaient ! Elle regarda ses doigts. Les picotements étaient insupportables. La peau recouvrait la chair, et la chair l'os. Et son flanc, oui, il guérissait.

« O dieux, soyez remerciés, sanglota-t-elle. Je suis de nouveau intacte, Ramsès, j'ai retrouvé mon intégrité. »

Une nouvelle fois, ses mains la caressèrent et la firent frissonner. Elle le laissa l'embrasser, effleurer son corps nu. Sa langue léchait sa poitrine, son ventre, descendait vers sa toison humide. « Viens en moi ! Prends-moi ! » cria-t-elle.

Le sexe de Ramsès se pressait contre le sien. Il la souleva et s'enfonça doucement en elle. Elle s'abandonna au plaisir, la tête renversée, les yeux mi-clos.

Epuisé, il traînait lamentablement la jambe. Avait-il fait preuve de lâcheté en s'enfuyant ? Fût-il resté, eût-il pu jouer un rôle quelconque dans cette guerre de Titans ? Une lueur de malice dans le regard, Ramsey lui avait dit de partir. Il lui avait sauvé la vie en s'interposant, en le suivant, en faisant échouer sa ridicule tentative pour s'emparer de l'élixir.

Ah, quelle importance à présent ? Il devait faire sortir Alex d'Egypte et quitter lui-même ce pays. Il devait oublier ce cauchemar.

Les yeux baissés, il s'approcha de l'entrée du Shepheard's.

Il ne vit les deux hommes venus l'arrêter que lorsqu'ils lui barrèrent le chemin.

« Lord Rutherford ?

– Laissez-moi tranquille.

– Désolé, monsieur, mais c'est impossible. Nous sommes du bureau du gouverneur. Nous avons quelques questions à vous poser. »

L'humiliation ultime. Il ne résista pas.

« Dans ce cas, aidez-moi à monter les marches, jeune homme. »

Elle sortit de la baignoire de cuivre, enroulée dans une grande serviette blanche, les cheveux mouillés. Cette pièce aux carrelages décorés, cette eau chaude qui coulait d'un minuscule tuyau, on se serait cru dans un palais. Et les parfums qu'elle avait trouvés, comme ils lui étaient agréables !

Elle revint dans la chambre et se regarda à nouveau dans le miroir. Un corps parfait.

Et des yeux bleus. Elle ne pouvait que s'en étonner.

Etait-elle aussi belle du temps où elle vivait ? Pourrait-il lui répondre ? Les hommes lui avaient toujours parlé de sa beauté. Elle esquissa un pas de danse, fière de sa nudité.

Ramsès la regardait sans rien dire d'un coin de la pièce. Il n'y avait là rien d'inhabituel, non ? Ramsès, l'observateur discret. Ramsès, le juge.

Elle s'empara de la bouteille de vin posée sur la coiffeuse. Elle était vide. Elle la jeta sur le marbre, des éclats de verre sautèrent à terre.

Pas de réaction de sa part, rien que son regard bleu qui ne cédait pas.

Quelle importance cela avait-il ? Pourquoi ne pas continuer de danser ? Elle savait qu'elle était belle, que les hommes l'aimaient. Ses deux victimes de l'après-midi avaient été charmées par sa personne, et elle n'avait désormais plus de terrible secret à dissimuler.

« Je suis vivante, vivante ! » s'exclama-t-elle en tournoyant sur elle-même.

De l'autre pièce s'échappa le cri strident du perroquet. Il était venu, le moment de tuer, d'offrir un sacrifice à leur bonheur, comme lorsqu'on achète sur la place du marché une colombe blanche qu'on destine aux dieux.

Elle s'approcha de la cage, ouvrit la petite porte et plongea la main à l'intérieur.

Elle tua l'oiseau d'une simple pression des doigts, puis elle le laissa tomber au fond de la cage.

Elle se retourna et vit Ramsès. Ah, quel triste visage, l'image même de la désapprobation ! Le pauvre chéri...

« Je ne peux pas mourir, n'est-ce pas ? »

Pas de réponse de sa part. Mais elle savait. Depuis le début. Elle l'avait compris en regardant les autres. Il l'avait ramenée d'entre les morts et elle ne pouvait plus mourir.

« Tu parais inconsolable. Tu n'es donc pas satisfait de ta magie ? » Elle s'avança vers lui en riant. « Ne suis-je pas splendide ? Voilà que tu pleures. Quel sot ! C'était ton idée, non ? Tu es venu à moi, tu m'as ramenée à la vie et, maintenant, tu pleures comme si j'étais morte. C'est vrai, tu t'es détourné de moi quand j'agonisais, tu les as laissées jeter l'étoffe noire sur mon visage ! »

Il soupira. « Non, je n'ai jamais fait cela. Tu ne te souviens pas de ce qui s'est passé.

– Pourquoi m'as-tu rappelée ? Qu'étions-nous l'un pour l'autre, toi et moi ? »

Quand tous ces infimes fragments de souvenirs se réuniraient-ils enfin ?

Elle s'approcha davantage, toucha sa peau.

« Ne connais-tu pas la réponse ? lui dit-il. N'est-elle pas au plus profond de toi ?

– Je sais seulement que tu étais présent quand je suis morte. Tu étais quelqu'un que j'ai aimé. Je m'en souviens. Tu étais là et j'avais peur. Le venin du serpent m'avait paralysée et je voulais t'appeler, mais je ne le pouvais pas. Je me suis débattue. J'ai prononcé ton nom. Tu t'es détourné.

– Non, non ! Ce n'est pas cela, j'étais là et je te regardais ! »

Les femmes qui pleuraient, elle les entendait distinctement. Cette chambre mortuaire, cette chambre où s'était éteint Antoine, son bien-aimé. Elle ne leur permettrait pas d'emporter sa couche, bien que le sang de ses blessures eût souillé les coussins.

« Tu m'as laissée mourir. »

Il la prit par les bras, sans ménagement.

« Je voulais que tu sois avec moi comme tu l'es aujourd'hui.

– Ah, que suis-je, aujourd'hui ? Et quel est ce monde ? Est-ce le domaine souterrain de nos divinités ? Retrouverons-nous d'autres... Antoine ! s'écria-t-elle. Où est Antoine ? »

Mais elle savait. Elle tourna la tête. Antoine était mort, il gisait dans la tombe. Et Ramsès n'avait pas voulu faire bénéficier Antoine de sa magie.

Il s'approcha d'elle par-derrière et l'enlaça.

« Quand tu m'as appelé, dit-il, que cherchais-tu au juste ? Réponds-moi.

– A te faire souffrir ! » Elle éclata de rire. Dans le miroir, elle voyait son reflet, son visage douloureux. « Je ne sais pas pourquoi je t'ai rappelé, je ne sais même pas qui tu es ! » Elle le gifla, mais cela n'eut aucun effet, comme si elle avait frappé une statue de marbre.

Elle se dirigea vers l'autre pièce. Elle voulait quelque chose de splendide. Quelle était la plus belle robe que possédât cette femme misérable ? Ah, celle-ci, cette étoffe de soie couleur de rose. Elle l'enfila et referma les agrafes. Cela donnait à ses seins une forme délicieuse. La robe traînait jusqu'à terre, bien qu'il lui fût inutile désormais de dissimuler ses pieds.

Elle remit ses sandales.

« Où vas-tu ?

– En ville. C'est la ville du Caire. Pourquoi ne m'y rendrais-je pas ?

– Je dois te parler...

– Vraiment ? » Elle prit le sac de toile. Du coin de l'œil, elle aperçut un grand éclat de verre provenant de la bouteille qu'elle avait brisée.

« Cléopâtre, regarde-moi », dit-il.

Elle se retourna pour l'embrasser. Etait-il donc si facile de l'abuser ? A tâtons, elle chercha le morceau de verre. Elle le trouva et, d'un geste sec, lui perça la gorge.

Elle recula. Il la regardait fixement. Le sang coulait sur sa tunique blanche. Mais il n'avait pas peur. Il ne fit rien pour arrêter le sang. Sur son visage, on ne lisait que de la tristesse, pas une once de peur.

« Moi non plus, je ne peux pas mourir, dit-il doucement.

– Ah ! » Elle sourit. « Quelqu'un t'a-t-il tiré du tombeau ? »

Elle se jeta sur lui et visa les yeux.

« Arrête, je t'en prie. »

Elle lui donna un coup de genou dans le bas-ventre. La douleur le fit se tordre en deux, et elle en profita pour le frapper à la tempe.

Elle s'élança dans la cour en serrant le sac contre sa poitrine. En quelques secondes, elle trouva la porte et disparut dans la ruelle obscure.

Elle ne fut pas longue à retrouver l'automobile, à lancer le moteur. Et ce fut à nouveau la folle sensation, le vent dans la figure, l'ivresse de conduire cette grande bête de fer vers les lumières du quartier britannique.

CHAPITRE SIX

Le grand salon du Shepheard's. Le bon gin du bar, avec plein de cubes de glace et juste ce qu'il faut de citron. Il était heureux qu'on lui eût autorisé cela. Il était devenu un véritable ivrogne. Cette révélation lui était plus qu'agréable. Dès son retour en Angleterre, il se saoulerait à mort.

Se décideraient-ils enfin à arrêter ? Ils avaient certainement compris qu'il ne leur dirait rien. Ils lui faisaient l'impression de mannequins : leurs gestes étaient mécaniques, leurs mâchoires animées de mouvements saccadés, comme si elles étaient tirées par des ficelles. Même le charmant jeune homme dont le travail consistait à apporter la glace et le gin avait l'air de jouer un rôle. Tout était faux. Grotesques, les silhouettes qui déambulaient dans le hall; discordante, la musique qui s'échappait des salons et de la salle de bal.

Parfois, les mots qu'ils disaient n'avaient aucun sens. Il connaissait la définition de chacun d'entre eux, mais quelle était sa signification ? Des cadavres, nuque brisée. Avait-elle fait cela pendant le bref laps de temps où il s'était absenté ?

« Je suis fatigué, messieurs, dit-il enfin. Il règne ici une chaleur insupportable. Aujourd'hui, j'ai fait une mauvaise chute. J'ai besoin de repos. Vous devez m'autoriser à regagner ma chambre. »

Les deux hommes se regardèrent. Leur frustration était fictive. Rien n'était réel ici. Qu'est-ce qui l'était vraiment ? Les mains de Cléopâtre qui se referment sur sa gorge ? Le personnage vêtu de blanc qui surgit pour l'en empêcher ?

« Lord Rutherford, nous avons maintenant affaire à plusieurs meurtres ! Visiblement, l'homme poignardé à Londres n'était que le numéro un d'une longue liste. Nous devons vous demander votre entière collaboration. Ces deux jeunes hommes assassinés cet après-midi...

– Je vous l'ai déjà dit, je n'ai rien à voir avec cela. Qu'est-ce que vous attendez, jeune homme, que je vous brode illico une histoire ? C'est absurde.

– Henry Stratford. Savez-vous où nous pouvons le trouver ? Il est venu ici même, au Shepheard's, il y a deux jours, afin de vous rencontrer.

– Henry Stratford fréquente les quartiers les plus mal famés du Caire. Il traîne toutes les nuits dans les rues sombres. J'ignore où il est à cette heure. Maintenant je dois vraiment m'en aller. »

Il se leva. Où était donc cette satanée canne ?

« N'essayez pas de quitter Le Caire, monsieur, lui dit le plus jeune, le plus arrogant aussi. Nous avons votre passeport.

– Quoi ? Vous m'insultez !

– Je crains que cette mesure ne s'applique également à votre fils et à Mlle Stratford. Nous avons demandé leurs papiers à la réception. Lord Rutherford, nous devons tirer cette affaire au clair.

– Insolent ! s'écria Elliott. Je suis citoyen britannique ! Comment osez-vous ? »

L'autre prit la parole.

« Monsieur, permettez-moi de vous parler avec franchise. Je sais quelle est votre intimité avec la famille Stratford, mais pensez-vous que Henry Stratford pourrait être associé à ces meurtres ? Il connaissait l'homme de Londres, celui qui a été poignardé. L'Américain découvert dans la pyramide avait sur lui beaucoup d'argent. Et nous savons que Henry Stratford avait pas mal de problèmes de ce côté-là. »

Elliott affronta son regard sans sourciller. Accuser Henry. Il n'y avait pas pensé. C'était pourtant évident ! On pouvait tout lui mettre sur le dos !

« Ce n'est peut-être pas tout, reprit l'homme. Nous avons aussi deux vols mystérieux sur les bras. Celui de la momie du musée du Caire, bien entendu, mais il semble aussi que la momie de la collection Stratford ait été dérobée dans la maison de Mayfair.

– Vraiment ?

– Un bijou égyptien d'une valeur inestimable a été trouvé

chez la maîtresse de Henry Stratford, une certaine Daisy Banker, chanteuse de son état...

– Oui...

– Ce que j'essaie de vous dire, monsieur, c'est que Henry Stratford était peut-être impliqué dans une affaire de contrebande... de bijoux anciens, de monnaies et de momies...

– Des momies ? Henry ? »

C'était vraiment trop drôle. Henry accusé d'avoir volé des momies, alors qu'il flottait à présent dans le bitume !

« Vous comprenez, Lord Rutherford, que nous n'orientons peut-être pas très bien nos recherches.

– Dans ce cas, que faisait Ramsey au musée ? dit le plus jeune avec une certaine impatience.

– Il essayait de neutraliser Henry, murmura Elliott. Il a dû le suivre pour tenter de lui parler de Julie...

– Mais comment expliquez-vous les pièces de monnaie ? demanda le jeune, assez échauffé. On en a retrouvé sept à l'effigie de Cléopâtre dans la chambre de Ramsey.

– C'est pourtant évident, dit Elliott qui réfléchissait à toute allure. Il a dû les prendre à Henry quand ils se sont querellés. Il savait ce que Henry voulait en faire, il voulait l'empêcher...

– Cela n'a aucun sens ! s'écria le jeune fonctionnaire.

– Moi, je trouve que l'on commence à y voir clair, dit son collègue.

– Dans ce cas, dit Elliott, je désirerais consulter mon avocat, si vous le permettez. Et j'exige de récupérer mon passeport ! Je présume que je peux demander l'assistance d'un un avocat ? Ce privilège de la citoyenneté britannique n'a pas été révoqué, que je sache !

– Lord Rutherford, je vous en prie. Mais qu'est-ce qui a pu pousser le jeune Stratford à se conduire de la sorte ?

– Le jeu, mon cher. Eh oui, le jeu. C'est une véritable drogue. Elle a détruit son existence. »

Vivante, intacte, mais démente ! Plus folle encore qu'avant qu'il ne lui donnât l'élixir. Voilà ce dont il était responsable. Et comment ce cauchemar pourrait-il prendre fin ?

Il parcourut en tous sens les ruelles du vieux Caire. Elle avait disparu. Comment pouvait-il espérer la retrouver ?

S'il ne s'était jamais aventuré dans les salles obscures du musée du Caire, il aurait suivi un tout autre chemin. Avec

Julie Stratford à ses côtés, le monde lui aurait appartenu !

Et si Julie avait raison ? Si la créature qu'il avait tenue dans ses bras n'était qu'un double monstrueux de Cléopâtre ?

Il ne savait plus que penser. C'était là la chair qu'il avait jadis adulée, la voix qui avait prononcé des mots d'amour ou de fureur, la femme qui l'avait brisé, finalement – la femme qui avait préféré payer de sa vie plutôt que de boire l'élixir d'immortalité. Il y a deux mille ans de cela, elle avait crié son nom en ses derniers instants – du moins l'avait-elle balbutié – et il n'avait pas entendu son ultime appel ! Oui, il l'aimait, de même qu'il aimait Julie Stratford. Il les aimait toutes les deux !

Il y avait là des vêtements précieux, des effets qui la charmaient parce qu'ils possédaient à la fois la douceur et la simplicité des temps anciens. De plus, ils étaient brodés d'or et d'argent.

Elle posa la main sur la vitrine. Elle lut la pancarte rédigée en anglais :

LES PLUS BELLES TOILETTES POUR LE BAL DE L'OPÉRA

Oui, elle méritait ce qu'il y avait de plus beau. Et son sac était bourré d'argent. Elle avait également besoin de chaussures avec des talons comme des dagues effilées.

Et de bijoux.

Elle frappa à la porte. Une grande femme aux cheveux d'argent vint lui ouvrir.

« Nous allions fermer, chère madame. Je suis désolée, si vous pouvez revenir...

– S'il vous plaît, cette robe ! » dit-elle. Elle ouvrit son sac et en sortit une pleine poignée de billets. Plusieurs d'entre eux tombèrent à terre.

« Chère madame, vous ne devriez pas emporter une telle somme sur vous à cette heure du jour », lui dit la femme. Elle se pencha pour ramasser les billets. « Entrez, je vous en prie. Vous êtes seule ? »

L'intérieur de la boutique était charmant. Elle toucha le velours cramoisi des chaises. Et toutes ces statues, semblables à celles de la vitrine ! Celles-ci ne portaient pas seulement des robes, mais aussi des fourrures. Un lourd manteau de fourrure blanche l'attirait tout particulièrement.

« Je le veux, dit-elle.

– Mais bien entendu, chère madame !

– Est-ce... pour le bal de l'opéra ? demanda-t-elle à la femme interloquée.

– Oh, ce serait tout à fait charmant ! Je vais vous le faire essayer !

– Ah, il me faut aussi une robe, voyez-vous, et puis aussi des escarpins, et encore des perles et des rubis, si vous en avez, car j'ai perdu toutes mes affaires, tous mes bijoux.

– Nous allons nous occuper de vous ! Veuillez vous asseoir, je vous prie. Voyons, quelle est votre taille ? »

C'était une histoire absurde, mais cela passerait : Henry s'introduisant par effraction au musée des Antiquités afin de voler une momie qui lui permettrait de régler ses dettes. La vérité était cependant encore plus absurde, et il ne devait pas l'oublier ! Nul ne voudrait jamais l'admettre.

Il appela son vieil ami Pitfield dès qu'il eut regagné sa suite.

« Dites-lui que c'est Elliott Rutherford. Oui, j'attends. Ah, Gerald. Pardon de vous déranger pendant votre dîner. J'ai quelques ennuis avec les autorités. Henry Stratford aurait commis des indélicatesses. Oui. Oui, ce soir, si cela ne vous dérange pas. Je suis descendu au Shepheard's, bien entendu. Ah, c'est merveilleux, Gerald, je savais que je pouvais compter sur vous. Dans vingt minutes, d'accord. Au bar. »

Il reposait le combiné quand Alex franchit la porte.

« Père, Dieu merci vous êtes de retour. Ils nous ont confisqué nos passeports ! Julie est dans tous ses états. Miles vient de lui raconter une histoire terrible : un malheureux Américain a été assassiné aux pyramides et un Anglais s'est fait tuer devant le Café international.

– Alex, fais tes bagages, lui dit son père. Je suis déjà au courant de tout cela. Gerald Pitfield va bientôt arriver. Il aura récupéré nos papiers demain matin, je te le promets. Julie et toi pourrez prendre le train.

– Il faudra que vous le lui disiez vous-même, père.

– Je le ferai, mais, pour l'instant, je dois voir Pitfield. Donne-moi le bras et conduis-moi à l'ascenseur.

– Mais, père, qui est responsable...

– Mon fils, je ne veux pas être celui qui te l'apprendra. Et certainement pas celui qui le révélera à Julie. Mais il semble que Henry soit lourdement impliqué dans cette affaire. »

Son choix avait été des plus exquis : un « satin » vert pâle avec des rangées de « boutons » de nacre et de la « dentelle de Bruxelles ». Le col de fourrure était tout à fait seyant, lui avait dit la femme, qui paraissait vraiment s'y connaître.

« Votre chevelure est si belle, quel dommage de la nouer, chère madame, mais il conviendrait tout de même... Peut-être demain pourrais-je vous prendre un rendez-vous chez un coiffeur... »

Naturellement, elle avait raison. Les autres femmes n'étaient pas du tout coiffées comme elle.

Et sa robe du soir ? Une création exceptionnelle !

Elle était à présent pliée dans un grand carton, de même que tous les autres effets qu'elle avait choisis : « jupons » froufroutants, robes, chaussures, chapeaux, mouchoirs de soie, écharpes, et tant d'autres choses...

Dans la boutique, la femme avait presque fini de faire ses comptes. Elle ouvrit le tiroir d'un gros appareil de bronze, la « caisse enregistreuse », dans lequel il y avait encore plus d'argent que Cléopâtre n'en possédait.

« Cette tenue vous va à ravir, dit la femme. Elle donne des reflets verts à vos yeux bleus. »

Cléopâtre se mit à rire. Tant d'argent !

Elle quitta sa chaise et traversa lentement la boutique en faisant cliqueter ses talons sur le marbre du sol.

Elle enserra la gorge de la malheureuse avant que celle-ci eût même le temps de lever la tête. Un hoquet, des yeux qui s'étonnent, puis un craquement bref, une nuque qui se brise.

Inutile de penser à cela, de contempler l'abîme qui la séparait de cette femme qui gisait à terre, sous le petit comptoir. Tous ces êtres étaient à sa disposition quand l'envie de tuer la prenait, et qui eût pu l'en empêcher ?

Elle fourra une partie de l'argent dans une pochette de satin et le reste dans le sac de toile. Elle prit aussi les bijoux exposés dans la petite vitrine, sous la « caisse enregistreuse ». Puis elle empila ses nombreux cartons et alla les déposer à l'arrière de la voiture.

Et maintenant, en route vers ce que l'Américain avait décrit comme « l'hôtel numéro un », l'endroit de prédilection des riches étrangers venus séjourner au Caire.

Elle eut un rire de gorge en pensant à l'Américain et à sa façon de lui parler, comme si elle était une demeurée ! Peut-être au Shepheard's rencontrerait-elle quelqu'un qui ferait preuve de charme et de bonnes manières, quelqu'un d'infiniment plus intéressant que ces misérables âmes qu'elle avait renvoyées vers les sombres demeures dont elles étaient issues.

« Au nom du Ciel, que s'est-il passé ici ! s'écria le plus âgé des deux fonctionnaires. Il se tenait dans l'encadrement de la porte d'entrée de la maison de Malenka, peu enclin à y pénétrer sans mandat ni autorisation. Nul n'avait répondu quand il avait frappé à la porte, quand il avait crié le nom de Henry Stratford.

Il vit du verre brisé sur la coiffeuse de la chambre. Et sur le sol des taches qui ressemblaient à du sang.

Impatient comme à son habitude, son collègue s'était aventuré dans la cour, équipé de sa torche électrique. Des chaises renversées. Des assiettes brisées.

« Davis, venez voir ! Il y a un cadavre de femme ! »

L'autre ne vint pas tout de suite. Il regardait le perroquet mort dans la cage. Les bouteilles vides du bar. Le manteau accroché.

Il s'obligea à se rendre dans le jardin sombre et à voir le corps par lui-même.

« C'est elle, dit-il. Malenka, la danseuse du Babylone.

– Vu les circonstances, je ne pense pas que nous ayons besoin d'un mandat. »

Le fonctionnaire le plus âgé revint dans le salon et dans la chambre.

Il regarda la robe déchirée qui gisait à terre et les curieux chiffons entassés dans un coin de la pièce. Il ne s'occupa pas de son collègue qui, frénétique, notait des choses dans un petit carnet. Ces chiffons, on eût dit des bandelettes de momie. Une partie du lin paraissait neuve toutefois.

Il leva les yeux quand son collègue l'appela et lui présenta un passeport.

« C'est celui de Stratford, dit le jeune homme. Ses papiers sont tous là, dans son manteau. »

Elliott prenait appui sur le bras d'Alex quand ils sortirent de l'ascenseur.

« Que se passera-t-il si Pitfield ne parvient pas à arranger les choses ? demanda Alex.

– Nous continuerons à nous conduire en êtres civilisés tant que nous devrons résider ici, lui répondit son père. Tu accompagneras Julie à l'opéra demain soir ainsi qu'il était prévu. Tu la conduiras ensuite au bal. Et tu te tiendras prêt à partir dès que ton passeport t'aura été rendu.

– Elle n'est pas d'humeur à assister à ces festivités, père. Et dût-elle s'y rendre, je pense qu'elle préférerait se faire accompagner par Samir, si vous voulez mon avis. Depuis le début de cette histoire, elle n'a confiance qu'en lui. Il est toujours à ses côtés.

– Tu vas malgré tout l'emmener à l'opéra. Nous devons nous faire voir tous ensemble demain soir. Maintenant laisse-moi seul, j'ai des affaires à régler. »

Oui, elle aimait le Shepheard's, elle le savait déjà. Elle avait remarqué cet hôtel au cours de l'après-midi, les longues files de voitures, les hommes et les femmes élégamment vêtus qui en descendaient pour pénétrer dans l'établissement.

Les voitures étaient maintenant bien moins nombreuses. Elle s'arrêta juste devant l'entrée, et un serviteur jeune et charmant vint lui ouvrir sa portière. Elle prit son sac de toile et sa pochette avant de monter les marches tandis que d'autres serviteurs s'affairaient avec ses bagages innombrables.

Le salon lui plut tout de suite. Elle n'avait pas imaginé que les salles de ce palais pussent être aussi vastes. La foule des clients avait quelque chose d'excitant. Ces « temps modernes », c'était vraiment un univers d'élégance.

« Puis-je vous aider, mademoiselle ? » Un autre serviteur l'approchait. Quel étrange accoutrement, le chapeau surtout... S'il y avait quelque chose qu'elle n'aimait pas dans ces « temps modernes », c'étaient bien les chapeaux !

« Oui, je voudrais prendre mes quartiers ici, dit-elle en prononçant le mieux possible. C'est bien le Shepheard's, l'hôtel numéro un ?

– Tout à fait, mademoiselle. Je vais vous conduire à la réception.

– Attendez », murmura-t-elle. A quelques mètres de là,

elle avait aperçu le seigneur Rutherford ! Pas d'erreur possible, c'était bien lui. Et un jeune homme l'accompagnait, une exquise créature, grande et mince, aux traits de porcelaine, auprès de laquelle ses compagnons précédents lui paraissaient vulgaires.

Elle plissa les yeux et tendit l'oreille afin de mieux se concentrer et de tenter d'entendre ce que disait le jeune homme, mais il était trop loin. Les deux hommes se séparèrent. Le seigneur Rutherford se dirigea vers une grande pièce sombre.

« C'est Lord Rutherford, mademoiselle, lui dit l'employé.

– Oui, je sais, mais le bel homme, qui est-ce ?

– Ah, c'est son fils, Alex, mademoiselle, le jeune vicomte Summerfield. Ils descendent souvent au Shepheard's. Ce sont des amis des Stratford, mademoiselle. »

Elle le regarda d'un air interrogateur.

« Lawrence Stratford, mademoiselle, expliqua-t-il en la prenant par le bras et en l'entraînant doucement vers la réception. Le grand archéologue, celui qui a découvert la tombe de Ramsès.

– Qu'avez-vous dit ? Parlez plus lentement.

– Le tombeau où l'on a retrouvé la momie de Ramsès le Damné.

– Ramsès le Damné !

– Oui, mademoiselle, quelle histoire ! » Il lui désigna une longue table lourdement décorée qui ressemblait à un autel. « Voici la réception, mademoiselle. Vous désirez autre chose ? »

Elle eut un petit rire d'assentiment. « Non, dit-elle, vous avez été formidable. »

Il lui adressa un regard indulgent, le même regard que portaient sur elle tous les hommes. Puis il lui fit signe de s'avancer vers la « réception ».

Elliott entra dans le vif du sujet dès que Pitfield se fut assis en face de lui. Il avait conscience de parler trop vite, de dire des choses étranges aussi, mais il ne pouvait ralentir son débit. Qu'Alex s'en aille, que Julie parte d'ici, le plus vite possible. Il ne pensait qu'à cela. Il s'occuperait plus tard de Randolph.

« Nous n'avons absolument rien à faire dans toute cette

histoire, dit-il. Ils doivent tous êtres autorisés à repartir. Je resterai ici, si c'est absolument nécessaire, mais mon fils doit pouvoir s'en aller. »

Gerald, de dix ans son aîné, chenu et quelque peu empâté, l'écoutait attentivement. C'était un homme qui ne buvait pas et travaillait sans cesse afin que sa famille pût apprécier chaque aspect de l'existence coloniale.

« Bien sûr que non, dit-il avec sympathie. Mais attendez, j'aperçois Winthrop. Il est accompagné de deux hommes.

– Je ne veux pas lui parler, dit Elliott. Pas maintenant, pour l'amour du Ciel !

– Ne vous en faites pas, je m'en charge. »

Ils furent très étonnés quand elle les régla d'avance en sortant de son sac plusieurs liasses de cette étrange monnaie qu'ils appelaient « livre », bien qu'elle ne pesât pratiquement rien. Les jeunes serviteurs monteraient les bagages dans sa suite, l'informèrent-ils. Les cuisiniers étaient à sa disposition. La salle à manger se trouvait à droite, mais elle pouvait festoyer dans sa chambre. Quant à la coiffeuse, elle ne serait pas libre avant demain.

Elle glissa la clef dans la pochette de satin. Elle trouverait plus tard la suite 201. Elle se précipita vers la porte de la pièce sombre où était entré le seigneur Rutherford et le regarda boire. Lui-même ne la vit pas.

Sur la terrasse, elle aperçut son fils, Alex, appuyé contre un pilier, en grande conversation avec un Egyptien à la peau sombre. L'homme rentra dans l'hôtel. Le jeune homme avait l'air perdu.

Elle marcha vers lui et scruta un instant son visage délicat – une beauté, oui. Le seigneur Rutherford était un homme au charme considérable, certes. Mais celui-ci était si jeune que sa peau paraissait douce comme un pétale. Il était cependant grand, avec des épaules carrées. Et c'est un bon regard qu'il posa sur elle.

« Le jeune vicomte Summerfield, m'a-t-on dit ? » demanda-t-elle sans ambages.

Un sourire radieux. « Je suis Alex Savarell, effectivement. Pardonnez-moi, je ne crois pas avoir eu le plaisir...

– J'ai faim, vicomte Summerfield. Me montrerez-vous la salle de banquet de l'hôtel ? J'aimerais manger quelque chose.

– Mais j'en serais enchanté ! »

Il lui offrit le bras sans la moindre réticence et l'escorta dans le salon encombré avant de pénétrer dans une vaste salle au plafond doré.

Des tables couvertes de nappes blanches étaient disposées le long des murs. Au centre de la salle, des couples dansaient, et les robes des femmes s'épanouissaient comme des fleurs. Et cette musique, si belle, mais si forte qu'elle lui faisait mal aux oreilles. Elle était infiniment plus aiguë que celle de la boîte, dans la maison de l'esclave. Et, surtout, si triste !

Il demanda à un vieillard de leur donner une « table ». Il la dégoûtait, ce vieillard aussi bien vêtu que toutes les personnes présentes. Mais il dit : « Oui, Lord Summerfield » avec beaucoup de respect. Et la table était très belle, avec sa vaisselle ornée et ses fleurs odorantes.

« Quelle est cette musique ? demanda-t-elle.

– Elle vient d'Amérique, répondit-il. C'est de Sigmund Romberg. »

Elle se balança doucement d'arrière en avant.

« Vous voulez danser ? proposa-t-il.

– Ce serait formidable ! »

Il la conduisit au centre de la piste. Comme c'était curieux. Chaque couple dansait comme s'il était seul et accomplissait son propre rituel. Le rythme mélancolique la submergea. Et cet adorable jeune homme, comme il la regardait amoureusement !

« Quel endroit de rêve ! dit-elle. Et cette musique, elle me plaît beaucoup, même si elle me fait un peu mal. Je n'aime pas le bruit, les oiseaux qui crient, les coups de feu.

– Cela ne m'étonne pas, dit-il. Vous paraissez si fragile. Et votre coiffure, puis-je vous dire que je la trouve charmante ? Il est rare, de nos jours, qu'une femme porte ses cheveux avec autant de grâce et de liberté. Vous ressemblez à une déesse. »

Elle se mit à rire. Il était si honnête. Il n'y avait nulle crainte dans ses yeux. On eût dit un prince élevé dans un palais, loin du tumulte. Il semblait trop doux pour le monde réel.

« Me permettrez-vous de vous demander votre nom ? dit-il. Je crois que nous n'avons pas été officiellement présentés, et c'est à nous de le faire, me semble-t-il.

– Je m'appelle Cléopâtre, reine d'Egypte. » Comme elle aimait danser, tourner, être emportée sur le sol brillant comme de l'eau.

« Oh, je pourrais presque vous croire, dit-il. Vous ressemblez à une reine. Puis-je vous appeler Votre Altesse ? »

Elle rit. « Votre Al-tesse. Est-ce ainsi que l'on s'adresse à une reine ? Oui, vous pouvez m'appeler Votre Altesse. Et je vous appellerai... seigneur Summerfield. Ces hommes que l'on voit ici, ce sont tous... des princes et des seigneurs ? »

Dans le miroir mural, Elliott vit Winthrop et ses hommes se retirer. Il fit signe au serveur. Pitfield revint s'asseoir en face de lui.

« Encore des ennuis, dit-il. Le jeune Stratford fait encore parler de lui.

– Que se passe-t-il ? Dites-le-moi !

– C'est incroyable. Une danseuse du ventre, la maîtresse de Henry Stratford, a été retrouvée dans le jardin de sa maison, la nuque brisée. Toutes les affaires de Henry se trouvaient là, son passeport, son argent, tout. »

Elliott déglutit péniblement. Un autre verre lui ferait le plus grand bien. Il pensa qu'il ferait bien de dîner s'il ne voulait pas que tout cet alcool le rendît malade.

« La même chose est arrivée à l'étudiant d'Oxford cet après-midi, la nuque brisée, ainsi qu'à l'Américain parti visiter les pyramides et à la femme de ménage du musée. Je me demande pourquoi il a pris la peine de poignarder Sharples ! Vous feriez mieux de me dire tout ce que vous savez. »

Le serveur apporta le gin et Elliott ne put attendre de boire.

« C'est bien ce que je craignais. Il a perdu l'esprit en repensant à ce qu'il avait fait.

– Le jeu...

– Non, la mort de Lawrence. C'était Henry, voyez-vous, avec le poison renfermé dans le tombeau.

– Seigneur ! Vous êtes sérieux ?

– C'est ainsi que tout a commencé, Gerald. Il voulait faire signer des papiers à Lawrence. Il a certainement imité sa signature, mais peu importe. Il a reconnu son crime.

– Il vous l'a dit ?

– Non, à quelqu'un d'autre. » Il s'interrompit pour boire

un peu et ajouta très vite : « A Ramsey.

– Ramsey, l'homme que nous recherchons.

– Oui, Ramsey a essayé de lui parler, tôt ce matin, avant que Henry ne devienne fou et ne s'introduise dans le musée. Au fait, vous me dites qu'ils sont allés dans la maison de cette danseuse du ventre. Y ont-ils trouvé la trace d'une momie, des bandelettes peut-être ? Cela confirmerait la culpabilité de Henry et innocenterait définitivement Ramsey. Il n'est allé au musée que pour discuter avec Henry.

– Vous en êtes certain ?

– Tout est ma faute. Je ne pouvais pas dormir, mes rhumatismes me faisaient souffrir. A cinq heures du matin, je suis rentré, j'étais allé faire un tour. J'ai vu Henry, fin saoul, près du musée, ainsi que je vous l'ai dit. Je pensais qu'il traînait de bar en bar. J'ai commis l'erreur de le dire à Ramsey, qui descendait prendre un café. Ramsey avait déjà tenté de faire entendre raison à Henry. Il est parti à sa recherche, un peu pour Julie...

– Julie et ce Ramsey, est-ce qu'ils...

– Oui. Les fiançailles avec Alex sont rompues, mais ils entretiennent toujours d'excellents rapports. Alex et Ramsey sont amis, d'ailleurs. Ramsey essayait de faire échouer le vol quand la police l'a appréhendé. C'est un homme étrange. Il a paniqué. Mais vous éclaircirez sûrement tout ceci.

– Je ferai de mon mieux, mais pourquoi diable Stratford s'est-il introduit dans le musée pour y dérober une momie ?

– Je ne me l'explique pas très bien moi-même. » Pas mal, pensa-t-il, assez satisfait. « Tout ce que je sais, c'est que la momie de Ramsès le Damné a disparu à Londres et que, apparemment, il a également volé des monnaies et des bijoux. Je pense qu'il y a été obligé pour se procurer une grosse somme en liquide, par exemple.

– Il serait donc entré par effraction dans le plus célèbre musée du monde ?

– La sécurité égyptienne n'est pas très efficace, mon cher. Et vous n'avez pas vu Henry depuis plusieurs mois, n'est-ce pas ? Il s'est beaucoup détérioré. C'est peut-être un cas de pure folie. Je ne veux pas qu'Alex et Julie restent au Caire, mais ils ne partiront pas d'ici tant que Ramsey n'aura pas été innocenté. »

Il termina son gin.

« Gerald, tirez-nous de ce mauvais pas, je vous en prie. Je vais essayer de contacter Ramsey. Il m'écoutera certainement s'il se voit garantir l'immunité. Vous pouvez vous charger de cela, Gerald, cela fait des années que vous travaillez ici.

– Oui. L'affaire doit être menée avec délicatesse, quoique rondement. Ils en ont après Stratford à présent. Il suffit de disculper Ramsey. Mais revenons à Henry. Vous avez une idée de l'endroit où il pourrait se trouver ? »

Dans une cuve de bitume ! Elliott frissonna intérieurement. « Non, dit-il, je n'en ai pas la moindre idée. Mais il a de nombreux ennemis, des gens à qui il doit de l'argent. Je boirais bien un autre verre. Faites signe au serveur, je vous prie. »

« Jeune seigneur Summerfield, dit-elle, les yeux posés sur sa bouche délicate, allons festoyer dans ma suite. Quittons cet endroit et restons seuls.

– Comme vous voudrez. » Le rougeoiement inévitable de ses joues. Oh, à quoi devait ressembler le reste de son corps ?

« Certes, mais *vous*, le voulez-vous ? » Elle lui effleura le menton du bout des doigts.

« Oui », murmura-t-il.

Elle quitta la piste de danse et prit son sac et sa pochette, puis ils sortirent de la salle de restaurant et retrouvèrent les salons encombrés.

« Suite 201, dit-elle en lui montrant sa clef. Comment allons-nous la trouver ?

– Nous allons prendre l'ascenseur jusqu'au deuxième étage. Votre suite se trouve sur le devant. »

L'ascenseur ? Il la conduisit vers une paire de portes en cuivre. Il enfonça un petit bouton.

Un grand dessin était exposé entre les portes : *Aïda*. Avec les mêmes personnages égyptiens qu'elle avait déjà vus. « Ah, l'opéra, fit-elle.

– Oui, quel événement ! » La porte de cuivre s'était ouverte. Dans la petite pièce, grande comme une cellule, un homme paraissait les attendre. Elle entra. Cela ressemblait à une cage. Elle fut prise d'une terreur soudaine. La porte se referma. Une sorte de piège. Et la cellule s'éleva.

« Seigneur Summerfield !

– Tout va bien, Votre Altesse. » Il l'enlaça et elle posa la tête sur sa poitrine. Oh, il était bien plus doux que tous les autres, et quand un homme fait montre de douceur, même les déesses de l'Olympe ne peuvent résister.

Enfin les portes se rouvrirent. Il l'entraîna dans un couloir silencieux.

« Qu'est-ce qui vous a effrayée ? » demanda-t-il. Il n'y avait ni moquerie ni désapprobation dans le ton de sa voix. Elle était presque rassurante. Il lui prit sa clef et l'introduisit dans la serrure.

« La petite chambre a bougé, soupira-t-elle. On dit bien comme ça en anglais ?

– Tout à fait. » Ils entrèrent dans le salon richement décoré. « Vous êtes la créature la plus étrange. Si loin de ce monde. »

Elle tendit la main et lui caressa le visage avant de l'embrasser délicatement. Ses yeux bruns se troublèrent, soudain. Puis il l'embrassa à son tour, avec une flamme qui la surprit.

« Pour cette nuit, seigneur Summerfield, voici mon palais. Nous devons maintenant chercher la chambre à coucher royale. »

Il l'avait aidée à ôter sa belle robe de satin vert. Il la déposa sur une chaise et, quand les lumières furent éteintes, elle vit la ville à travers les rideaux pâles. Elle vit le fleuve.

« Le Nil », murmura-t-elle. Elle aurait voulu lui dire comme elle trouvait beau ce ruban scintillant qui traversait la grande cité, mais une ombre s'abattit sur son âme. Une image s'imposa à elle avant de s'effacer, très rapidement. Des catacombes, un prêtre qui la précède.

« Qu'y a-t-il, Votre Altesse ? »

Elle releva lentement la tête. Elle avait gémi, et c'est ce qui l'avait inquiété.

« Vous êtes si tendre avec moi, jeune seigneur Summerfield », dit-elle. Il n'y avait pas chez ce garçon la moindre trace de grossièreté.

Elle vit qu'il s'était également dévêtu, et la contemplation de ce jeune corps lui plut énormément. Elle posa les mains sur son ventre plat, puis sur sa poitrine.

Elle l'embrassa plus sauvagement en écrasant ses seins sur sa poitrine. Il avait du mal à se maîtriser. Il l'aurait emportée tout de suite vers le lit. Il s'efforça de continuer à faire preuve de douceur.

« Vous êtes si irréelle, dit-il à voix basse. D'où venez-vous ?

– D'un monde où règnent le froid et la nuit. Embrassez-moi. Je n'ai chaud que lorsque l'on m'embrasse. Allumez un feu en moi, seigneur Summerfield, où nous nous réchaufferons tous deux. »

La suite de Julie. Samir posa les journaux sur la table. Julie buvait une deuxième tasse de café doucereux.

« Vous ne devez pas me laisser seule ce soir, Samir. Pas tant que nous n'aurons pas eu de nouvelles de lui. Promettez-moi de ne pas me laisser.

– Je resterai là, Julie, mais peut-être devriez-vous dormir. Je vous réveillerai si j'apprends quelque chose.

– Non, je veux seulement me changer, dit-elle. J'en ai pour une minute. »

Elle se retira dans sa chambre. Elle avait renvoyé Rita une heure plus tôt, elle ne désirait être qu'avec Samir. Elle avait les nerfs en pelote. Elle savait qu'Elliott se trouvait à l'hôtel, mais ne pouvait se résoudre à l'appeler. Elle ne voulait ni le voir ni lui parler. Pas avant de savoir ce que Ramsès avait fait.

Lentement, elle ôta les épingles de ses cheveux en regardant d'un air absent dans le miroir. Pendant un instant, elle ne distingua rien de précis, puis elle se rendit compte qu'un grand Arabe en tunique blanche l'observait, posté dans la pénombre de la pièce. Son Arabe, Ramsès.

Elle pivota et ses cheveux cascadèrent sur ses épaules. Son cœur allait éclater.

Elle se serait évanouie s'il ne l'avait pas rattrapée. C'est alors qu'elle vit la tache de sang noirâtre sur le blanc de la tunique.

En silence, il l'enlaça et la serra contre lui.

« Ma Julie, dit-il d'une voix brisée par l'émotion.

– Depuis combien de temps es-tu là ?

– Très peu, mais je ne veux pas parler, je veux seulement te tenir dans mes bras.

– Où est-elle ? »

Il la lâcha et recula de deux pas. « Je l'ignore, dit-il d'un air triste. Je l'ai perdue. »

Julie le regarda marcher dans la pièce. Oui, elle l'aimait, elle en avait pleinement conscience. Peu importait ce qui avait pu se passer. Mais elle ne pouvait le lui avouer, pas avant de savoir...

« Je vais appeler Samir, dit-elle. Il attend au salon.

– Je veux rester seul avec toi un instant. »

Pour la première fois, il donnait l'impression de redouter quelque chose de sa part.

« Tu dois me dire ce qui s'est passé. »

Impassible, il la regardait. Et puis, brusquement, il s'abandonna, douloureusement. Il était inutile de nier.

D'une voix tremblante, elle dit : « Tu lui en as donné, n'est-ce pas ?

– Tu ne l'as pas vue, dit-il avec calme. Tu n'as pas entendu le son de sa voix ! Tu ne l'as pas entendue pleurer. Ne me juge pas. Elle est aussi vivante que moi ! Je l'ai ramenée à la vie. Je suis le seul juge de ma conduite. »

Elle se tordait les mains.

« Que veux-tu dire ? Ne sais-tu pas où elle est ?

– Je veux dire qu'elle m'a échappé. Elle m'a attaqué, elle a essayé de me tuer. Et elle est folle. Lord Rutherford avait raison. Elle est complètement folle. Elle l'aurait étranglé si je n'étais pas intervenu. L'élixir n'a rien changé à cela, il n'a fait que guérir son corps. »

Il fit un pas dans sa direction, mais elle lui tourna le dos. Elle allait, une fois de plus, se mettre à pleurer. Que de larmes versées !

« Implore tes dieux, lui dit-elle tout en regardant son reflet dans le miroir. Demande-leur conseil. Mon Dieu ne pourrait que te condamner. Mais quoi qu'il advienne à cause de cette créature, une chose est certaine. » Elle se retourna pour le regarder droit dans les yeux. « Tu ne dois jamais, je dis bien jamais, fabriquer une nouvelle dose d'élixir. Consomme ce qu'il en reste, fais-le en ma présence. Ensuite, efface la formule de ta mémoire. »

Pas de réponse. Lentement, il ôta sa coiffe et passa la main dans ses cheveux.

« Te rends-tu compte de ce que tu dis ?

– Si le boire est trop dangereux, alors trouve un endroit dans les sables du désert, creuse un puits profond et jette-le dedans. Débarrasse-t'en.

– Je voudrais te poser une question.

– Non. » A nouveau, elle lui tourna le dos. Elle se boucha les oreilles, mais il lui prit les mains et les lui abaissa. Leurs regards se croisèrent dans le miroir. Son corps était brûlant contre le sien.

« Julie, la nuit dernière... Si, au lieu d'emporter l'élixir avec moi au musée, au lieu de le verser sur les restes de Cléopâtre... je te l'avais offert, ne l'aurais-tu pas pris ? »

Elle refusa de répondre. Il lui serra les poignets et la força à le regarder.

« Réponds-moi ! Si je ne l'avais jamais vue couchée dans cette vitrine...

– Mais tu l'as vue... »

Elle avait bien l'intention de résister, mais il la surprit par son baiser, par la violence désespérée de son étreinte, par ses mains qui se déplaçaient presque cruellement sur ses joues et son visage. Il murmura dans la langue des anciens Egyptiens quelque chose qu'elle ne comprit pas. Puis il lui dit doucement en latin qu'il l'aimait. Il l'aimait. Cela expliquait et excusait à la fois toutes ses souffrances. Oui, il l'aimait : il avait dit cela comme s'il venait de le comprendre. Les larmes vinrent à nouveau aux yeux de Julie, ce qui la rendit furieuse.

Elle recula avant de l'embrasser à de nombreuses reprises, puis de s'abandonner contre sa poitrine.

« A quoi ressemble-t-elle ? »

Il soupira.

« Elle est belle ?

– Elle l'a toujours été, et elle l'est aujourd'hui. Cette femme a séduit César, Marc Antoine, le monde entier. »

Elle eut un mouvement de recul.

« Elle est aussi belle que toi. Mais tu as raison : elle n'est pas Cléopâtre, c'est une étrangère dans le corps de Cléopâtre. Un monstre qui voit par les yeux de Cléopâtre. Et qui cherche à profiter des talents de Cléopâtre. »

Que pouvait-elle répondre à cela ? L'issue de cette histoire reposait entre ses mains à lui. Il en avait d'ailleurs toujours été ainsi. Elle se dégagea de son étreinte et alla s'asseoir dans un fauteuil.

« Je la retrouverai, dit-il. Et je corrigerai cette affreuse erreur. Je la rejetterai dans les ténèbres d'où je l'ai tirée. Elle ne souffrira qu'un peu. Ensuite elle dormira.

– Mais c'est horrible, il doit bien y avoir d'autres moyens... » Elle éclata en sanglots.

« Que t'ai-je fait, Julie Stratford ? Qu'ai-je fait de ta vie, de tes tendres rêves, de tes ambitions ? »

Elle prit son mouchoir dans sa poche et le pressa contre sa bouche. Elle s'obligea à mettre un terme à ces pleurnicheries ridicules. Puis elle leva les yeux vers lui. Devant elle, il n'y avait qu'un homme. Un être immortel, oui, jadis un souverain, de tout temps un maître, mais un être humain comme nous tous. Aussi faillible. Aussi digne d'être aimé.

« Je ne peux vivre sans toi, Ramsès, dit-elle. Enfin, je le pourrais, mais je ne le veux pas. » Ah, c'était lui qui pleurait, à présent. Elle tourna la tête pour ne pas l'imiter. « La raison n'a plus rien à voir là-dedans. Mais c'est cette créature que tu as fourvoyée. C'est cette chose que tu as ressuscitée qui va souffrir. Tu parles de l'enterrer vivante. Je ne peux pas... je ne peux pas...

– Aie confiance en moi. Je trouverai bien un moyen moins douloureux. » Il hésita. « Il vaut mieux que tu saches la vérité. Ton cousin Henry est mort, c'est Cléopâtre qui l'a tué.

– Quoi ?

– Cela s'est passé dans la maison qu'occupait Henry, dans les vieux quartiers du Caire. C'est là qu'Elliott l'a conduite. Il m'avait suivi au musée. Quand les soldats m'ont arrêté, Elliott a pris soin de la créature que j'avais ressuscitée. Oui, il l'a emmenée, et elle a tué Henry et sa maîtresse, Malenka. »

Elle secoua la tête et, encore une fois, porta les mains à ses oreilles pour se les boucher. Tout ce qu'elle savait de Henry, de la mort de son père, de la façon dont il avait tenté de la tuer à son tour, tout cela ne lui était d'aucun secours. Plus rien ne la touchait, sinon un terrible sentiment d'horreur.

« Fais-moi confiance quand je te dis que je trouverai un moyen moins douloureux. Je dois agir avant que le sang innocent ne coule à nouveau. »

« Mon fils n'a pas laissé de message ? » Elliott n'avait abandonné ni le gin ni le fauteuil de cuir, et il n'avait nullement l'intention de le faire. Mais il savait qu'il devait joindre Alex avant de s'enivrer plus avant. Le téléphone était le seul moyen. « Il ne sortirait pas sans me prévenir. Très bien. Samir Ibrahaim, où se trouve-t-il, celui-là ? Vous pouvez appeler sa chambre ?

– Il est dans la suite de Mlle Stratford, monsieur. Au 203. Il a demandé que tout message lui soit transmis là-bas. Vous voulez que je l'appelle ? Il est onze heures du soir, monsieur.

– Non, je vais monter, merci. »

Elle se pencha au-dessus du lavabo de marbre et s'aspergea le visage d'eau froide. Elle ne voulait pas se voir dans le miroir. Elle s'essuya lentement les yeux avec une serviette. En se retournant, elle le vit dans le salon. Elle entendait la voix réconfortante de Samir.

« Oui, je vous aiderai, sire, mais par où allons-nous commencer ? »

On frappa à la porte de la suite.

Samir alla répondre. C'était Elliott. Le regard de Julie rencontra le sien et elle détourna les yeux, incapable de le juger, mais aussi de lui faire face. Elle pensait seulement qu'il était impliqué dans cette histoire, qu'il en savait bien plus qu'elle. Et, soudain, la répulsion que lui inspirait ce cauchemar devint insupportable.

Elle s'installa dans un fauteuil du salon.

« Venons-en aux faits, dit Elliott en s'adressant directement à Ramsès. J'ai un plan et il me faut votre coopération. Mais, avant de vous l'exposer, permettez-moi de vous rappeler que vous n'êtes pas en sécurité ici.

– S'ils me trouvent, je m'échapperai à nouveau, répondit Ramsès en haussant les épaules. Quel est ce plan ?

– Un plan pour faire partir Julie et mon fils. Mais que s'est-il passé après mon départ ? Vous ne voulez pas le dire ?

– Elle est telle que vous l'avez décrite. Folle, d'une force incroyable et dangereuse. Seulement son corps est intact à présent. Elle n'est plus défigurée. Et ses yeux ont la couleur du ciel, comme les miens.

– Ah ! »

Elliott se tut, comme si une vive douleur lui avait percé le flanc. Julie se rendit alors compte qu'il était ivre. C'était peut-être la première fois qu'elle le voyait ainsi. Il était digne, mais ivre. Il tendit la main vers le verre de Samir, à moitié plein de cognac, et le but d'une traite.

Calmement, Samir alla chercher une bouteille.

« Vous m'avez sauvé la vie, dit Elliott à Ramsès. Je vous en remercie. »

Ramsès haussa encore une fois les épaules. Ce début de conversation avait un caractère très intime, comme si les deux hommes se connaissaient bien. Cela frappa Julie. Il n'y avait entre eux aucune animosité.

« Quel est ce plan ? demanda Ramsès.

– Vous devez coopérer. Il vous faudra mentir. Résultat, vous serez innocenté des crimes que l'on vous impute, tandis que Julie et Alex seront libres de partir. Samir ne sera plus soupçonné. Les autres problèmes pourront alors...

– Je n'irai nulle part, Elliott, dit Julie d'un air las. Mais Alex doit pouvoir rentrer le plus vite possible. »

Samir versa du cognac à Elliott, qui vida aussitôt son verre.

« Vous n'avez pas de gin, Samir ? Je préfère le gin quand je veux m'enivrer.

– Parlons clair, dit Ramsès. Je vais devoir m'en aller. La dernière reine d'Egypte erre dans cette ville avec un penchant prononcé pour le meurtre. Je me dois de la retrouver.

– Il vous faudra du cran, dit Elliott, mais on peut tout mettre sur le dos de Henry... »

Le calme de la nuit. Alex Savarell dormait, nu, sur les draps immaculés. La fine couverture était jetée sur ses jambes. Son visage lisse semblait fait de cire aux reflets de la lune.

Elle avait défait de nombreux paquets et examiné les robes, les tenues de soirée, les pantoufles. Elle avait posé sur la coiffeuse deux petits rectangles de carton sur lesquels était inscrit : « Entrée pour une personne ».

Cléopâtre regardait par la fenêtre. Elle tournait le dos au jeune homme qui lui avait donné du plaisir de manière quasi divine et à qui elle avait répondu de même. Son innocence et sa puissance virile étaient pour elle des trésors. Il ne s'était jamais livré aussi totalement à une femme, lui avait-il assuré.

Et maintenant il dormait avec l'insouciance d'un enfant tandis qu'elle regardait à la fenêtre...

... Et que des rêves lui venaient en prenant la forme de souvenirs. Elle se rendit compte qu'elle n'avait pas vu la nuit depuis son éveil, le froid mystère de la nuit au cours de laquelle les pensées ont tendance à se faire plus profondes. Ce qui s'imposait à elle, c'étaient les images d'autres nuits, de palais bien réels, resplendissants avec leurs sols de marbre et leurs colonnes de pierre, de tables chargées de fruits, de viandes rôties et de pichets de vin d'argent. De Ramsès qui lui parlait, alors qu'ils étaient allongés dans le noir.

« Je t'aime, comme je n'ai aimé aucune autre femme. La vie sans toi... ce ne serait pas la vie.

– Mon roi, mon seul roi, lui avait-elle dit. Que sont les autres, sinon des jouets dans la main d'un enfant ? De petits empereurs de bois que l'on déplace sur un échiquier. »

Le souvenir se ternit, s'éloigna. Elle le perdit comme elle avait perdu tous ses autres souvenirs. La seule chose certaine était la voix d'Alex dans son sommeil :

« Votre Altesse, où êtes-vous ? »

Une pensée soudaine lui traversa l'esprit. Elle ne voulait pas qu'il connaisse la mort ! Elle ne voulait pas qu'il souffre. Elle avait envie de le protéger. Elle souleva la couverture et se glissa dessous, à ses côtés. Elle ne lui ferait jamais de mal, elle le savait. La mort lui apparut alors comme une chose terrifiante et injuste.

Pourquoi suis-je immortelle alors qu'il ne l'est pas ?

« Mon amour, mon jeune et bel amour », dit-elle en l'embrassant. Il réagit aussitôt et ouvrit les bras.

« Votre Altesse. »

Elle sentit son membre se tendre contre ses cuisses, à nouveau elle voulait le sentir en elle. Elle sourit. Si l'on ne peut être immortel, que l'on soit au moins enivré de jeunesse.

Ramsès avait écouté Elliott avec beaucoup d'attention.

« Selon vous, nous devons raconter aux autorités que j'ai eu une vive discussion avec lui, que je l'ai suivi à l'intérieur du musée et que je l'ai vu emporter la momie avant que les soldats ne m'arrêtent, c'est bien cela ?

– Vous avez menti pour l'Egypte quand vous étiez roi, non ? Vous avez menti à votre peuple en lui faisant croire que vous étiez un dieu vivant.

– Mais, Elliott, intervint Julie, que se passera-t-il si les crimes se poursuivent ?

– Cela pourrait très bien arriver, c'est pourquoi je dois partir d'ici et la rechercher.

– Il n'y a pas de preuve de la mort de Henry, dit Elliott, et personne n'en trouvera. Il est parfaitement plausible que Henry se cache dans Le Caire. Pitfield a sauté sur l'occasion quand je lui ai dit cela. Ils chercheront Henry pendant que vous la rechercherez, mais Alex et Julie seront déjà loin d'ici.

– Non, fit Julie, je persuaderai Alex...

– Julie, je peux te rejoindre à Londres, dit Ramsès. Lord Rutherford est un homme intelligent. Il aurait fait un bon roi ou un excellent conseiller. »

Elliott eut un sourire amer avant de vider son troisième verre.

« Je rendrai ce tissu de mensonges aussi convaincant que possible, dit Ramsès. Quoi d'autre ?

– C'est tout. Contactez-moi à dix heures demain matin. J'aurais alors obtenu votre immunité des mains mêmes du gouverneur. Vous vous rendrez alors à son palais afin de déposer. Nous ne pouvons pas partir sans nos passeports.

– Très bien. Je m'en vais, souhaitez-moi bonne chance.

– Mais où vas-tu commencer à chercher ? demanda Julie. Où vas-tu dormir ?

– Tu oublies, ma beauté, que je n'ai pas besoin de dormir. Je la chercherai jusqu'à ce que nous nous revoyions. Lord Rutherford, si ce plan devait échouer...

– Cela marchera. Et, demain soir, nous nous rendrons à l'opéra puis au bal ainsi que nous l'avions prévu.

– C'est absurde ! s'exclama Julie.

– Non, mon enfant. Faites cela pour moi. C'est la dernière chose que j'exigerai de vous. Je veux que le tissu social soit réparé. Je veux que mon fils soit vu aux côtés de son père et de ses amis, aux côtés de Ramsey, qui sera alors dégagé de tout soupçon. Je veux que l'on nous voie tous ensemble pour qu'il n'y ait aucune ombre sur l'avenir d'Alex. Je ne sais ce que l'avenir vous réserve, mais ne refermez pas la porte sur la vie que vous avez vécue.

– Ah, Lord Rutherford, fit Ramsès, vous ne cessez de m'amuser et de me combler. Dans un autre temps, dans une autre vie, je disais moi-même des choses aussi folles à ceux qui m'approchaient. Ce sont les palais et les titres qui nous poussent à cela. Mais je me suis trop attardé ici. Samir, venez avec moi si vous le désirez.

– Je vous accompagne, sire », dit Samir. Il se leva et

s'inclina devant Elliott. « A demain, monsieur. »

Ramsès et Samir sortirent de la pièce. Julie referma la porte et se retrouva seule avec Elliott. Assis dans le fauteuil de cuir, il buvait les quelques gouttes d'alcool qui restaient au fond de son verre. Il conservait toute son élégance.

Julie parla rapidement, sans réfléchir à ce qu'elle disait, mais aussi sans accuser qui que ce soit. Elle raconta à Elliott tout ce que Ramsès lui avait appris. La nourriture qu'on ne pouvait manger, le bétail qu'on ne pouvait abattre, la soif insatiable, la faim qui tenaillait les estomacs. Elle parla aussi de la solitude, de l'isolement. Sans le regarder, elle arpentait la pièce et débitait tout d'une traite.

Quand elle eut terminé, Elliott prit la parole à son tour.

« Dans notre jeunesse, à votre père et à moi-même, nous passâmes de nombreux mois en Egypte. Nous étudiions des ouvrages savants, nous visitions d'anciens tombeaux, nous traduisions des textes, nous parcourions les sables du désert. L'Egypte ancienne était devenue notre muse, notre religion. Nous rêvions de quelque connaissance occulte qui nous emporterait loin de ce monde d'ennui et de désespoir.

« Les pyramides abritaient-elles un secret inconnu de tous ? Les Egyptiens parlaient-ils une langue magique que les dieux eux-mêmes écoutaient ? Quelles tombes restaient à découvrir dans ces collines ? Quelle philosophie restait à révéler ? Quelle alchimie ?

« A moins que cette culture ne se contentât de produire quelque chose qui ressemblât à un savoir éthéré, à un mystère véritable. Nous nous demandions parfois si les Egyptiens ne constituaient pas un peuple simple, voire brutal, et non pas sage et mystique.

« Nous n'avons jamais obtenu de réponse. Je comprends aujourd'hui que la quête même était notre passion ! La quête, vous comprenez ? »

Elle ne répondit pas. Elle le regarda. Il paraissait très âgé. Ses paupières étaient gonflées. Il prit appui sur sa canne, se leva et s'approcha de Julie pour l'embrasser sur la joue. Il fit cela avec grâce, comme tout ce qu'il faisait. Une pensée étrange la visita, qu'elle avait souvent nourrie auparavant. S'il n'y avait eu ni Alex ni Edith, elle aurait pu l'aimer et l'épouser. S'il n'y avait pas eu Ramsès.

« J'ai peur pour vous, ma chère », dit-il. Il la laissa seule.

La nuit, le silence et le vide de la nuit, avec seulement les échos d'une musique lointaine. Toutes les nuits passées, ces bonnes nuits où le sommeil n'est terni d'aucun rêve, lui apparaissaient maintenant comme les derniers plaisirs, les dernières illusions de l'enfance.

CHAPITRE SEPT

L'aube. Un ciel rose jusqu'à l'infini s'étendait par-delà la masse des pyramides et celle défigurée du Sphinx.

La silhouette obscure du Mena House n'était percée que de quelques rares lumières.

Un homme vêtu de noir avançait lentement à l'horizon. Quelque part un train lança un coup de sifflet.

Ramsès marchait dans les dunes. Le vent faisait voleter ses vêtements derrière lui. Il arriva devant le Sphinx géant et s'arrêta entre ses pattes colossales. Il leva les yeux vers son visage érodé par les siècles, ce visage qui avait été si beau jadis et que recouvrait maintenant une fine couche de sable.

« Tu es encore là », murmura-t-il dans la langue ancienne.

En cette fraîche et paisible matinée, il se laissait aller à se rappeler un temps où toutes les réponses lui paraissaient étonnamment simples. Où le roi plein de bravoure prenait la vie de la pointe de son glaive ou d'un coup de sa masse d'arme. Où il avait frappé la prêtresse dans son antre afin que nul autre que lui n'entrât en possession de son secret.

Plus de mille fois, il s'était demandé s'il n'avait pas commis là son premier et plus terrible péché – tuer cette vieille innocente dont le rire tonnait encore à ses oreilles.

Je ne suis pas assez fou pour boire cela.

Etait-il vraiment damné pour avoir fait cela ? Allait-il errer à tout jamais à la face de la Terre comme le Caïn de la Bible, marqué par cette vigueur éternelle qui le séparait à tout jamais du reste de l'humanité ?

Il n'en savait rien. Il savait seulement qu'il ne supportait plus d'être seul dans ce cas. Il avait commis une erreur, il en commettrait à nouveau. C'était une certitude.

Le visage rongé du Sphinx lui rappela l'époque où il était venu ici en pèlerinage. Il entendait les flûtes et les percussions des participants à la procession, il sentait les parfums de l'encens, perçut le rythme doux des incantations.

Il fit une prière, dans la langue et le style de ces époques lointaines qui lui apportaient un certain réconfort.

« Dieu de mes pères, dieu de ma terre. Regarde-moi avec compassion. Montre-moi la voie, apprends-moi à rendre à la nature ce que je lui ai pris. Ou dois-je me faire humble et pleurer pour les erreurs que j'ai commises ? Je ne suis pas un dieu. Je ne sais rien de la création, et si peu de la justice.

« Mais une chose est certaine. Ceux qui nous ont tous créés savent eux aussi fort peu de la justice. Ou ce qu'ils en savent, grand Sphinx, est pareil à ta sagesse, un insondable secret. »

La grande ombre du Shepheard's s'assombrissait dans la lumière du levant tandis que Samir et Ramsès, enveloppés de leurs tuniques amples, s'en approchaient à vive allure.

Un gros camion noir s'arrêta devant l'entrée de l'hôtel. Des paquets de journaux furent jetés à même le sol.

Samir prit un journal alors que les chasseurs emportaient déjà les colis. Il fouilla dans sa poche et lança une pièce à l'un des jeunes employés de l'hôtel.

VOL ET ASSASSINAT DANS UNE BOUTIQUE DE MODE

Ramsès lut le titre par-dessus son épaule.

Les deux hommes se regardèrent.

Puis ils s'éloignèrent de l'hôtel encore endormi, en quête de quelque café où ils pourraient se reposer et réfléchir calmement aux événements.

Elle avait les yeux grands ouverts quand les premiers rayons du soleil traversèrent les rideaux. Comme il lui apparaissait splendide, ce dieu dont les longs bras se tendaient vers elle.

Que les Grecs avaient été stupides de voir dans ce disque puissant le chariot d'une divinité !

Ses ancêtres le savaient bien : le soleil était le dieu Râ, celui qui octroie la vie. Le dieu sans qui tous les autres dieux ne seraient rien.

Le soleil vint frapper le miroir, et un grand rayon doré

emplit la pièce et l'aveugla momentanément. Elle s'assit dans le lit, la main délicatement posée sur l'épaule de son amant. La tête lui tourna.

« Ramsès ! » murmura-t-elle.

Le chaud soleil caressa son visage, ses longs cils, ses paupières closes. Elle le sentit sur ses seins et sur son bras tendu.

Des picotements; la chaleur; un grand souffle de bien-être.

Elle quitta le lit et s'avança d'un pied léger sur le tapis vert sombre. Plus doux que de l'herbe, il étouffait le bruit de ses pas.

Elle regarda par la fenêtre qui donnait sur la place et, audelà, sur le serpent argenté du fleuve. Du dos de la main, elle caressa sa joue.

Un frémissement la parcourut. Comme si le souffle du vent avait fait voleter ses cheveux et chatouillé sa nuque. Le vent chaud du désert, qui franchissait les dunes pour s'introduire dans l'hôtel et, d'une certaine façon, en elle.

Ses cheveux émirent un léger crépitement comme si elle venait d'y passer une brosse.

Tout avait commencé dans les catacombes ! Le vieux prêtre lui avait rapporté la légende au cours du souper et tous s'étaient mis à rire. Un immortel dormait dans un tombeau creusé dans la roche ! Ramsès le Damné, conseiller des dynasties passées, s'était endormi dans les ténèbres à l'époque de ses lointains ancêtres !

Et, quand elle s'était réveillée, elle l'avait appelé.

« C'est une légende fort ancienne. Le père de mon père la lui a racontée, même si lui-même n'y croyait pas. Mais, moi, je l'ai vu de mes propres yeux, le roi endormi, et tu dois être consciente du danger que cela représente. »

Elle avait treize ans. Elle ne croyait pas au danger. Pas au sens ordinaire du terme, en tout cas. Le danger était partout.

Ils marchaient ensemble dans les couloirs taillés à même le roc. De la poussière tombait du plafond. Le prêtre qui marchait devant eux portait une torche.

« Quel danger ? Ce sont ces catacombes qui sont dangereuses et peuvent nous ensevelir à tout instant ! »

Plusieurs fragments rocheux avaient roulé à ses pieds.

« Je te dis que cela ne me plaît pas, vieillard. »

Le prêtre avait poursuivi son chemin. C'était un petit homme chauve aux épaules affaissées.

« Selon la légende, une fois réveillé, il ne peut être renvoyé. Ce n'est pas une créature sans esprit, mais un immortel qui jouit de sa volonté propre. Il conseillera le roi ou la reine d'Egypte, ainsi qu'il l'a déjà fait dans le passé, mais il agira selon son bon plaisir.

– Mon père savait cela ?

– Oui, mais il était incrédule. Tout comme le père de ton père, ou son propre père. Ah, le roi Ptolémée, à l'époque d'Alexandre, lui savait, et il avait appelé Ramsès en prononçant ces mots : “ Lève-toi, Ramsès le Grand, un roi d'Egypte réclame ton conseil. ”

– Et ce Ramsès, il a regagné son tombeau obscur ? Avec les seuls prêtres pour détenteurs du secret ?

– C'est pour cela que l'on m'a dit, ainsi qu'on l'avait dit à mon père, que je devrais l'annoncer au souverain de mon époque. »

Il faisait chaud, on y suffoquait. Il n'y avait pas la moindre fraîcheur dans ces profondeurs de la terre. Elle n'avait pas envie de pousser plus avant. Elle n'aimait pas le vacillement des torches, les ombres projetées sur les parois marquées, çà et là, d'écritures et de signes inconnus. Elle ne savait pas lire les hiéroglyphes. Qui le savait, d'ailleurs ?

Ils avaient fait tant de détours qu'elle n'eût jamais été capable de retrouver son chemin toute seule. Elle avait peur, et elle détestait éprouver ce sentiment.

« Oui, raconte la légende à la reine de ton époque, profite de ce qu'elle est assez jeune et assez folle pour t'écouter.

– Assez jeune pour avoir la foi. C'est ce que tu as, de la foi et des rêves. La sagesse n'est pas toujours l'apanage du grand âge, Majesté. Elle est parfois même une malédiction.

– C'est pour cela que nous allons trouver cet ancien ? » Elle avait éclaté de rire.

« Courage, Majesté. Il repose là, derrière ces portes. »

Elle regarda droit devant elle. Il y avait effectivement une paire de portes absolument énormes ! Couvertes de poussière, chargées elles aussi de signes étranges. Son cœur s'était mis à battre plus vite.

« Conduis-moi dans cette chambre.

– Oui, Majesté. Mais souviens-toi de ce que je t'ai dit. Une fois éveillé, il ne peut être renvoyé. C'est un être immortel !

– Je m'en moque ! Je veux le voir ! »

Elle avait précédé le vieillard. A la lueur dansante de la torche, elle avait lu à haute voix les mots écrits en grec :

« Ici repose Ramsès l'Immortel. Appelé par lui-même Ramsès le Damné, car il ne peut mourir. Il dort éternellement en attendant l'appel des rois et des reines d'Egypte. »

Elle avait reculé d'un pas.

« Ouvre les portes, fais vite ! »

Il avait effleuré une partie du mur. Dans un sombre grincement, les portes s'étaient écartées pour révéler une vaste pièce sans le moindre ornement.

Le prêtre avait levé haut sa torche. Et là, sur un autel, reposait un être au visage émacié, aux bras blanchis croisés sur la poitrine. Quelques mèches de cheveux bruns s'accrochaient encore à son crâne.

« Insensé que tu es ! Il est mort, c'est la fraîcheur de l'air qui l'a conservé.

– Non, Majesté. Regarde ces volets et les chaînes qui y sont accrochées, il faut les tirer afin de les ouvrir. »

Il lui avait confié la torche et, à deux mains, avait tiré sur les chaînes. Le bois avait craqué, de la poussière était tombée, mais un volet s'était entrouvert, comme un œil sur le bleu du ciel.

Le chaud soleil d'été avait frappé le corps de l'homme endormi. Elle avait écarquillé les yeux. Quels mots auraient pu décrire le spectacle qui s'offrait à elle, ce corps qui reprenait vigueur, ces cheveux bruns qui poussaient, ces paupières qui battaient doucement !

« Il est vivant. C'est vrai. »

Elle avait jeté la torche à terre et courut jusqu'à l'autel. Elle s'était penchée au-dessus de lui en prenant soin de pas se placer devant le soleil.

Et les grands yeux bleus et brillants s'étaient ouverts !

« Ramsès le Grand, lève-toi ! Une reine d'Egypte a besoin de ton conseil. »

Immobile, impassible, il la regardait.

« Si belle... » murmura-t-il.

Elle regardait la place qui s'étendait devant le Shepheard's. Elle voyait la ville du Caire revenir à la vie. Les chariots, les voitures automobiles qui brimbalaient sur le pavé des rues. Des oiseaux chantaient dans les arbres tout proches. Des barges flottaient sur le grand fleuve calme.

Des paroles d'Elliott Rutherford lui revinrent en mémoire. « De nombreux siècles se sont écoulés, oui... les temps modernes... l'Egypte a connu plusieurs conquérants... des merveilles inimaginables... »

Ramsès se tenait devant elle dans sa tunique de Bédouin, et il pleurait, il la suppliait de l'écouter.

Dans la salle obscure, parmi les débris de bois et de verre, des cercueils et les statues, elle s'était relevée, douloureuse, les bras tendus, et elle avait crié son nom !

Les images se succédèrent à toute allure. Le coup porté à la gorge et le sang qui macule sa tunique. La douleur, celle que lui avait infligée celui qu'on appelait Henry. Et puis, dans la boutique, le regard de la femme ! Et le jeune homme, le pauvre jeune homme qui avait vu ses plaies béantes, ses os saillants !

O dieux, que m'avez-vous fait ?

Elle se détourna de la lumière, mais celle-ci inondait déjà toute la chambre. Le miroir était embrasé. Elle tomba sur le tapis, elle s'allongea. Elle cherchait à repousser la force éclatante qui l'envahissait, qui pénétrait chaque partie de son corps. Elle flottait dans l'espace. Et enfin elle s'abandonna à la grande vibration lumineuse.

Elle ferma les paupières, apaisée.

Elliott était assis, seul, sur la terrasse. La bouteille vide étincelait aux reflets du levant. Bien niché au creux de son fauteuil, il laissait par moments son esprit battre la campagne. La luxure, l'alcool et la longue nuit sans sommeil l'avaient plongé dans une sorte d'état second. Il lui semblait que la lumière était un miracle jailli du ciel, que la grande voiture argentée qui remontait l'allée était apparue comme par enchantement. Enfin, qu'il y avait quelque chose de magique dans le personnage grisonnant qui en descendait pour s'approcher de lui.

« J'ai passé la nuit avec Winthrop.

– Condoléances.

– Nous avons rendez-vous à dix heures et demie afin de régler tous les problèmes. Vous pourrez venir ?

– Je me débrouillerai. Vous pouvez compter sur moi. Et Ramsey sera là si... si... vous avez obtenu qu'il ne soit pas inquiété.

– Tout sera oublié s'il signe une déclaration à l'encontre de Stratford. Vous savez certainement qu'il a encore frappé cette nuit. Il a attaqué une boutique. On a retrouvé une femme, la nuque brisée, elle aussi. La caisse était vide, il a tout pris.

– Le petit salopard, grommela Elliott.

– Mon cher, vous allez abandonner ce fauteuil, vous raser et prendre un bon bain. Nous avons rendez-vous...

– Gerald, je vous ai dit que je viendrai. A dix heures et demie au palais du gouverneur. »

La voiture s'en alla. Le serveur arriva. « Petit déjeuner, monsieur ?

– Apporte-moi à grignoter et un bon jus d'orange. Qu'on essaie d'appeler mon fils. Qu'on voie aussi à la réception si personne n'a laissé de message. »

En fin de matinée, le jeune seigneur s'éveilla.

Rome avait connu la décadence et la chute. Et deux mille ans s'étaient écoulés.

Pendant des heures, elle avait regardé la ville moderne par la fenêtre. Il y avait encore tant de choses à comprendre.

Puis elle avait pris son petit déjeuner, et les serviteurs avaient enlevé les reliefs du repas pour que nul ne vît de quelle manière bestiale elle consommait tant de nourriture.

Il sortit enfin de la chambre à coucher. « Tant de beauté, dit-elle à mi-voix.

– Qu'y a-t-il, Votre Altesse ? » Il se pencha pour l'embrasser. Elle le prit par la taille et baisa sa poitrine nue.

« Prenez votre petit déjeuner, jeune seigneur.

– Vous ne vous joindrez pas à moi ?

– J'ai déjà mangé. Dites-moi, pourrez-vous me montrer la ville moderne, les palais des Britanniques qui sont maîtres de ce pays ?

– Je vous montrerai tout, Votre Altesse », dit-il avec sa douceur habituelle.

Il mangea un peu puis s'empara de ce qui apparut aux yeux de Cléopâtre comme un rouleau grisâtre. Il le déplia et elle vit une sorte de grand manuscrit couvert d'une fine écriture.

« Dites-moi ce que c'est.

– Eh bien, un journal », fit-il en riant. Il y jeta un coup d'œil. « Avec de mauvaises nouvelles.

– Lisez-les-moi.

– Je ne pense pas que cela vous plaira. Une pauvre femme retrouvée morte dans sa boutique de mode, la nuque brisée comme tous les autres. Il y a aussi une photographie qui représente Ramsey et Julie. Mon Dieu ! »

Ramsès ?

« Autant que je vous dise la vérité, Votre Altesse. Mes amis se sont trouvés mêlés malgré eux à une sombre histoire, mais tout va finir par s'arranger. Là... vous voyez cet homme ? »

Ramsès. *Ce sont des amis de Lawrence Stratford, l'archéologue, qui a mis au jour la momie de Ramsès le Damné.*

« C'est un bon ami de mon père et de moi-même. La police le recherche. Une histoire ridicule de momie dérobée au musée du Caire... Votre Altesse, vous ne devez pas vous effrayer de tout cela. »

Elle regarda la « photographie », image différente des autres illustrations, plus dense, dont l'encre lui tachait les doigts. Ramsès, aux côtés d'un chameau et de son chamelier, vêtu à la mode de cette époque. Le texte disait : « Dans la Vallée des Rois ».

C'était à en mourir de rire. Pourtant elle ne fit rien, ne dit rien. Le jeune homme parlait, mais elle ne l'entendait pas. Disait-il qu'il lui fallait appeler son père, que son père avait besoin de lui ?

Dans un état second, elle le vit qui s'éloignait d'elle. Il avait reposé le journal. Il se saisissait maintenant d'un étrange instrument, il le portait à sa bouche et parlait dedans. Il demandait Lord Rutherford.

Elle se leva d'un bond et lui prit l'appareil, qu'elle reposa sur son socle.

« Ne m'abandonnez pas, jeune seigneur. Votre père peut vous attendre. J'ai besoin de vous. »

Il ne fit rien pour l'empêcher de l'enlacer.

« Ne soyez pas timide. Caressez-moi. »

Il l'entraîna vers la chambre à coucher. Au passage, elle prit le journal et, au moment où ils tombaient sur le lit, elle le lui montra.

« Dites-moi, fit-elle en désignant le petit groupe qui posait près des chameaux, qui est cette femme à côté de lui ?

– C'est Julie. Julie Stratford. »

Ils ne parlèrent plus. Il n'y eut plus que leur étreinte passionnée, leurs jambes qui se mêlaient, leurs corps haletants.

Quand tout fut consommé et qu'il resta allongé, immobile, elle lui caressa les cheveux.

« Cette femme, il s'intéresse à elle ?

– Oui, dit-il d'une voix lasse. Et elle l'aime. Mais cela n'a plus d'importance.

– Pourquoi dites-vous cela ?

– Parce que je vous ai », répondit-il.

Comme prévu, Ramsey retrouva Elliott au palais du gouverneur, et l'affaire fut rondement menée. Gerald expliqua à Winthrop comment Henry était responsable de tout. Pour accélérer la procédure, Elliott haussa le ton, menaçant même d'exclure Miles de la vie sociale de Londres ou du Caire si ses amis ne prenaient pas le lendemain midi le train pour Port-Saïd.

Les passeports confisqués leur furent rendus sur-le-champ. Elliott confirma qu'il resterait en ville afin de répondre aux éventuelles questions du gouverneur.

Ils sortirent du palais et hélèrent une voiture.

« Il est impératif que vous reveniez à l'hôtel, dit Elliott à Ramsey. On doit vous y voir.

– C'est ridicule ! Quant à ce bal de l'opéra...

– Les apparences, mon cher ! dit Elliott en s'installant sur le siège. Montez. »

Ramsey hésitait.

« Sire, que pouvons-nous faire d'autre tant que nous n'avons pas d'autre trace de sa présence ? lui dit Samir. Seuls, nous ne pouvons absolument pas la retrouver. »

Ramsès discutait toujours quand la voiture s'arrêta devant le Shepheard's.

« Nous ferons tout ce que la bonne société attend de nous, dit Elliott. Vous avez le reste de l'éternité pour mener à bien la quête de votre reine.

– Il y a une chose qui m'étonne », insista Ramsey. Il ouvrit la portière sans ménagement et faillit arracher l'un des gonds. « Alors que son cousin est recherché pour crimes de sang, comment Julie peut-elle danser à un bal comme si de rien n'était ?

– C'est la loi anglaise, mon cher, un homme est considéré innocent tant que sa culpabilité n'est pas reconnue, dit Elliott en prenant appui sur la main d'Elliott. Publiquement, nous le déclarons innocent. Et nous ne savons rien de ces atrocités, de sorte que nous devons nous comporter en privé comme de dignes représentants de la Couronne.

– Décidément, vous auriez fait un excellent conseiller.

– Seigneur, regardez ! s'écria Elliott.

– Quoi ?

– Mon fils qui part en voiture avec une femme ! Comme si c'était le moment !

– Ah, peut-être ne fait-il que ce que la société attend de lui, dit Ramsey avec un certain mépris dans la voix.

– Lord Rutherford, pardonnez-moi. Votre fils m'a prié de vous faire dire qu'il vous retrouverait ce soir, à l'opéra.

– Merci », fit Elliott avec un petit rire ironique.

Elliott n'avait qu'une seule envie, dormir, quand il entra dans le salon de sa suite. Il en avait assez d'être ivre. Il voulait avoir les idées claires.

Ramsey l'aida à s'installer dans un fauteuil.

Elliott se rendit brusquement compte qu'ils étaient seuls, tous les deux. Samir avait regagné ses appartements et Walter était absent pour le moment.

« Qu'allons-nous faire maintenant ? » lui demanda Ramsey. Debout au centre de la pièce, il observait Elliott. « Vous allez regagner l'Angleterre après votre précieux bal de l'opéra, comme si rien ne s'était jamais passé ?

– Votre secret est sauvé. Personne ne croirait ce que nous avons vu. Je voudrais seulement tout oublier, mais je doute de ne jamais y parvenir.

– Le désir d'immortalité ne vous a jamais effleuré ? »

Elliott réfléchit un instant, puis il répondit avec une hâte qui lui était inhabituelle.

« Peut-être, dans la mort, trouverai-je ce que je cherche, plutôt que ce que je mérite. On peut toujours espérer. » Il sourit à Ramsey, qui semblait totalement désarçonné par cette réponse. « De temps à autre, continua Elliott, je me représente le ciel sous la forme d'une vaste bibliothèque contenant une infinité de volumes. Il y a aussi des peintures et des sculptures que l'on peut admirer sans réserve. J'y vois une porte ouverte sur le savoir. Croyez-vous que l'au-delà pût être ainsi ? »

Ramsey lui adressa un sourire empreint de tristesse.

« Un ciel fait de choses matérielles, comme celui de notre ancienne religion.

– Oui, c'est cela. Un vaste musée. Et un défi à l'imagination. Oh, il y a tant de choses dont j'aimerais discuter avec vous, tant de choses que j'aimerais connaître ! »

Ramsey ne répondit rien.

« Mais il est trop tard pour cela, reprit Elliott. Mon fils Alex est la seule immortalité qui m'importe désormais.

– Vous êtes un sage. Je l'ai su dès que je vous ai vu. Mais vous ne savez pas bien mentir. Vous m'avez appris où vous gardiez Cléopâtre en me disant qu'elle avait tué Henry et sa maîtresse. Il ne pouvait s'agir que de la maison de la danseuse du ventre. J'ai joué le même jeu que vous, je voulais savoir jusqu'où vous iriez. Mais vous avez flanché.

– Je me sens vieux, prématurément. Et je ne vois pas en quoi je pourrais vous être utile.

– Pourquoi n'avez-vous pas eu peur d'elle quand vous l'avez vue, au musée ? lui demanda Ramsey.

– J'avais peur d'elle, j'étais horrifié.

– Vous l'avez pourtant abritée. Ce n'était pas dans votre seul intérêt.

– Mon intérêt ? Non, je ne le crois pas. Je l'ai trouvée irrésistible, de même que je vous ai trouvé irrésistible. C'était le mystère. Je voulais le toucher du doigt, le faire mien. Et puis...

– Oui ?

– C'était... un être vivant. Un être qui souffrait. »

Ramsey réfléchit un instant à ses paroles.

« Vous allez persuader Julie de rentrer à Londres. Jusqu'à ce que tout ceci soit terminé, dit Elliott.

– Je vous le promets. »

Ramsey quitta le salon et referma doucement la porte.

Ils parcouraient à pied la Cité des Morts, cette partie de la ville que l'on appelle « lieu des exaltés » en arabe. C'est là que les sultans des siècles passés avaient fait édifier leurs mausolées. Ils avaient vu la forteresse de Babylone, ils avaient erré dans le bazar.

Elle en avait assez de voir des ruines. Elle ne voulait plus qu'une chose, demeurer seule avec Alex.

« Je vous aime, jeune seigneur, lui dit-elle. Vous me réconfortez. Vous me faites oublier ma douleur. Et tous ces noirs souvenirs.

– Que voulez-vous dire, ma chérie ? »

A nouveau elle se sentit bouleversée par l'impression de fragilité que dégageait ce mortel. Elle posa les doigts sur son cou. Les souvenirs affluèrent comme une marée funeste. Ramsès lui tourne le dos et refuse de donner l'élixir à Antoine, elle-même à genoux, qui le supplie de ne pas le laisser mourir.

« Vous êtes tous si fragiles, murmura-t-elle.

– Je ne comprends pas. »

Ainsi donc, je me retrouve seule, c'est bien cela ? Seule parmi la multitude de ceux qui peuvent mourir ! Oh, Ramsès, sois maudit ! Pourtant, quand elle revit l'ancienne chambre à coucher, quand elle vit l'homme mourant allongé sur la couche et l'autre, l'immortel, qui lui tournait le dos, elle perçut quelque chose qui lui avait échappé en ces tragiques instants. Elle vit qu'ils étaient tous deux humains; elle vit le chagrin dans le regard de Ramsès.

Plus tard, alors qu'elle-même gisait, comme morte, après les funérailles d'Antoine, Ramsès s'était adressé à elle : « Tu étais unique. Tu avais le courage de l'homme et le cœur de la femme. La sagesse d'un roi et la ruse d'une reine. Tu étais la meilleure. Je croyais que tes amants seraient là pour t'enseigner, pas pour t'entraîner à ta perte. »

Que dirait-elle à présent si elle revoyait cette chambre ? Je sais, je comprends ? L'amertume la rongeait malgré tout, une haine incontrôlable s'emparait d'elle quand elle contemplait le jeune homme fragile et mortel qui l'accompagnait.

« Ma chérie, je ne vous connais que depuis peu de temps, mais je...

– Que voulez-vous dire, Alex ?

– Cela semble si fou.

– Dites-le-moi.

– Je vous aime. »

Elle lui effleura le visage de sa main.

« Mais qui êtes-vous ? D'où venez-vous ? » murmura-t-il.

Il lui prit la main et l'embrassa. Une onde de passion la parcourut.

« Je ne vous ferai jamais aucun mal, seigneur Alex.

– Votre Altesse, dites-moi votre nom.

– Donnez-m'en un, seigneur Alex. Appelez-moi comme vous voudrez si vous ne croyez pas au nom que je vous ai donné.

– *Regina*, dit-il dans un souffle. Ma reine. »

Ainsi donc, Julie Stratford l'avait abandonné ? C'était donc elle, la femme moderne qui faisait ce que bon lui plaisait ? Mais un grand roi était venu, qui l'avait séduite. Et Alex avait aussi sa reine.

Elle revit Antoine, mort sur la couche. *Majesté, il faudrait l'enlever !*

Ramsès s'était tourné vers elle : « Viens avec moi ! »

Alex plaqua sa bouche sur la sienne, sans se soucier des touristes qui passaient par là. Le jeune seigneur Summerfield, qui mourrait comme Antoine était mort...

Julie Stratford mourrait-elle un jour ?

« Ramenez-moi à la chambre à coucher, dit-elle. J'ai faim de vous, seigneur Alex. J'arracherai vos habits ici même si nous ne partons pas.

– Votre esclave à jamais », répondit-il.

En voiture, elle s'accrocha à lui.

« Qu'y a-t-il, Votre Altesse, dites-le-moi ? »

Elle regardait les hordes de mortels sur les trottoirs, les milliers d'habitants de la vieille ville, dans leurs tenues rustiques et intemporelles.

Pourquoi l'avait-il ramenée à la vie ? Dans quel but ? Elle revit son visage baigné de larmes. Elle revit la photographie sur laquelle il souriait aux côtés de Julie Stratford.

« Serrez-moi contre vous, seigneur Alex. J'ai besoin de votre chaleur. »

Ramsès arpentait seul les rues de la vieille ville.

Comment persuader Julie de prendre le train ? Comment pourrait-il la laisser revenir à Londres, bien que ce fût certainement la plus sage solution ? Ne lui avait-il pas fait assez de mal ?

Il y avait aussi sa dette à l'égard du comte de Rutherford. Cet homme avait abrité Cléopâtre. Cet homme qu'il aimait et eût aimé avoir près de lui, comme conseiller.

Mettre Julie au train. Comment faire ? La confusion régnait en lui. Il ne cessait de revoir son visage. *Détruis l'élixir. Ne le fabrique plus jamais.*

Il repensa aux titres des journaux. Une femme assassinée dans sa boutique. *J'aime tuer. Cela apaise mes souffrances.*

Elliott dormait dans le grand lit victorien de sa suite. Il rêvait de Lawrence. Ensemble, ils bavardaient au Babylone, où Malenka dansait. Et Lawrence lui disait : il est presque temps pour toi de me rejoindre.

Mais il faut que je rentre voir Edith. Il faut que je m'occupe d'Alex, lui avait-il répondu. Et je veux me saouler à mort dans ce pays, je l'ai déjà prévu.

Je sais, reprit Lawrence, c'est ce que je voulais dire. Cela ne prendra pas bien longtemps.

Miles Winthrop ne savait pas trop quoi faire. Ils avaient lancé un mandat d'arrêt contre Henry, mais, franchement, il était de plus en plus persuadé que le jeune Stratford était déjà mort. Cette sinistre affaire ne serait jamais résolue.

Enfin, pour le moment, la journée avait été paisible. Pas de cadavre retrouvé la nuque brisée, les yeux grands ouverts, comme pour demander : ne retrouveras-tu pas celui qui m'a fait ça ?

Il redoutait la soirée à l'opéra, toute la communauté britannique qui lui poserait des questions. Il savait aussi qu'il ne pourrait se réfugier dans l'ombre de Lord Rutherford.

Sept heures.

Julie se tenait devant le miroir du salon. Elle avait mis cette robe courte qui troublait tant Ramsès. Elle n'avait rien d'autre qui correspondît mieux à la futilité de l'événement. Elliott l'aidait à attacher son collier de perles.

Il avait une allure étonnante. Mince, toujours beau à cinquante-cinq ans, il portait la cravate blanche et l'habit à queue avec le plus extrême naturel.

La scène aurait pu se passer à Londres. L'Egypte n'était qu'un cauchemar. Seule Julie n'était pas prête à se réveiller.

« Et voilà, dit-elle, nous avons retrouvé notre plumage et nous sommes parés pour la danse rituelle.

– Souvenez-vous que nous avons toutes les raisons de le croire innocent tant qu'il n'est pas arrêté, ce qui ne se produira pas, d'ailleurs.

– C'est monstrueux.

– C'est nécessaire.

– Pour Alex, oui. Et Alex n'a pas daigné nous joindre de la journée. Pour moi, cela n'a aucune importance.

– Il va vous falloir revenir à Londres, dit-il. Je veux que vous reveniez à Londres. »

Elle soupira.

« Je ne peux pas rentrer, dit-elle, mais je ferai tout pour qu'Alex prenne ce train. »

Détruis l'élixir. Il se regardait dans le miroir. Il avait mis les vêtements qu'il avait trouvés dans les affaires de Lawrence Stratford – le pantalon noir luisant, les chaussures, la ceinture. Torse nu, il contemplait son propre reflet. Les flacons étaient plaqués contre sa taille.

Détruis l'élixir. Ne le fabrique plus jamais.

Il enfila la chemise empesée et la boutonna patiemment. Il revit le visage fatigué d'Elliott Savarell. *Vous allez persuader Julie de rentrer à Londres – jusqu'à ce que tout ceci soit terminé.*

Par-delà les fenêtres, la ville du Caire affichait une calme effervescence. Le tumulte des villes modernes était une chose qui n'existait pas aux temps anciens.

Où se trouvait-elle, sa reine brune au regard d'azur ? Il la revit, qui se tordait sous lui, la tête rejetée contre les coussins. Il revit aussi le sourire qui s'affichait sur son visage. Le sourire d'une étrangère.

« Oui, monsieur Alex, dit Walter au téléphone. Suite 201, d'accord, j'y apporte tout de suite vos affaires. Mais prenez la peine d'appeler votre père dans la suite de Mlle Stratford. Il est inquiet, il ne vous a pas vu de la journée. Il s'est passé tant de choses monsieur Alex... » Mais la communication était déjà coupée. Il s'empressa d'appeler Julie Stratford. Pas de réponse. Il n'avait pas le temps. Il rassembla les affaires d'Alex.

Cléopâtre se tenait à la fenêtre. Elle avait mis une splendide robe du soir en lamé argent. Des rangées de perles tombaient sur sa poitrine. Ses cheveux n'étaient pas très bien coiffés. Ils étaient encore mouillés du bain qu'elle avait pris et pleins de parfum, mais cela lui plaisait comme cela. Elle eut un sourire amer en pensant qu'elle ressemblait à une petite fille.

« J'aime votre monde, seigneur Alex », dit-elle. Les lumières du Caire s'allumaient sous le ciel qui s'assombrissait. Les étoiles semblaient perdues parmi tant de splendeurs. « Oui, j'aime votre monde. Tout m'y plaît. J'aime y avoir l'argent et la puissance, et je veux que vous soyez à mes côtés. »

Elle se tourna. Il la regardait comme fasciné. Elle n'entendit pas le coup frappé à la porte.

« Ma chérie, ces choses ne vont pas toujours de concert en ce monde, dit-il. Les terres, le titre, l'éducation, j'ai tout ceci, mais de l'argent, point.

– Ne vous inquiétez pas. J'acquerrai la fortune, seigneur, cela n'est rien quand on est invulnérable. Mais il y a des choses que je dois régler avant. Je dois me venger de quelqu'un qui m'a fait souffrir. Je dois lui prendre... ce qu'il m a pris. »

On frappa à nouveau à la porte. Comme si elle s'éveillait d'un rêve, elle sursauta et alla ouvrir. Un serviteur. La tenue de soirée d'Alex était arrivée.

« Votre père est déjà parti, monsieur. Les billets vous attendent au guichet de location.

– Merci, Walter. »

Il referma la porte et se tourna vers elle.

« J'ai déjà des billets », dit-elle. Elle prit sur la coiffeuse les petits rectangles de carton qu'elle avait dérobés à l'Américain.

« J'aimerais que vous fassiez la connaissance de mon père, dit-il. J'aimerais que vous les rencontriez tous. Et qu'ils vous connaissent.

– Bien sûr, mais perdons-nous dans la foule afin de mieux nous retrouver. Nous pourrons les voir quand nous le voudrons. S'il vous plaît. »

Il voulut protester, mais elle l'embrassa et lui caressa les cheveux.

« Donnez-moi la possibilité d'observer à distance votre amour perdu, cette Julie Stratford.

– Oh, elle n'a plus d'importance à présent », dit-il en cédant à ses caresses.

CHAPITRE HUIT

Un autre palais moderne, l'Opéra, où se pressaient des femmes couvertes de bijoux, vêtues de toutes les couleurs de l'arc-en-ciel, tandis que les accompagnaient des hommes élégants en fracs noirs ou blancs.

Elle observa la foule qui se dirigeait vers le grand escalier. Elle sentit des regards d'admiration se poser sur elle.

Alex la contemplait avec fierté et affection. « Vous êtes la reine ici. » Le rouge lui montait aux joues comme il susurrait ce compliment. Il se tourna vers l'un des colporteurs qui proposaient de curieux petits instruments dont elle ne parvenait pas à définir l'utilité.

« Des jumelles, dit-il en lui tendant une paire. Et aussi le programme, oui.

– Mais qu'est-ce que c'est ? » demanda-t-elle.

Il eut un petit rire d'étonnement. « Vous êtes tombée du ciel, dirait-on ! » Il déposa un baiser dans son cou. « Portez-les à vos yeux et tournez la mollette. Là, vous voyez ? »

Elle sursauta en découvrant les gens du balcon aussi près d'elle.

« Quelle chose curieuse ! Quel est le procédé ?

– On appelle cela le grossissement, dit-il. Il y a une lentille de verre. » Il semblait enchanté qu'elle n'eût jamais entendu parler de cela ! Elle se demanda comment Ramsès avait maîtrisé tous ces petits secrets; Ramsès, dont la « tombe mystérieuse » avait été découverte quelques semaines auparavant par « ce pauvre Lawrence », qui était aujourd'hui décédé. Ramsès, qui parlait dans les «papyrus» de son amour pour Cléopâtre. Etait-il vraiment possible qu'Alex ne sût pas que la momie et Ramsey ne faisaient qu'un ?

Mais aussi comment accepter semblable vérité ? Avait-elle cru le vieux prêtre quand il l'avait entraînée dans les couloirs et les souterrains ?

Une sonnerie retentit. « L'opéra va commencer. »

Ils montèrent l'escalier. Il lui semblait qu'une lumière très vive les entourait et les mettait à l'écart des autres, tout en les désignant à leurs regards. L'amour. Oui, elle l'aimait. Ce n'était pas d'un amour sauvage, certes, comme celui qu'elle avait éprouvé pour Antoine, un amour sauvage et destructeur.

Non, c'était un amour très frais et très doux, à l'image même d'Alex. Julie Stratford avait été folle de ne pas l'aimer. Et elle avait cédé à Ramsès, lui qui eût pu séduire Isis en personne.

Ramsès, le juge, le père, le maître. Antoine, le mauvais garçon avec qui elle s'était enfuie. Ils avaient joué dans la chambre royale comme des enfants, ils s'étaient enivrés et conduits comme des fous. Ils n'avaient répondu à l'appel de personne. Jusqu'à ce que Ramsès fût apparu après toutes ces années.

Voilà donc ce que tu as fait de ta liberté ? De ta vie ?

Qu'allait-elle faire de sa liberté à présent ? Pourquoi la douleur ne l'accablait-elle pas ? Parce que ce monde nouveau était trop magnifique. Parce qu'elle avait ce dont elle avait rêvé au cours des derniers mois où les armées de Rome avaient submergé l'Egypte, en ce temps où Antoine avait cédé au désespoir et perdu toutes ses illusions : *une autre chance*. Une autre chance, sans le poids de cet amour qui l'entraînait dans les ténèbres; une autre chance sans qu'elle éprouvât de haine pour Ramsès, qui n'avait pas voulu sauver son amant condamné et qui ne lui pardonnerait jamais de s'être elle-même damnée.

« Votre Altesse, je vous perds à nouveau, dit-il doucement.

– Non, je suis avec vous, seigneur Alex. »

Les lustres de cristal brillaient de mille arcs-en-ciel; elle entendait le doux tintement du verre sous l'effet de l'air qui pénétrait par les portes grandes ouvertes.

« Regardez, les voilà ! » dit Alex en montrant le haut des marches.

Le tumulte de l'opéra cessa instantanément; les lumières, la foule, tout disparut. Ramsès était là !

Ramsès, en costume moderne, et à côté de lui, cette femme d'une étonnante beauté, jeune et fragile comme Alex, avec ses cheveux auburn délicieusement tirés en arrière. Elle regarda dans leur direction, mais ne les vit pas. Et le seigneur Rutherford, appuyé sur sa canne d'argent. Ramsès, cette force de la nature qui respirait l'immortalité, parvenait-il vraiment à abuser les mortels qui l'entouraient ?

« Mon chéri, pas maintenant », dit-elle à Alex.

Déjà la foule les engloutissait.

« Mais, voyons, il faut leur faire savoir que nous sommes ici. C'est merveilleux, non ? Ramsey a été innocenté. Tout est redevenu normal. Pitfield a fait des miracles.

– Accordez-moi cet instant, Alex, je vous en supplie ! »

Y avait-il quelque chose d'impérieux dans le ton de sa voix ?

« Très bien, Votre Altesse », dit-il avec un sourire.

Arrivée en haut de l'escalier, elle les chercha à nouveau du regard, mais ils avaient franchi une porte drapée de velours. Alex l'entraînait dans une autre direction.

« Eh bien, il semble que nous soyons de l'autre côté de la corbeille, fit-il avec un sourire. Comment pouvez-vous être si timide alors que vous êtes si adorable ? Alors que vous êtes plus belle que toutes les femmes que j'ai pu admirer ?

– Je suis jalouse de vous, des heures que nous avons passées ensemble. Croyez-moi, le monde causera notre perte, seigneur Alex.

– Ah, ce n'est pas possible », répondit-il avec une totale innocence.

Elliott se tenait près de la porte. « Où diable Alex peut-il être passé ? Comment peut-il disparaître à un moment aussi important ? C'est incroyable !

– Elliott, Alex est le cadet de nos soucis, lui dit Julie. Il s'est probablement trouvé une nouvelle héritière américaine. Le troisième amour de sa vie en moins d'une semaine ! »

Elliott eut un sourire amer, puis ils entrèrent dans la loge. Il repensa à la femme qu'il avait aperçue dans la voiture.

Une galerie de forme incurvée; un amphithéâtre géant, couvert et n'occupant que la moitié d'un ovale. Le fond était occupé par la scène, assurément, que dissimulait un chatoiement de rideaux; et juste devant, dans une sorte de fosse, un rassemblement d'hommes et de femmes qui tiraient des sons atroces de leurs instruments. Elle se boucha les oreilles.

Elle ne parvenait pas à détacher les yeux de Ramsès et de sa compagne. Fascinée par ce qu'elle voyait, elle ne comprenait pas le trouble qui l'habitait. Puis Ramsès posa la main sur l'épaule de la jeune femme. Il l'enlaça, comme pour la réconforter, et la femme ferma les yeux. Ramsès l'embrassa et elle lui rendit son baiser !

La douleur qu'elle éprouvait était des plus vives. On eût dit qu'un couteau lui avait balafré le visage, entaillé la gorge ! Elle tourna la tête vers la partie obscure de la salle.

Elle se serait mise à pleurer si cela lui avait été possible. Mais que ressentait-elle au juste ? De la haine, oui. Une haine énorme pour cette femme montait en elle et l'incendiait de l'intérieur. *Donne l'élixir à Antoine.*

Soudain le grand théâtre s'obscurcit. Un homme se présenta devant les spectateurs. Des applaudissements s'élevèrent, assourdissants.

L'homme s'inclina, leva les mains et fit face aux musiciens redevenus silencieux. A son signal, ils se mirent à jouer, et la musique éclata, immense et splendide.

Elle se sentit touchée au plus profond d'elle-même. La main d'Alex se posa sur la sienne. Les sons qui l'enveloppaient balayaient sa douleur.

« Les temps modernes », murmura-t-elle. Pleurait-elle, elle aussi ? Elle ne voulait plus haïr ! Elle ne voulait plus souffrir ! En souvenir, elle revit Ramsès debout dans l'obscurité. S'agissait-il d'un tombeau ? Elle sentit l'élixir versé dans sa bouche. Et puis il s'éloignait d'elle, épouvanté. *Ramsès.* Regrettait-elle qu'il se fût comporté de la sorte ? Pouvait-elle vraiment le maudire pour cela ?

Elle était vivante !

Elliott ressortit dans le foyer pour lire le message qu'on venait de lui apporter.

« Cela vient de la réception du Shepheard's, monsieur », dit le groom. Elliott fouilla dans sa poche à la recherche d'une pièce de monnaie.

Père, je vous verrai à l'opéra ou au cours du bal.

Pardon d'être aussi mystérieux, mais j'ai rencontré la femme la plus envoûtante qui soit. Alex.

C'était exaspérant, mais qu'y pouvait-il ? Il regagna sa loge.

Ramsès n'avait pas imaginé qu'il pourrait prendre plaisir à ce spectacle. Il était furieux contre Elliott qui l'avait entraîné à l'opéra contre son gré. Le spectacle eût pu être grotesque, mais il était en fait sublime. La beauté des mélodies faisait oublier les chanteurs obèses costumés en « Egyptiens » et s'exprimant en italien, les statues en carton, les décors peints. Julie s'appuyait contre son épaule. Les voix magnifiques la touchaient et apaisaient ses souffrances. Ces instants n'avaient pas le côté épouvantable que Ramsès leur avait prêté; il en vint même à imaginer que Cléopâtre avait fui Le Caire ou qu'elle s'était perdue au cœur de la ville moderne. Il ne la retrouverait plus jamais. Cette pensée l'apaisait, mais elle le terrifiait aussi; quelle serait la solitude de cette femme au fil des semaines et des mois ? Quelles seraient les exigences de sa fureur ?

Elle porta à ses yeux les verres magiques. Elle regarda Ramsès et Julie, étonnée par la netteté de ce qu'elle voyait. La femme pleurait, elle ne pouvait en douter. Son regard sombre était rivé à la scène, où un petit homme assez laid chantait l'admirable « Céleste Aïda » d'une voix à briser le cœur.

Elle allait reposer les jumelles quand Julie Stratford dit quelque chose à son compagnon. Ils se levèrent et Julie disparut derrière le rideau. Ramsès la suivit.

Cléopâtre toucha la main d'Alex.

« Restez là », lui dit-elle.

Il trouva cela normal et n'essaya pas de la retenir.

Elle sortit dans le foyer pratiquement vide. Quelques vieillards, d'apparence misérable dans leurs habits de soirée, trompaient leur ennui en buvant de l'alcool.

Julie et Ramsès parlaient à voix basse. Elle les observa à l'aide de ses jumelles. Leur conversation paraissait revêtir une importance capitale. Soudain Julie s'éloigna en serrant sa pochette contre sa poitrine.

Cléopâtre n'hésita pas un seul instant. Elle la suivit en faisant des vœux pour que Ramsès ne levât pas les yeux à cet instant.

Julie Stratford franchit une porte marquée DAMES. S'agissait-il d'un boudoir privé, d'un endroit réservé dont le sens lui échappait ?

Elle ne savait trop que faire. Elle sursauta quand un jeune employé de l'opéra lui demanda si elle cherchait les toilettes. Elle savait ce que cela signifiait. Elle hocha la tête et entra à la suite de Julie.

Dieu merci, les toilettes des dames étaient désertes. Julie était assise sur un tabouret de velours devant une grande coiffeuse. Elle avait la tête dans les mains, elle semblait accablée.

Elle repensait aux paroles qu'elle venait de dire à Ramsès : « Je regrette d'avoir posé les yeux sur toi. Tu aurais dû laisser Henry accomplir sa sale besogne ! »

Le pensait-elle vraiment ? Il lui avait tordu le poignet et, maintenant, elle pleurait doucement.

« Julie, lui avait-il expliqué, j'ai commis un acte terrible, oui. Mais c'est de toi et de moi que je parle à présent. Tu es vivante, tu es merveilleuse, ton corps et ton âme sont en harmonie...

– Ne dis plus rien !

– Bois l'élixir et suis-moi à tout jamais. »

Seule dans les toilettes, elle essayait de réfléchir, mais n'y parvenait pas. Elle se disait que, dans plusieurs années, elle repenserait à tout cela comme à un épisode étrange de sa vie, une aventure étonnante dont elle ne parlerait qu'à quelques intimes. Elle leur confesserait qu'un homme mystérieux était entré dans sa vie... Ah, c'était insupportable !

La porte des toilettes s'ouvrit. La tête baissée, elle se tamponnait les yeux et cherchait à reprendre son souffle. Quelle honte d'être vue dans un tel état ! Et cette femme aux longs cheveux bruns qui venait d'entrer, pourquoi choisissait-elle un tabouret aussi proche du sien ?

Sans le vouloir, elle vit l'image que lui renvoyait le miroir. Etait-elle en train de perdre l'esprit ? La femme assise juste à côté d'elle posait sur elle de grands yeux bleus à vous glacer le sang !

Elle se tourna lentement vers la femme et se crispa sur son siège.

« Mon Dieu ! » Elle tremblait si violemment qu'elle dut plaquer la main sur le miroir pour conserver son équilibre.

« Mais oui, vous êtes adorable, dit la femme avec un accent britannique parfait. Mais il ne vous a pas donné son précieux élixir. Vous êtes mortelle, cela ne fait aucun doute !

– Qui êtes-vous ? » s'écria-t-elle. *Mais, déjà, elle savait !*

Le visage de la femme était impressionnant, sa chevelure ondulée semblait engloutir la lumière. « Pourquoi m'a-t-il tirée de mon sommeil ? Pourquoi a-t-il refusé de vous donner sa potion magique ?

– Laissez-moi tranquille », balbutia Julie. De violents frissons la parcouraient. Elle tenta de gagner la porte, mais la femme l'accula dans un coin de la pièce. Elle poussa un cri de panique.

« Quoi qu'il en soit, vous êtes vivante, murmura la femme. Jeune, délicate, pareille à une fleur. Toute prête à être cueillie. »

Julie se plaqua au miroir mural. En se jetant sur cette femme, pourrait-elle la faire tomber à la renverse ? Cela lui semblait impossible. La tête se mit à lui tourner et elle crut qu'elle allait s'évanouir.

« Cela paraît monstrueux, n'est-ce pas ? poursuivit la femme avec son accent raffiné. Que je puisse cueillir cette fleur parce que l'on a laissé mourir l'objet de mon amour. Quel rapport y a-t-il entre vous et ce que j'ai éprouvé il y a si longtemps ? Julie Stratford et Antoine... Cela semble d'une telle injustice.

– Oh ! mon Dieu ! implorait Julie. Je vous en prie, laissez-moi ! »

La main de la femme se tendit vers elle et se referma sur sa gorge. Les doigts se serrèrent, sa tête heurta le miroir, elle ne pouvait plus respirer, elle se sentait partir...

« Pourquoi ne vous tuerais-je pas ? *Dites-le-moi !* » susurrait-elle à son oreille.

La main la lâcha brusquement. Le souffle court, elle s'écroula sur la coiffeuse.

« Ramsès ! hurla-t-elle dans un suprême effort. Ramsès ! »

La porte des toilettes s'ouvrit et deux femmes apparurent. Cléopâtre s'élança entre elles et les bouscula avant de disparaître dans un chatoiement argenté.

Julie sanglotait, à genoux.

Des gens qui criaient, des pas précipités. Une vieille dame aux mains ridées l'aidait à se relever.

« Il me faut retrouver Ramsès », dit-elle. Elle se dirigea vers la porte, mais les autres femmes voulaient l'en empêcher, la faire asseoir, lui donner un verre d'eau.

« Non, laissez-moi ! »

Elle parvint à franchir la porte et un petit groupe de personnes attirées par les cris. Ramsès se précipitait vers elle. Elle s'effondra dans ses bras.

« Elle était là, lui dit-elle d'une voix brisée par l'émotion. Elle m'a parlé. Elle m'a touchée. » Elle montra sa gorge douloureuse. Si ces deux femmes n'étaient pas entrées...

– Qu'y a-t-il, mademoiselle ?

– Mademoiselle Stratford, que s'est-il passé ?

– Ça va mieux maintenant, laissez-moi, merci. »

Il l'entraîna loin des autres.

« Oui, j'ai vu la femme qui était avec elle, une grande femme brune, aux cheveux défaits... »

Il la ramena dans la loge, véritable havre de paix. Julie ouvrit grands les yeux et regarda autour d'elle. Elliott et Samir étaient là. La musique emplissait la salle. Samir lui présentait une coupe de champagne.

« Elle est ici, à l'opéra... Mon Dieu, elle ressemblait à un ange de mort ! Une déesse ! Ramsès, elle me connaissait, elle savait qui j'étais. Elle a parlé de vengeance, de son amour pour Antoine ! »

Le visage de Ramsès était pareil à un masque de rage. Il se tourna vers la porte. Elle voulut le retenir et renversa le champagne. « Non, ne pars pas ! Reste à mes côtés ! murmura-t-elle. Elle aurait pu me tuer. Elle le voulait. Et puis elle s'y est refusée. C'est une créature vivante, un être qui éprouve des sentiments ! Oh, mon Dieu, qu'est-ce que tu as fait ? Qu'est-ce que j'ai fait ? »

Le tintement d'une cloche. Les spectateurs quittaient leurs places. Alex allait la rechercher. Et peut-être trouverait-il ses compagnons.

Elle n'avait pas la force de bouger.

Elle se tenait sur un balcon métallique; un escalier de fer très étroit conduisait à une ruelle sombre et mal entretenue. Sur sa droite, une porte donnait sur la lumière et le tohu-bohu. La ville semblait plongée dans un brouillard d'où émergeaient des dômes étincelants. D'où elle se trouvait, elle ne pouvait voir le Nil, mais cela n'avait pas d'importance. L'air était frais et parfumé, empli de la senteur des arbustes.

Elle entendit sa voix.

« Votre Altesse, je vous cherchais partout.

– Prenez-moi dans vos bras, Alex, lui dit-elle. Serrez-moi contre vous. »

Elle sentit ses mains chaudes se poser sur son corps. Il la fit asseoir sur les marches.

« Vous êtes malade, dit-il. Je vais aller vous chercher un cordial.

– Non, restez près de moi. » Elle savait que sa voix était à peine audible. Il y avait un désespoir certain dans le regard qu'elle portait sur les lumières de la ville. Elle voulait s'accrocher à cette vision de la cité moderne afin d'oublier l'angoisse qui l'étreignait. Il n'y avait que cela qui lui fît du bien, cela et le jeune homme innocent qui l'étreignait et l'embrassait.

« Je ne sais pas si c'est du chagrin que j'éprouve ou de la colère, chuchota-t-elle en latin. Mais je sais seulement que je souffre. »

Elle le torturait malgré elle. Avait-il compris ses mots ?

« Ouvrez-moi votre cœur, dit-il avec franchise. Je vous aime, Votre Altesse. Dites-moi ce qui vous perturbe. Je ne permettrai à personne de vous faire du mal.

– Je vous crois, jeune seigneur. Moi aussi, j'ai de l'amour pour vous. »

Mais était-ce bien là ce qu'elle voulait ? La vengeance ferait-elle taire la fureur qui bouillonnait en elle ? Ou allait-elle battre en retraite et s'en aller au bout du monde avec son jeune amoureux ? Il lui sembla un moment que ses souffrances allaient tout consumer – ses pensées, ses espoirs, ses désirs. Et puis elle comprit que c'était exactement comme le soleil...

Aimer et haïr aussi farouchement, c'était l'essence de la vie même. Cette vie dont elle jouissait à nouveau, avec son cortège de bénédictions et de douleurs.

Le dernier acte allait s'achever. Elliott contemplait la scène d'un air sombre. Les amants tragiques étaient prisonniers de la crypte du temple de Vulcain tandis qu'Amnéris prenait part à la cérémonie funèbre.

Dieu merci, c'était presque fini ! Bien qu'au sommet de son art, Verdi paraissait presque grotesque vu les circonstances. Quant au bal, ils n'y passeraient que quelques instants avant de ramener Julie à sa chambre.

La jeune femme était au bord de l'évanouissement. Toute tremblante, elle s'agrippait à Ramsès.

Elle avait refusé de le laisser partir, de sorte qu'Elliott et Samir s'étaient vus contraints de chercher parmi la foule au cours des entractes. Elliott était le seul à pouvoir la reconnaître, mais ses cheveux en cascade et sa tenue argentée n'auraient certainement pas échappé à Samir.

Elle était introuvable. Cela n'avait rien d'étonnant. Elle avait dû quitter l'opéra après son agression contre Julie. Mais le mystère demeurait : comment était-elle au courant pour Julie ? Comment avait-elle fait pour l'identifier ?

On ne savait pas non plus où se trouvait Alex. C'était, d'une certaine façon, un bien pour un mal. Alex était miraculeusement épargné par ce qui se passait. Ah, s'il pouvait rentrer au pays sans demander d'explications ! Mais peut-être était-ce là trop demander.

Cela ne faisait plus aucun doute dans l'esprit d'Elliott, Julie prendrait le lendemain midi le train avec Alex. Lui-même resterait au Caire en attendant que tout fût fini. Samir accompagnerait Julie à Londres et vivrait à ses côtés, à Mayfair, en attendant le retour de Ramsès, c'était décidé. Ignorant de ce qui se passait, Alex était bien incapable de la protéger ou de la réconforter.

Le duo final était extrêmement poignant. Mais Elliott n'en pouvait plus. Il prit ses jumelles et entreprit d'observer le public. Alex, où te dissimules-tu ?

Des têtes grises ou chenues; des hommes qui somnolaient; des dames respectables qui haletaient. Et une jeune femme splendide assise au premier rang d'une loge, la main dans celle d'Alex.

Il sursauta.

Il tourna doucement la mollette des jumelles. Son cœur battit à tout rompre. Ce n'était pourtant pas le moment de défaillir ! Très distinctement, il vit Alex se tourner vers la femme et l'embrasser sur la joue tandis qu'elle regardait éperdument la crypte où chantaient les amants condamnés.

« Ramsey... »

Quelques spectateurs se retournèrent pour le faire taire.

« Ramsey », répéta-t-il à voix basse. L'autre quitta son siège et s'agenouilla auprès de lui. « Là, regardez ! Elle est avec Alex ! »

Il tendit les jumelles à Ramsey, mais ce dernier n'en eut pas besoin pour voir que Cléopâtre avait pris ses propres jumelles et les observait !

Les dernières notes du duo retentirent, puis les applaudissements crépitèrent, accompagnés de cris et de bravos. La salle se rallumait. Les spectateurs se levaient.

« Que se passe-t-il ? demanda Julie.

– Ils vont s'en aller, dit Ramsès. Je les suis !

– Non ! s'écria Julie.

– Elle est avec Alex Savarell, dit Ramsey. Elle a ensorcelé le fils du comte ! Samir, Lord Rutherford, je vous en prie, ne quittez pas Julie ! Raccompagnez-la à l'hôtel ! »

Leur loge était vide quand il y arriva. Ils avaient disparu. Il y avait au moins trois issues de secours à l'opéra, sans compter les portes principales. Il n'avait plus la moindre chance de les trouver.

Il attendait devant l'imposante bâtisse quand Julie en sortit au bras de Samir. Elliott était blanc comme un linge, il était clair qu'il faisait appel à ses dernières forces.

« C'est inutile, dit Ramsès. Nous les avons perdus.

– Il reste encore le bal, dit Elliott. C'est un jeu, vous le savez bien ! Alex ignore absolument tout de ce qui se passe. Il a dit qu'il nous retrouverait à l'opéra ou au bal. »

CHAPITRE NEUF

Ils étaient sortis de l'Opéra avec le flot des spectateurs et avaient traversé la grande place située sur le chemin de l'hôtel.

Ramsès les suivait, c'était pour elle une certitude. Et il lui était tout aussi certain que le seigneur Rutherford viendrait se porter au secours de son fils.

Elle ne décida rien. Leur rencontre était inévitable. Des paroles seraient échangées, mais ensuite ? Elle n'entrevoyait que la liberté, mais elle ignorait où elle devait se rendre et ce qu'elle devait faire pour être libre.

Tuer l'autre ? Ce n'était pas une solution. Un grand frisson d'horreur la parcourut quand elle repensa à toutes ces vies qu'elle avait prises – même à la vie de cet homme qui avait tiré sur elle.

Pourquoi Ramsès l'avait-il ressuscitée ? Comment s'y était-il pris précisément ? C'étaient là des questions auxquelles il lui faudrait peut-être répondre – à moins qu'elle ne se décidât à fuir Ramsès et ses énigmes.

Elle regarda les voitures automobiles qui effectuaient une sorte de ballet devant l'entrée du Shepheard's. Pourquoi ne pouvait-elle s'enfuir sur-le-champ avec Alex ? Elle avait bien le temps de rechercher son vieux maître, cet homme qui avait dominé toute sa vie mortelle et qui l'avait maintenant recréée pour des raisons qui lui échappaient totalement.

Elle serra la main d'Alex, qui lui répondit par un sourire rassurant. Elle ne dit rien. L'esprit confus, elle pénétra dans le vaste hall de l'hôtel et s'engagea dans le grand escalier.

La salle de bal s'ouvrait devant eux au premier étage. Des tables couvertes de nappes étaient alignées le long des murs.

La salle paraissait s'étendre à l'infini, et la musique émanait d'un orchestre noyé parmi la foule.

« Comment allons-nous les retrouver ? dit Alex. Oh, j'ai hâte de vous présenter.

– Vraiment ? fit-elle. Et s'ils n'approuvent pas votre choix, seigneur Alex, que ferez-vous ?

– Quelle étrange réflexion, répliqua-t-il avec innocence. Vous leur plairez beaucoup, et puis d'ailleurs, cela importe peu.

– Je vous aime, seigneur Alex. Je ne pensais pas que j'en arriverais là quand je vous ai vu pour la première fois. Je vous trouvais jeune et frais, j'avais envie de vous serrer dans mes bras, mais de là à vous aimer...

– Je comprends parfaitement le sens de vos paroles, dit-il, une lueur étrange dans les yeux. Cela vous étonne-t-il ? » Il semblait vouloir ardemment lui avouer quelque chose.

Une ombre de tristesse passa sur le front du jeune homme. Cette ombre, elle l'avait déjà remarquée, et elle comprenait à présent qu'elle était la réponse à ce qu'il lisait sur son visage à elle.

Quelqu'un l'appela par son nom. Son père. Elle reconnut sa voix avant même de se retourner. « Souvenez-vous que je vous aime », dit-elle à nouveau. Elle éprouvait un sentiment des plus étranges, celui de lui dire adieu. Il était trop innocent – c'était la seule chose dont elle fût certaine.

Elle les vit qui s'avançaient vers elle.

« Père ! Et Ramsey ! s'exclama Alex. Je suis content de vous revoir, mon vieux. »

Comme en un rêve, elle vit Alex qui serrait chaleureusement la main de Ramsès, et ce dernier qui la fixait.

« Ma chérie... » La voix d'Alex cherchait à l'atteindre. « Permettez-moi de vous présenter mon père et mes chers amis. Votre Altesse... » Il s'interrompit et baissa le ton pour lui avouer : « Je ne connais même pas votre vrai nom.

– Mais si, mon bien-aimé, lui dit-elle. Je vous l'ai dit dès que nous nous sommes rencontrés. C'est Cléopâtre. Votre père me connaît, de même que votre bon ami, Ramsey, puisque c'est ainsi que vous l'appelez. J'ai également fait la connaissance de votre fiancée, Julie Stratford. »

Elle regardait Elliott droit dans les yeux. La musique et les conversations de la foule étaient assourdissantes.

« Permettez-moi de vous remercier, seigneur Rutherford, pour les bontés que vous avez eues à mon égard. Qu'aurais-je fait sans vous ? Je me suis montrée si ingrate. »

Un pressentiment terrible l'habitait. Elle était perdue si elle demeurait dans cette salle. Elle restait pourtant là, une main tremblante sur le bras d'Alex, lequel était en proie à la plus grande confusion.

« Je ne comprends pas... Vous vous connaissez déjà ? »

Ramsès fit un pas en avant et la saisit par le bras afin de l'arracher à Alex.

« Il faut que je te parle, lui dit-il à voix basse. Tout de suite.

– Ramsey, mais que faites-vous, mon cher ? »

Plusieurs personnes s'étaient retournées.

« Alex, reste ici ! » lui lança son père.

Ramsey cherchait à l'entraîner. Elle se tordit la cheville.

« Laisse-moi ! » supplia-t-elle.

Comme dans un brouillard, elle vit Julie Stratford, très pâle, tendre les mains vers l'Egyptien au visage sombre. Le vieux seigneur Rutherford tentait, pour sa part, de retenir son fils.

Folle de rage, elle échappa à Ramsès. Un cri d'indignation parcourut l'assistance.

« Nous parlerons quand je le déciderai, ô maître bien-aimé ! Tu t'immisces dans mes plaisirs ainsi que tu l'as toujours fait ! »

Alex vint se placer à côté d'elle et elle le prit par la taille comme Ramsès s'avançait à nouveau.

« Au nom du Ciel, qu'est-ce qui vous prend, Ramsey ? lança Alex.

– Je te l'ai dit, il faut que nous parlions, toi et moi », répéta Ramsès à Cléopâtre en ignorant son amant.

La fureur de la femme dépassait ses paroles, et ses paroles sa pensée.

« Tu crois que tu peux me faire céder à ton bon vouloir ? Je te ferai payer pour tout ce que tu m'as fait ! »

Il la saisit violemment par le bras et l'arracha à Alex, que son père maintenait en place. Bien qu'elle se débattît, elle ne réussit pas à se libérer et il l'entraîna parmi les danseurs. Il l'enlaça et la força à tournoyer, la soulevant presque de terre sous la violence de son étreinte.

« Laisse-moi tranquille ! siffla-t-elle. Tu crois que je suis toujours la pauvre folle que tu as laissée dans ce taudis ignoble du vieux Caire ? Tu me prends pour ton esclave ?

– Non, je vois bien que tu es différente, répliqua-t-il en latin. Mais qui es-tu en vérité ?

– Ta magie a ravivé mon esprit, ma mémoire. Tout ce que j'ai souffert est *là*, et je te hais encore plus aujourd'hui que je ne t'ai jamais haï ! »

Comme il était accablé, comme il souffrait. Etait-elle censée avoir pitié de lui ?

« Tu as toujours été grandiose dans l'épreuve ! cracha-t-elle. Et dans tes jugements ! Mais je ne suis ni ton esclave ni ta propriété. Celle que tu as ramenée à la vie doit être libre de vivre.

– C'est toi, murmura-t-il. La reine qui était aussi sage qu'impulsive ? Qui aimait sans entraves mais savait toujours comment conquérir et gouverner ?

– Oui, précisément. La reine qui te suppliait de partager ta magie avec un mortel, mais à qui tu as refusé. Pitoyable...

– Oh non, tu sais que ce n'est pas vrai. » Le même charme, le même talent de persuasion. Et la même farouche volonté. « C'eût été une erreur fatale !

– Et moi, je ne suis pas une erreur fatale ? »

Elle se débattit, mais ne parvint pas à lui échapper. Autour d'eux, les danseurs paraissaient totalement inconscients du drame qui se jouait au centre de la piste.

« La nuit dernière, tu m'as dit que, lors de ton agonie, tu avais essayé de m'appeler, dit-il. Le venin du serpent t'avait paralysée. Etait-ce là la vérité ? »

Elle eut un mouvement très brusque qui attira l'attention de plusieurs couples.

« Réponds-moi, insista-t-il. As-tu vraiment cherché à m'appeler en tes derniers instants ? Est-ce vrai ?

– Tu crois que cela justifie ton acte ! » Elle le contraignit à s'arrêter de tourner. « J'avais peur, j'étais aux portes de la mort ! avoua-t-elle. C'était de la terreur, tu comprends ? Pas de l'amour ! Tu crois que j'aurais pu te pardonner d'avoir laissé mourir Antoine ?

– Oh, c'est toi », dit-il doucement. Ils étaient tous deux immobiles à présent. « C'est vraiment toi. Ma Cléopâtre, avec toute ta duplicité et ta passion. C'est toi.

– Oui, et c'est la vérité que je proclame quand j'affirme que je te hais ! s'écria-t-elle, les yeux baignés de larmes. Ramsès le Damné ! Ah ! Maudit soit le jour où j'ai permis à la lumière du soleil d'inonder ton tombeau. Quand ta douce et mortelle Julie Stratford agonisera à tes pieds comme Antoine agonisait aux miens, tu connaîtras enfin le sens de la sagesse et de l'amour, la puissance de celle qui est née conquérante et dominatrice. Ta Julie Stratford est mortelle. Sa nuque peut être brisée comme un roseau du fleuve ! »

Pensait-elle vraiment tout ce qu'elle disait ? Elle-même n'en savait plus rien. Elle ne connaissait que la haine, que l'amour avait embrasée. Elle eut un geste brusque et lui échappa.

« Non, tu ne lui feras aucun mal. Tu ne feras pas non plus de mal à Alex, cria-t-il en latin. Ou à qui que ce soit. »

Elle bouscula les danseurs qui lui barraient le chemin. Une femme cria, un homme tomba sur sa cavalière. D'autres cherchèrent à se lancer à sa poursuite.

Elle se retourna et le vit qui grimaçait.

« Je te ramènerai à la tombe avant qu'il ne soit trop tard, je te replongerai dans les ténèbres ! »

Terrorisée, elle fendit la foule. Tout le monde criait. Mais la porte était grande ouverte, et derrière elle, la liberté !

« Attends, écoute-moi ! » lui criait Ramsès.

Elle lança un regard par-dessus son épaule et vit Alex à côté de Ramsès. « Arrêtez, Ramsey, laissez-la tranquille ! » Des hommes qu'elle ne connaissait pas entouraient Ramsès.

Elle s'élança dans l'escalier. Une autre voix retentissait, celle d'Alex qui la suppliait de l'attendre, de ne pas avoir peur. Mais Ramsès allait échapper à ceux qui le retenaient. Ses menaces claquaient à ses oreilles.

Gênée par ses talons hauts, elle descendit le plus vite possible le grand escalier.

« Votre Altesse », cria Alex.

Elle traversa le hall et franchit les portes. Une automobile venait de faire halte en bas des marches de l'hôtel. Un homme et une femme en descendaient tandis qu'un chauffeur leur tenait la portière.

« Votre Altesse ! Attendez ! »

Elle fit le tour de la voiture et bouscula le chauffeur avant de s'installer au volant et d'enfoncer la pédale de l'accélérateur. Mais Alex avait eu le temps de sauter à côté d'elle. Elle se débattit avec le volant, faillit monter sur le trottoir et parvint à se ressaisir. La voiture s'engagea dans la rue qui menait au boulevard.

« Dieu du ciel ! s'écria Alex. Il a pris une voiture, il nous suit ! »

Elle écrasa la pédale, évita à la dernière seconde un véhicule qui venait en sens inverse et fonça.

« Votre Altesse, vous allez nous tuer ! »

Le vent la frappait au visage. Grimaçante, les mains crispées sur le volant, elle doublait les voitures qui n'allaient pas assez vite. Alex la suppliait, mais elle n'entendait que la voix de Ramsès : « Je te ramènerai à la tombe... dans les ténèbres ! » Elle devait fuir, fuir !

« Je ne le laisserai pas vous faire du mal. »

Le boulevard avait finalement cédé la place à une route de campagne, mais elle roulait toujours pied au plancher.

Quelque part, dans cette direction, se dressaient les grandes pyramides. Puis ce serait le désert, le désert sans fin. Mais comment pourrait-elle s'y cacher ? Où irait-elle ?

« Il est encore derrière nous ? questionna-t-elle.

– Oui, mais je ne les laisserai pas vous faire du mal, je vous l'ai promis ! Ecoutez-moi !

– Non, hurla-t-elle, n'essayez pas de me retenir ! »

Il voulut la prendre dans ses bras, mais elle le repoussa sauvagement. La voiture fit un écart et sortit de la route. Les pneus s'enfoncèrent dans le sable, les phares n'éclairaient plus que le désert.

Très loin sur la droite, elle vit une lumière qui clignotait et paraissait se rapprocher. Et elle entendit un bruit horrible : le hurlement d'une locomotive !

La panique s'empara d'elle. Elle percevait déjà le grondement sourd des roues métalliques !

« Où est-elle ! hurla-t-elle.

– Arrêtez-vous, n'essayez pas de la distancer ! »

Une lumière violente vint frapper le petit rétroviseur. Elle s'en trouva aveuglée. Elle tendit les mains avant de les refermer sur le volant. C'est alors qu'elle vit l'abomination des abominations, le monstre rugissant qui l'avait épouvantée plus que toute autre chose : la grande locomotive noire qui jaillissait sur sa droite.

« Les freins ! » lui cria Alex.

La voiture automobile s'arrêta pratiquement instantanément et la locomotive ne passa qu'à quelques dizaines de centimètres d'elle.

« Nous sommes coincés sur les rails ! Descendez vite ! » la supplia Alex.

Un sifflement strident couvrit le grondement sourd. Un autre convoi arrivait sur la gauche ! Elle vit l'œil jaune de la locomotive, le faisceau lumineux qui s'en échappait, la grande masse noirâtre s'avancer sur la voie.

Elles avaient eu finalement raison d'elle, ces créations des « temps modernes ». Et Ramsès qui les avait rattrapés, Ramsès qui criait son nom ! Elle sentit Alex l'attraper par le bras et essayer de l'extirper de son siège. Mais déjà le hideux monstre de fer était sur elle. Elle poussa un hurlement atroce quand il percuta l'automobile.

Son corps fut projeté très haut. Un instant, elle se sentit voler au-dessus du désert comme une poupée de chiffon qu'entraîne le vent. Sous elle, les horribles monstres de métal se croisaient en hurlant. Puis un feu formidable s'embrasa et une chaleur inimaginable l'enveloppa, accompagnée du bruit le plus assourdissant qu'elle eût jamais entendu.

Ramsès fut projeté en arrière par l'explosion. Il retomba sur le sable. Il avait vu le corps de Cléopâtre arraché à la voiture, puis le véhicule avait explosé et la femme avait été engloutie dans un déferlement de feu orangé. L'explosion fit trembler le sol, les flammes redoublèrent, et il ne vit plus rien du tout.

Le convoi qui roulait en direction du nord freinait pour s'arrêter, traînant sur le bas-côté les débris de la voiture. Le mécanicien de l'autre train semblait n'avoir rien remarqué. Ses wagons de marchandise brinquebalaient dans un bruit insupportable.

Ramsès courut vers la carcasse de la voiture. Il n'y distinguait pas la moindre trace de vie, rien ! Il allait entrer dans les flammes quand Samir l'en empêcha. Julie se mit à crier.

Il se retourna pour voir Alex Savarell qui se relevait péniblement. Ses vêtements avaient brûlé, mais lui-même était relativement indemne.

Où était-elle ? Consterné, il regardait les trains géants,

celui qui avait enfin fait halte et l'autre qui poursuivait sa route vers le sud.

Cette explosion, on eût dit celle d'un volcan !

« Cléopâtre ! » cria-t-il. Puis il sentit qu'il s'effondrait, malgré la vigueur immortelle qui était la sienne. Julie Stratford le tenait dans ses bras.

Le jour se levait. Le soleil n'était pas encore semblable à un disque; il n'y avait rien qu'un grand brouillard lumineux à l'horizon. Les étoiles s'éteignaient une à une.

Une fois de plus, il parcourait la voie ferrée. Samir, toujours patient, le regardait. Julie Stratford s'était endormie à l'arrière de la voiture.

Elliott et son fils avaient regagné l'hôtel.

Le fidèle Samir se pencha une fois de plus sur les restes carbonisés du véhicule, le cuir carbonisé, les freins noircis.

« Sire, lui dit Samir, rien ne peut survivre à une telle explosion. Aux temps anciens, l'homme ne pouvait produire une telle chaleur.

– Il doit pourtant y avoir des traces, il doit rester quelque chose... »

Mais pourquoi accabler ce pauvre mortel qui n'avait fait que lui donner du réconfort ? Et Julie, la pauvre Julie. Il se devait de lui rendre le calme et la paix de son hôtel. Elle ne lui avait pas parlé depuis l'explosion terrible. Elle était restée auprès de lui, elle lui avait donné la main, mais elle n'avait rien dit.

« Sire, réjouissez-vous de ce qui est arrivé, dit timidement Samir. La mort l'a reprise. Je suis sûr qu'elle a retrouvé la paix.

– Vraiment ? Pourquoi a-t-elle eu peur de moi, Samir ? Pourquoi s'est-elle enfuie dans la nuit ? Nous nous sommes querellés ainsi que nous l'avions toujours fait. Nous nous évertuions à nous faire du mal ! » Il s'arrêta, incapable de poursuivre.

« Venez vous reposer, sire. Même les immortels ont besoin de repos. »

CHAPITRE DIX

Ils s'étaient tous retrouvés à la gare ferroviaire. C'était, pour Ramsès, un moment d'angoisse totale, mais il ne savait plus que dire pour la persuader. Quand il la regardait dans les yeux, il n'y voyait pas de la froideur, mais une blessure profonde qui ne se refermait pas.

Alex avait écouté un peu malgré lui les semi-vérités qu'on lui avait révélées. Une femme que Ramsey avait connue; folle; dangereuse. Puis il s'était isolé, il en avait déjà trop entendu.

Ce jeune homme et cette jeune femme paraissaient avoir vieilli. Une ombre grise était passée sur le visage de Julie et le regard d'Alex reflétait quelque chose de maussade.

« Ils ne me retiendront pas plus de quelques jours, dit Elliott à son fils. J'arriverai peut-être une semaine après vous. Prends bien soin de Julie. Si tu prends soin d'elle...

– Je sais, père, ce sera la meilleure chose pour moi. »

Glacé, le sourire jadis si chaleureux.

Le chef de gare cria un ordre. Le train était sur le point de quitter la gare. Ramsès ne voulait pas le voir partir, il ne voulait pas entendre le bruit des roues. Il aurait voulu fuir, mais il savait qu'il resterait là jusqu'au bout.

« Tu ne changeras pas d'avis », dit-il à voix basse.

Le regard de la jeune femme se perdait dans le lointain.

« Je t'aimerai toujours », murmura-t-elle. Il dut se pencher pour l'entendre. « Jusqu'à mon dernier souffle, je t'aimerai. Non, je ne changerai pas d'avis. »

Alex lui serra la main avec vivacité. « Au revoir, Ramsey. J'espère vous revoir en Angleterre. »

Le rituel était pratiquement achevé. Il se retourna pour

embrasser Julie, mais elle se trouvait déjà en haut du marchepied de métal. Un bref instant, leurs regards se croisèrent.

Il n'y avait là ni reproche ni condamnation. Elle ne pouvait faire autrement. Elle le lui avait déjà expliqué à de nombreuses reprises.

Le convoi s'ébranla, les fenêtres défilèrent lentement. Elle plaqua la main sur la vitre et le regarda encore une fois, et il essaya d'interpréter ce regard. Y avait-il du regret ?

Il entendit la voix de Cléopâtre, lointaine, misérable. *A mes derniers instants, je t'ai appelé.*

Le comte de Rutherford l'entraîna vers la sortie, où attendaient les voitures automobiles avec leurs chauffeurs en livrée.

« Où irez-vous maintenant ? » lui demanda le comte.

Ramsès voyait le train disparaître au loin. « Cela a-t-il de l'importance ? » répondit-il machinalement. Et puis, comme s'il s'éveillait après avoir été envoûté, il remarqua l'expression d'Elliott, presque aussi surprenante que celle de Julie. Là non plus, il n'y avait pas de reproche, rien que de la tristesse. « Qu'avez-vous tiré de tout cela ? lui demanda-t-il avec une certaine brusquerie.

– Cela me prendra du temps pour le savoir, Ramsès. Du temps dont je ne bénéficierai peut-être pas. »

Ramsès secoua la tête. « Après tout ce que vous avez vu, dit-il en baissant la voix afin qu'Elliott fût seul à l'entendre, réclameriez-vous encore l'élixir ? Ou le refuseriez-vous comme l'a fait Julie ? »

Le train n'était plus qu'un point à l'horizon. Le silence régnait dans la gare vide.

« Cela a-t-il encore de l'importance ? » demanda Elliott. Et, pour la première fois, Ramsès sentit dans la voix du vieux comte de l'amertume et du ressentiment.

Il prit la main d'Elliott. « Nous nous reverrons, dit-il. Je dois m'en aller à présent, sinon je serai en retard.

– Mais où allez-vous ? » s'enquit Elliott.

Ramsès ne lui répondit pas. Il s'éloigna et ne se retourna brièvement que pour lui adresser un petit signe de la main. Elliott hocha la tête et se dirigea vers sa voiture.

Elliott ouvrit les yeux. Le soleil pénétrait par les lames de bois des volets, le ventilateur tournait lentement.

Il prit sa montre de gousset qu'il avait posée sur la table de nuit. Trois heures passées. Le bateau avait appareillé. Il en éprouva un soulagement intense.

Walter ouvrit la porte.

« Est-ce que ces imbéciles du bureau du gouverneur ont encore appelé ? lui demanda-t-il.

– Oui, monsieur, par deux fois. Je leur ai dit que vous vous reposiez et que je n'avais nullement l'intention de vous réveiller.

– Vous êtes un brave homme, Walter. Qu'ils aillent au diable !

– Monsieur Samir est égalcment passé.

– Samir ?

– Il a apporté un flacon de la part de M. Ramsey. Il se trouve ici, monsieur. Il m'a précisé que vous saviez de quoi il s'agissait. »

Elliott tourna la tête vers la table. Il y vit une petite bouteille plate, de celles qu'on utilise pour la vodka ou le whisky. Elle était remplie d'un liquide laiteux aux reflets irisés.

« Je ne sais pas ce que c'est, monsieur, dit Walter, mais si c'est une de ces spécialités égyptiennes, je ferais attention, à votre place. »

Elliott ne put s'empêcher de rire. Un petit mot accompagnait la bouteille. Elliott attendit que Walter fût sorti pour s'emparer du message.

Il était rédigé en majuscules ressemblant à des caractères romains.

> LORD RUTHERFORD, LA DÉCISION VOUS REVIENT.
> PUISSENT VOTRE SAGESSE ET VOTRE PHILOSOPHIE VOUS AIDER.
> PUISSIEZ-VOUS CHOISIR LE DROIT CHEMIN.

Il ne réussissait pas à y croire. Longuement, il regarda le message et la petite bouteille plate.

Elle était allongée sur sa couchette. Quand elle ouvrit les yeux, elle se rendit compte que c'était sa propre voix qui l'avait réveillée. Elle avait appelé Ramsès. Elle se leva sans se hâter et passa une robe d'intérieur. Est-ce que cela avait de l'importance si quelqu'un la voyait vêtue ainsi sur le pont du bateau ? Mais n'était-ce pas l'heure du dîner ? Il lui fallait s'habiller. Alex avait besoin d'elle. Elle fouilla dans sa garde-robe. Depuis combien de temps avaient-ils pris la mer ?

Elle arriva dans la salle à manger. Il se trouvait déjà à table, mais ne se leva pas pour l'accueillir. Il se mit tout de suite à parler.

« Je ne comprends rien à toute cette histoire. C'est vrai. Elle ne m'a absolument pas donné l'impression d'être folle. »

L'écouter lui était pénible, mais elle s'y contraignit.

« C'est vrai, il y avait en elle quelque chose de sombre, de la tristesse peut-être, poursuivit-il. Mais je sais seulement que je l'aimais. Et qu'elle m'aimait. Me croyez-vous ?

– Oui.

– Elle m'a dit les choses les plus étranges. Elle n'avait pas l'intention de m'aimer, mais cela s'était pourtant produit, malgré elle. Est-ce que vous l'avez vraiment regardée ? Est-ce que vous avez vu à quel point elle était belle ?

– Alex, cela ne sert à rien de vous répéter cela. Vous ne la ferez pas revenir.

– Je savais que je la perdrais. Je l'ai su dès le tout premier instant. Elle était d'ailleurs, comprenez-vous ?

– Oui... »

Il regardait droit devant lui, comme s'il observait les autres convives et écoutait leurs propos civilisés. Les passagers étaient presque exclusivement britanniques.

« Il est possible d'oublier ! s'exclama-t-elle. C'est toujours possible, je le sais !

– Oublier, oui, dit-il avec un sourire forcé. C'est ce que nous ferons. Vous oublierez Ramsey et moi, je l'oublierai. Nous accomplirons les gestes du quotidien comme si nous n'avions jamais aimé, vous et moi. »

Julie fut profondément choquée par ses propos.

« Les gestes du quotidien, fit-elle. Quelle terrible expression ! »

Il ne l'avait même pas entendue. Il avait pris sa fourchette et s'était mis à manger, ou plutôt à piquer des bouchées de nourriture. A accomplir les gestes de la manducation.

Tremblante, elle ne pouvait détacher les yeux de sa propre assiette.

Il faisait sombre. Une lumière bleutée franchissait les volets de bois. Walter était venu lui demander s'il désirait dîner.

Il lui avait répondu que non. Il ne voulait qu'une chose, être seul.

Il ne portait que sa robe de chambre et ses pantoufles. Il contemplait le flacon qui luisait doucement dans la pénombre. Le mot de Ramsès était posé à côté.

Il résolut finalement de s'habiller. Sa veste de laine grise n'était pas vraiment appropriée au climat du Caire, mais elle le protégerait de la fraîcheur de la nuit. Il glissa le flacon plat dans sa poche intérieure.

Puis il sortit. Sa jambe lui fit mal peu après qu'il eut quitté le Shepheard's, mais il poursuivit son chemin, s'arrêtant parfois pour reprendre son souffle ou changer sa canne de côté.

Au bout d'une heure, il atteignit la vieille ville. Il déambulait sans but dans les rues. Il ne cherchait pas la maison de Malenka. Non, il se contentait de marcher. Vers minuit, son pied gauche l'élança vivement, mais cela n'avait que peu d'importance.

Partout où il allait, il regardait : les objets, les murs, les portes et les visages des gens. Il s'arrêtait devant les cabarets et écoutait leur musique dissonante. Parfois, il entrevoyait les contorsions lascives d'une danseuse du ventre. Un joueur de flûte retint plus particulièrement son attention.

Quand il était fatigué, il s'arrêtait et s'asseyait sur un banc, somnolant parfois. La nuit était paisible, les dangers de Londres y étaient inconnus.

A deux heures, il marchait toujours. Il avait arpenté toute la cité médiévale et s'en revenait vers les quartiers modernes.

Julie se tenait près du bastingage et serrait nerveusement les pointes de son foulard. Elle avait vaguement conscience du froid qui lui paralysait les mains, mais elle s'en moquait bien.

Elle n'était pas sur le pont du bateau, mais dans sa maison de Londres. Elle se trouvait au beau milieu du jardin d'hiver. Ramsès était là, lui aussi, et des bandelettes de lin recouvraient son visage. Il leva la main et les arracha. Ses yeux bleus pleins d'amour se posèrent sur elle.

« Non, il ne faut pas », murmura-t-elle. Mais à qui parlait-elle ? Il n'y avait personne. Tous les passagers dormaient, ces Britanniques bien élevés qui rentraient au pays, si heureux d'avoir pu contempler les pyramides et les temples. *Détruis l'élixir...*

Le mugissement du vent et le bruit des moteurs se perdaient dans la brume.

Elle entendit sa voix qui lui disait : « Je t'aime, Julie Stratford. » Elle s'entendit lui répondre : « Je regrette d'avoir posé les yeux sur toi. Tu aurais dû laisser Henry accomplir sa sale besogne ! »

Elle sourit. Avait-elle déjà eu aussi froid ? Elle ne portait qu'une chemise de nuit légère. Cela n'avait rien d'étonnant. Elle devrait être morte. Comme son père. Henry avait versé le poison dans sa tasse. Elle ferma les yeux et offrit son visage au vent.

« Je t'aime, Julie Stratford », dit-il à nouveau. Cette fois-ci, elle s'entendit répondre cette phrase toute faite, mais si belle : « Jusqu'à mon dernier souffle, je t'aimerai. »

Cela ne servait à rien de rentrer au bercail. Plus rien ne servait à rien. Les gestes du quotidien. L'aventure était terminée. Le cauchemar avait pris fin. C'était maintenant le monde réel qui lui paraîtrait cauchemardesque.

Sous la tente, avec lui, pour lui faire l'amour, enfin. Dans le temple sous les étoiles.

Elle ne dirait jamais à des enfants pourquoi elle ne s'était pas mariée. Elle ne raconterait à aucun jeune homme son voyage en Egypte. Elle ne serait jamais cette femme qui porterait toute sa vie un terrible secret.

Les eaux sombres l'attendaient. En quelques instants, elle serait emportée loin, très loin du navire, sans la moindre chance de salut. Cela lui parut d'une inexprimable beauté. Il lui suffisait d'enjamber le bastingage, ce qu'elle faisait à présent, et de s'envoler dans le vent.

Elle tendit les bras et s'élança. Plus rien ne pouvait la sauver. Déjà elle tombait. Elle voulut prononcer le nom de son père, mais ce fut celui de Ramsès qui lui vint à l'esprit.

Deux bras robustes l'enserrèrent. Elle se trouva suspendue au-dessus de la mer.

« Non, Julie. » C'était Ramsès qui la suppliait. Ramsès qui la portait au-dessus des flots. Ramsès qui la reposait sur le pont.

« Non, Julie, répéta-t-il. La mort ne doit pas prendre le pas sur la vie. »

Elle éclata en sanglots. Grelottante de froid, les joues inondées de larmes, elle enfouit le visage au creux de sa poitrine.

Inlassablement, elle répéta son nom. Elle sentait ses bras la protéger du vent mauvais.

Le Caire s'éveillait avec le soleil. Le bazar ressuscitait, les toiles rayées des tentes se tendaient au-dessus des portes tandis que retentissaient les cris des chameaux et des ânes.

Elliott était épuisé. Il lui faudrait bientôt dormir; pourtant il continuait de marcher. Lentement, il passa devant les échoppes des marchands de tapis et d'articles en cuivre, les petites boutiques où l'on vendait des *djellabas* et de fausses antiquités, des momies royales authentiques pour quelques pence seulement.

Des momies... Elles étaient disposées le long des murs blanchis à la chaux, enveloppées dans leurs bandelettes souillées. On distinguait toutefois les traits de leurs visages.

Il fit halte. Toutes les pensées qui l'avaient agité au cours de la nuit s'étaient envolées. Les images de ceux qu'il aimait si tendrement finissaient par s'effacer. Il était entré dans le bazar et s'était arrêté pour regarder des corps alignés contre un mur.

Les paroles de Malenka sonnèrent à ses oreilles.

« Avec mon Anglais, ils font un grand pharaon. Mon bel Anglais. Ils le mettent dans le bitume, ils font une momie pour les touristes... Mon bel Anglais, ils l'enveloppent de lin, ils font de lui un roi. »

Il se rapprocha, irrésistiblement attiré par ce qu'il voyait, bien que ce fût terriblement repoussant. Il sentit la nausée monter en lui quand il découvrit la première momie, la plus grande, la plus mince aussi. Un nouveau haut-le-cœur l'ébranla quand le marchand l'aborda.

« Tu veux faire une affaire ? lui dit le marchand. Celle-là, elle n'est pas comme les autres. Tu vois ? Regarde la finesse de ce visage, c'était un grand roi. Regarde, je te dis. »

En silence, Elliott lui obéit. Les bandelettes étaient épaisses, serrées, jaunies. Elles avaient toute l'apparence de l'ancien, de l'authentique. L'odeur qu'elles dégageaient était celle de la terre, du bitume. Mais ce nez, ce front large, cette bouche plissée, ces yeux enfoncés dans leurs orbites. Cela ne faisait pas le moindre doute, c'était bien le visage de Henry Stratford qui se présentait à lui !

Le soleil levant pénétrait par le hublot et franchissait les voiles blancs du petit lit de cuivre.

Ils étaient assis, l'un contre l'autre, réchauffés par l'amour qu'ils avaient fait, par le vin qu'ils avaient bu.

Elle le regarda vider le flacon dans un gobelet. Des lueurs infimes dansaient dans cet étrange liquide.

Elle prit le gobelet avant de le regarder au fond des yeux. Elle connut un instant de peur, puis il lui sembla soudain qu'elle ne se trouvait pas dans cette cabine de bateau. Elle était à nouveau sur le pont, perdue dans la brume, et elle avait froid. La mer l'attendait. Elle frissonna et perçut l'ombre de la peur ternir le regard de son compagnon.

Un homme, ce n'est rien qu'un homme, se dit-elle. Il ne sait pas plus que moi ce qui va advenir de nous ! Elle sourit.

Et elle but le contenu du gobelet.

« Le corps d'un roi, c'est vrai, disait le marchand en se penchant vers lui d'un air entendu. Je te le donne pour rien ! Toi, tu es mon ami. Ça ne te coûtera pas cher… »

Henry plongé dans le bitume ! Henry enveloppé à tout jamais dans des bandelettes ! Henry qu'il avait caressé dans sa petite chambre parisienne, il y avait une éternité de cela.

Le marchand ne cessait de parler, mais Elliott ne l'entendait plus. Il s'éloigna lentement de la petite boutique.

Le soleil, grand disque incandescent, resplendissait sur le bazar. Elliott leva les yeux vers l'astre et s'appuya sur sa canne d'une main ferme. Il plongea son autre main dans la poche intérieure de sa veste et s'empara du flacon qu'il y avait rangé. Il lâcha sa canne et dévissa le bouchon avant de boire jusqu'à la dernière goutte le liquide opalescent.

Pétrifié par les frissons qui le parcouraient, il lâcha le petit flacon. Des vagues de chaleur le balayaient. Sa jambe malade revenait à la vie. Le poids qui lui opprimait la poitrine s'allégeait. Il s'étira avec la langueur d'un grand fauve, les yeux toujours rivés sur le disque d'or.

Il s'en alla dans les ruelles du bazar, sans se préoccuper des cris du marchand qui le rappelait pour lui rendre sa canne.

Il était midi et le soleil était à son zénith quand il quitta Le Caire par la petite route qui mène vers l'est. Il ne savait pas exactement où il allait et cela lui importait peu. Le monde était plein de monuments, de merveilles et de cités qui s'offriraient à sa contemplation. Il allait d'un pas rapide, et le désert ne lui avait jamais paru aussi beau.

Ils se tenaient sur le pont et le chaud soleil enveloppait leurs corps enlacés. Elle sentit ses lèvres se poser sur les siennes et, soudain, ils s'embrassèrent comme ils ne l'avaient jamais fait auparavant.

Il la prit dans ses bras et la ramena à la petite chambre avant de la déposer sur le lit. Les voiles retombèrent autour d'eux comme pour tamiser la lumière.

« Tu es à moi, Julie Stratford, murmura-t-il. Tu es ma reine à jamais. Et je suis à toi. Je serai toujours à toi. »

Elle lui sourit, d'un air un peu triste. Elle voulait ne jamais oublier cet instant, elle voulait se rappeler toujours le regard de ses yeux bleus.

Puis lentement, fébrilement aussi, ils se mirent à faire l'amour.

CHAPITRE ONZE

Le jeune médecin s'empara de sa trousse et se précipita vers l'infirmerie, accompagné d'un fantassin.

« C'est épouvantable, docteur, elle a été complètement brûlée et écrasée sous les caisses du wagon de marchandises. C'est un miracle qu'elle soit en vie. »

Au nom du Ciel, qu'allait-il bien pouvoir faire pour elle, dans cet avant-poste oublié parmi les jungles du Soudan ?

Il s'appuya au chambranle de la porte. L'infirmière vint vers lui. « Je n'y comprends rien, dit-elle à voix basse avec un regard appuyé en direction du lit.

– Laissez-moi l'examiner. » Il rejeta la moustiquaire. « Mais... cette femme n'est pas brûlée ! »

Elle reposait sur un oreiller blanc. Sa chevelure brune frémissait à la lumière comme si une brise soufflait dans cette pièce à l'atmosphère étouffante.

Peut-être avait-il déjà vu une femme aussi splendide, mais il ne s'en souvenait pas et, franchement, il n'avait pas envie de se le rappeler. Elle était si belle qu'il était presque pénible de la contempler. Elle n'avait pourtant rien d'une poupée de porcelaine. Ses traits étaient marqués, mais d'une délicatesse extrême. Ses cheveux bruns lui tombaient de part et d'autre du visage et dessinaient une grande pyramide soyeuse.

Il fit le tour du lit. Elle ouvrit les yeux. Ils étaient si bleus, c'en était remarquable. Puis, miracle des miracles, elle sourit. Il se sentit tout faible rien qu'à la regarder. Le mot de « destin » lui vint à l'esprit, s'imposa à lui. Qui pouvait-elle bien être ?

« Quel bel homme vous faites », murmura-t-elle. Elle avait un accent britannique parfait. C'est l'une d'entre nous, se dit-il tout en s'en voulant de nourrir des pensées aussi exclusives Sa voix était, cependant, des plus aristocratiques.

L'infirmière bredouilla quelque chose. On chuchotait dans son dos. Il tira le siège de toile et s'assit auprès d'elle. Le plus naturellement possible, il tira le drap sur sa poitrine à demi dénudée.

« Trouvez des vêtements à cette femme, lança-t-il à l'infirmière. Vous nous avez fait une de ces peurs. Tout le monde croyait que vous étiez brûlée.

– Vraiment ? C'est gentil de leur part... Je me trouvais dans un lieu exigu où je pouvais à peine respirer, j'étais dans le noir. » Elle cligna des yeux quand elle regarda la fenêtre inondée de lumière. « Aidez-moi à me lever, je veux aller prendre le soleil.

– Oh, il est encore trop tôt ! »

Elle s'assit dans le lit et enroula le drap autour de son corps comme s'il s'agissait d'une toge. Ses fins sourcils noirs donnaient à son regard un air volontaire, qu'il trouva curieusement excitant, au sens physique du terme.

Elle avait l'air d'une déesse, ainsi drapée. Elle se leva et lui adressa encore une fois son sourire éclatant.

« Ecoutez, vous devez me dire qui vous êtes. Votre famille, vos amis... nous les ferons prévenir.

– Accompagnez-moi dehors », dit-elle.

Il la suivit assez stupidement en lui donnant la main. Qu'ils racontent ce qu'ils veulent ! Pourquoi ont-ils dit qu'elle était horriblement brûlée ? Cette femme n'a absolument rien ! Est-ce que le monde serait devenu fou ?

Elle traversa la cour poussiéreuse et l'entraîna dans un jardinet normalement interdit aux malades et situé juste à côté du cabinet et de la chambre du médecin.

« Vous ne devriez pas sortir par une chaleur pareille, lui dit-il. Surtout si vous avez été brûlée. » Mais c'était stupide. Sa peau était impeccable, radieuse. De toute sa vie, il n'avait jamais vu quelqu'un qui fût en meilleure santé.

« Y a-t-il quelqu'un que je puisse contacter ? essaya-t-il à nouveau. Nous avons le télégraphe et le téléphone.

– Ne vous occupez pas de cela », dit-elle en jouant nonchalamment avec ses doigts. Il eut brusquement honte de ce que cela suscitait en lui. Il ne pouvait s'empêcher de la regarder, de fixer ses yeux et sa bouche. Il voyait ses seins à travers le drap.

« J'ai des amis, oui, dit-elle d'un air un peu rêveur, et aussi des rendez-vous à tenir et des comptes à régler. Mais parlez-moi de vous, docteur. Et de cet endroit. »

Ne voulait-elle pas l'embrasser ? Il avait du mal à y croire, mais il se promettait bien de ne pas laisser passer l'occasion. Il se pencha pour effleurer ses lèvres. Il se moquait bien qu'on le regardât. Il la serra dans ses bras, étonné de la façon dont elle plaquait ses seins contre sa poitrine.

Il allait la jeter sur son lit si elle n'y venait pas de son propre chef !

« Nous avons tout notre temps », murmura-t-elle tout en glissant les doigts à l'intérieur de sa chemise. Ils se dirigeaient vers la porte de la chambre. Elle s'arrêta et il la prit dans ses bras.

Elle écrasa ses lèvres sur les siennes. Honteux, affolé, il la déposa sur le matelas et ferma les volets de bois. Au diable les autres et ce qu'ils pouvaient penser !

« Vous êtes sûre de... » bredouilla-t-il. Il se débarrassa de sa chemise.

« J'aime les hommes qui rougissent, dit-elle à voix basse. Oh oui, je suis sûre. Je veux être prête avant que mes amis n'arrivent. Tout à fait prête...

– Quoi ? » Il s'allongea à côté d'elle, embrassa sa gorge et fit courir sa main sur son sein. Elle souleva doucement le ventre quand il se coucha sur elle. Elle ondulait doucement comme un serpent, elle était chaude, odorante et prête à le recevoir !

« Mes amis... » murmura-t-elle. Elle avait les yeux rivés au plafond. Il y avait en eux comme une étincelle de détresse. Puis elle le regarda. Elle n'était plus que désir. Sa voix se fit rauque quand elle le caressa, ses ongles griffèrent ses épaules. « Mes amis peuvent attendre. Nous avons tout le temps de nous revoir... Tout le temps... »

Il ne comprenait pas très bien ce qu'elle voulait dire, et cela lui importait peu.

FIN

Mais les aventures de Ramsès le Damné
ne sont pas terminées pour autant...

Achevé d'imprimer sur les presses de

BUSSIÈRE

GROUPE CPI

à Saint-Amand-Montrond (Cher)
en juillet 2002

POCKET - 12, avenue d'Italie - 75627 Paris Cedex 13
Tél. : 01-44-16-05-00

— N° d'imp. : 23875. —
Dépôt légal : mai 1992.

Imprimé en France